KU-370-861

Erhard Keppler · Die Luft, in der wir leben

Erhard Keppler

Die Luft, in der wir leben

Physik der Atmosphäre

Mit 9 Farbabbildungen auf Tafeln,
69 Grafiken und 15 Tabellen

Piper
München · Zürich

Die Abbildungen auf dem Umschlag zeigen: die Erdatmosphäre – von einem Erdsatelliten aus nach Sonnenuntergang photographiert. Die Atmosphäre ist noch beleuchtet, während die Erdoberfläche schon im Schatten liegt. Die Strukturen im Blauen sind auf Aerosole zurückzuführen (rechts oben). Im Bildblock links unten ist die Erde am 26. März 1982, 11.55 Weltzeit, dargestellt, aufgenommen in drei verschiedenen Spektralbereichen mit dem ESA-Satelliten METEOSAT: oben links im sichtbaren Licht, unten links im Infraroten, außerhalb der Spektrallinien des Wasserdampfes, rechts unten im Licht des Wasserdampfes. Oben rechts ist Europa aus dem Bildteil oben links durch Computerentzerrung herausgeholt und vergrößert dargestellt worden.

Das dritte Bild zeigt globale bodennahe Windstrukturen im Atlantik und im Indischen Ozean (Pfeile zeigen in die Richtung, in die der Wind weht; Pfeillänge proportional zur Windgeschwindigkeit). Die Winde beeinflussen die Temperatur der Ozeane durch Wärmeaustausch mit dem Oberflächenwasser. Die Farben der Abbildung dienen der Verstärkung des Eindrucks (rot: höhere, blau: niedrigere Windgeschwindigkeit). Informationen dieser Art erlauben Rückschlüsse auf die Wechselwirkung Ozean–Atmosphäre. Die Karte basiert auf Daten, die mit dem US-Satelliten SEASAT im September 1978 gewonnen wurden. Man erkennt das Azorenhoch und ein kräftiges Tiefdruckgebiet in der Nähe von Island. Auf der Südhalbkugel ist eine Antizyklone bei Südafrika zu erkennen (auf der Südhalbkugel drehen Zyklone im Uhrzeigersinn!). Im Äquatorbereich dominieren die Passate.

ISBN 3-492-03191-9
© R. Piper GmbH & Co. KG, München 1988
Gesetzt aus der Times-Antiqua
Gesamtherstellung: H. Mühlberger, Gersthofen
Printed in Germany

Inhalt

Vorwort 9

Einleitung 11
Eine erste Problembeschreibung 11 – Geschichte der
Erde 13 – Zeitmessung mit Hilfe radioaktiver Atome 15
– Die Entstehung der Sonne 16

Kapitel 1   Die Geschichte der Erde 19
Empfindliches Gleichgewicht 19 – Klima und kulturelle
Entwicklung 21 – Die sekundäre Atmosphäre 23 – Die
Entstehung der Erde 26 – Die Abkühlphase des Planeten 29 – Erste Spuren von Leben 34 – Periodische Klimaänderungen 38 – Vulkanausbrüche und Klimaverschiebungen 41 – Der Kreislauf der Gesteine 44 – Klima
und Menschheitsgeschichte 46

Kapitel 2   Die Wärmekraftmaschine der Erde: Eine erste
Beschreibung der Atmosphäre 52
Die Konvektion 52 – Die Zirkulationssysteme 56 – Der
Aufbau der Atmosphäre 59 – Der Temperaturverlauf in
der Atmosphäre 65 – Winde 67 – Der Einfluß der
Sonne 68

Kapitel 3   Physik von Luft und Wasser: Einige Grundlagen
der Atmosphärenphysik 71
Mischungsverhältnisse 76 – Modelle der Atmosphäre 80
– Bericht über Anfänge 82 – Die Rolle des Wasserdampfes in der Atmosphäre 88

5

**Kapitel 4 Wolken, Wind und Wetter: Ein Exkurs
        in die Meteorologie** 96
Hoch- und Tiefdruckgebiete, Fronten 100 – Strahlströme und Windsysteme 105 – Wolken und Nebel 111

**Kapitel 5 Vom Regenbogen zum Polarlicht: Optische
        Erscheinungen in der Atmosphäre** 117
Lichtstreuung 118 – Der Regenbogen 118 – Fata Mor-
gana 123 – Halos 125 – Leuchtende Nachtwolken 130 –
Luftleuchten 131 – Das Polarlicht 132

**Kapitel 6 Donner, Blitz und Radiowellen: Elektrische
        Eigenschaften der Atmosphäre** 136
Ionosphäre 136 – Gewitter 140 – Der Blitz 146 – Globale elektrische Felder 148

**Kapitel 7 Eine Kugel im Weltraum: Der Energiehaushalt
        der Erde** 151
Eine Analogie 151 – Die Strahlungsbilanz 156 – Die
thermische Ausstrahlung der Erde 162 – Aerosol 165 –
Mechanischer Energietransport 170 – Der Einfluß der
Sonne 172 – Die Schwierigkeit der Datenanalyse 174 –
Die Rolle der Meere 176

**Kapitel 8 Gase, Staub und Wassertröpfchen: Chemische
        Reaktionen in der Atmosphäre** 179
Das dynamische Gleichgewicht 180 – Die Edelgase 183
– Die Spurengase 184 – Stickstoffverbindungen 185 –
Die Rolle des Sauerstoffs 192 – Wasserstoff 199 – Halogene 200 – Wasser 201 – Kohlenstoff in der Atmosphäre 202 – Schwefel 211 – Aerosol 212 – Photooxydantien 214

**Kapitel 9 Die Luft, das Leben und die Zukunft: Spurengase
        und Klima** 216
Das CO_2-Problem 216 – Perspektiven einer globalen

Temperaturerhöhung 219 – Säurebildner in der Atmosphäre 221 – Die halogenierten Kohlenwasserstoffe 222 – Weitere Treibhausgase 227 – Die Ohnmacht der Vernunft 233 – Grundmuster 238 – Das Ozonloch 240 – El Niño 247 – Ursachen 250

Kapitel 10 **Energieversorgung, Umweltprobleme, Zukunftsperspektiven: Wissenschaftliche Einsicht und politisches Handeln** 252
Alltagsprobleme 253 – Maximen 254 – Umweltprobleme 256 – Bevölkerungswachstum 259 – Natürliche Klimaeinflüsse 260 – Folgen einer Temperaturerhöhung 262 – Menschliche Eingriffe in die Natur 264 – Die GAIA-Hypothese 265 – Energiebedarf 266 – Nahrungsversorgung 268 – Maßnahmen 270 – Energiesparen 271 – Solarenergie 272 – Energiespeicher 274 – Kernenergie 274 – Technische Systeme 276 – Flächendeckende Energieversorgung 278 – Quo vadis, homine? 281

Anhang 1 **Die Gasgesetze** 283
Temperatur und Wärmemenge 283 – Einige thermodynamische Zusammenhänge 285 – Adiabatische und isotherme Zustandsänderungen 286 – Adiabatische Prozesse 288 – Stabile Schichtung und Inversion 291

Anhang 2 **Die barometrische Höhenformel** 294

Anhang 3 **Die Strahlungstemperatur der Erde** 297

Anhang 4 **Über den Aufbau der festen Erde** 303

Anhang 5 **Schichtbildung in der Atmosphäre** 307

Anhang 6 **Anmerkungen zu den Maßeinheiten** 310

Anhang 7   Geologische Formationen 313

Literaturverzeichnis 315

Weiterführende Literatur 319

Glossar 322

Verzeichnis der Tabellen 327

Bildnachweis 328

Register 329

Vorwort

Die dünne Gasschicht, die die Erde umgibt, hat für jeden von uns andere wichtige Eigenschaften. Der Biologe sieht in ihr die Voraussetzung für Leben auf dem Planeten. Dem Meteorologen gibt sie nicht enden wollende Abenteuer der Wetterprognose. Für den an der Ausbreitung elektromagnetischer Wellen Interessierten ist die Ionosphäre untersuchenswert. Den Chemiker stellt sie mit einer großen Zahl miteinander verknüpfter Reaktionen vor schier unlösbare Probleme. Ein Poet schwärmt von farbigen Sonnenuntergängen, preist laue Lüfte. Der Astronom schließlich wünscht die Atmosphäre (gelegentlich) zum Teufel, weil sie seine Messungen stört, be- oder gar verhindert.

Und was ist mit all den anderen? Die anderen nehmen die Luft, wie sie ist – als etwas Gottgegebenes –, und sie kümmern sich einen Deubel drum. Ausgenommen, sie ist ganz schlecht geworden, das Atmen darin macht Mühe, es macht krank, die Wälder sterben. So gibt es erst in jüngster Zeit Menschen, die die Luft, die wir atmen, als einen Teil unserer Umwelt achten, die sich Sorgen machen um ihre Erhaltung und vor ihrer Verschmutzung warnen.

Hätte die Atmosphäre die Dichte von Wasser, würde sie die Erde als eine Schicht von 10 m Dicke umhüllen. Ist das nicht erschreckend wenig – wenn man bedenkt, welche Mengen an Gasen und Staub wir in die Atmosphäre zwecks gefälliger Verteilung über Landschaft und Meere entlassen? Es wird Zeit, die Luft zu schützen. Ich will darum in diesem Buch berichten, wie die Atmosphäre entstand, wie sie mit dem Planeten zusammenspielt, wie sehr empfindlich die Gleichgewichte der Atmosphäre sind. Ich möchte den Leser einführen in die Erforschung von etwas so Naheliegendem wie der Luft, in der wir leben, von etwas so Unbekanntem wie der Erdatmosphäre.

Dazu habe ich, wo es mir angebracht schien, ein paar mathematische Formeln in den Text eingestreut, die dem, der sie zu lesen versteht, mehr sagen als viele Worte, die aber andere ruhig überlesen mögen. Ich habe den Text so abgefaßt, daß man den Faden nicht so leicht verliert. Zugleich sollte aber auch deutlich werden, warum beispielsweise Klimaforschung so schwierig ist.

Die Idee, ein solches Buch abzufassen, kam mir im Verlauf vieler Diskussionen im Umfeld von Umweltschutz, wo das Fehlen einer zusammenfassenden Darstellung hinreichender Genauigkeit und Aktualität spürbar wurde. Darum sollte das Buch eine breiter angelegte Beschreibung der Atmosphäre liefern, die aber einigermaßen allgemeinverständlich gehalten ist. Auch meinte ich, auf eine kurze Schilderung meteorologischer Fragen, der atmosphärischen Optik, der elektrischen Erscheinungen in der Atmosphäre nicht verzichten zu können, weil es im deutschen Sprachraum an geeigneten allgemeinverständlichen Darstellungen fehlt.

Viele Kollegen haben mich in dem Vorhaben bestärkt. Den Herren Professor Dr. W. Blind, Dr. G. Hartmann und Dr. M. Schmidt möchte ich an dieser Stelle besonders danken, da sie sich der Mühe unterzogen haben, das Manuskript zu lesen, und mir viele nützliche Ratschläge gaben.

Ich habe im Text, wo es mir angebracht schien, Originalarbeiten zitiert (in eckiger Klammer), um denjenigen, die Zugang zu Zeitschriften haben, eine Hilfe zu geben. Zu jedem Kapitel habe ich aber darüber hinaus Bücher oder allgemeinverständliche Artikel angegeben, die den Inhalt des betreffenden Kapitels vertiefend behandeln. Die verwendeten physikalischen Einheiten sind in Anhang 6 erläutert. Ein Stichwortverzeichnis soll das Nachschlagen erleichtern, ein Glossar erläutert alle die Begriffe, die im Text nicht erklärt werden, wobei eine gewisse Vollständigkeit angestrebt wurde.

Lindau, im Juli 1987   *Erhard Keppler*

Einleitung

Eine erste Problembeschreibung

Die Atmosphäre der Erde ist ein außerordentlich empfindliches und ebenso komplexes System mit verschiedenartigen Wechselwirkungen: Etwa 19 % der von der Sonne eingestrahlten Energie werden von den in verschiedenen Höhenbereichen vorhandenen Molekülen absorbiert, was einerseits zu einer Veränderung der spektralen Energieverteilung des Lichts für tiefer liegende Luftschichten führt, andererseits aber auch bestimmte chemische Reaktionen nur in bestimmten Höhenbereichen ermöglicht. Die Entstehung von Ozon unter dem Einfluß von ultraviolettem Licht in der Stratosphäre ist ein Beispiel. Umgekehrt absorbiert Ozon einen großen Teil des ultravioletten Sonnenspektrums. Daher kann Ozon in tieferen Schichten so nicht mehr gebildet werden. Die Folge ist, daß Ozon in der Stratosphäre eine Schicht bildet.

Photochemische Reaktionen in der Atmosphäre sind also in verschiedenen Höhen durchaus unterschiedlich; sie sind aber auch vom geographischen Ort auf dem Planeten abhängig, allein schon wegen der verschiedenen Einstrahlungsverhältnisse. Da Energiezufuhr insbesondere auch Temperaturänderung bedeutet, entstehen somit Bewegungen in der Atmosphäre: Aufsteigende warme Luftströme über den Orten maximaler Energiezufuhr, Ausgleich von Energiedefiziten über polnahen Gebieten durch meridionale Ausgleichsströmungen, die wegen der Rotation der Erde zu komplizierten Strömungsbildern führen (Passatwinde, Zyklonen, Antizyklonen, Monsune usw.).

Man muß daher die Atmosphäre als Ganzes verstehen lernen,

weil chemische Zusammensetzung und dynamische Prozesse miteinander verknüpft sind, einander sogar bedingen.

Eine Langzeiteigenschaft der Atmosphäre, nämlich ihre nach gegenwärtiger Kenntnis nicht vorhersagbaren Temperaturvariationen, nennen wir Klima. Messungen von Atmosphärenparametern, wie sie zum Beispiel für Klima- und Biosphärenforschung benötigt werden, stecken heute noch in bescheidenen Anfängen, weil als weitere Komplikation die Wechselwirkung der Atmosphäre mit der Hydrosphäre, den Gewässern, der Kryosphäre, den eis- und schneebedeckten Teilen der Erde, und den »mechanischen« Strukturen der Erdoberfläche zu berücksichtigen sind. Klimaforschung kann man daher ohne Kenntnis der Dynamik der Atmosphäre, deren Wechselwirkung mit Ozeanen und deren chemischer Zusammensetzung nicht betreiben. Viele Daten, insbesondere die Zusammensetzung betreffende, lassen sich erst heute mit moderner Meßtechnik erfassen. Die praktisch unbekannte Verteilung des Wasserdampfes in Stratosphäre und Mesosphäre ist ein Beispiel dafür.

Andere Spurenstoffe, wie die chemisch inerten halogenierten Kohlenwasserstoffe, werden durch die Ultraviolettstrahlung der Sonne in der Ozonschicht gespalten, wobei sich freie Halogene bilden, die Ozon katalytisch zerstören. Das dabei zwischendurch entstehende Chloroxyd beispielsweise hat optisch eindeutige Signaturen und kann heute dazu dienen, diese Prozesse quantitativ zu untersuchen. Diese inerten Gase sind anthropogenen Ursprungs, also allein auf Aktivitäten des Menschen zurückzuführen. Ihre Konzentration hat sich in den letzten Jahren ständig erhöht. Man muß damit verbundene Veränderungen der Zusammensetzung der Atmosphäre vor einem doppelten Hintergrund sehen, nämlich neuartiger chemischer Prozesse, die zu neuen, anderen Gleichgewichtszuständen der Atmosphäre führen, also zu einer Veränderung des Eintrags von Energie in bestimmte Schichten, und vor der Auswirkung, die mehratomige Moleküle mit Absorptionsbanden im infraroten Licht für den Treibhauseffekt der Erde haben: Sie reabsorbieren die von der Erde abgestrahlte Wärmestrahlung. Dadurch erwärmt sich die Atmosphäre; die so vermittelte Erwärmung (vgl. dazu Anh. 3) beträgt gegenwärtig 33 °C. Wasserdampf und Kohlendioxyd sind die in der höchsten Konzentration vorliegenden, daher hier besonders wirksamen Gase. Die ständige Vermehrung von CO_2 ist daher ein Grund zu ernster Besorgnis: Die Kohlendioxydatmosphäre des Nachbarplaneten Venus bewirkt dort einen Treibhauseffekt, der zu Bodentemperaturen von 480 °C führt.

Die Beschäftigung mit der Atmosphäre und ihren Veränderungen führt notwendigerweise zu der Frage: Wie war das früher? Wobei natürlich »geologische« Zeiträume zu betrachten sind. Die Geschichte der Atmosphäre ist nämlich – wie zu erwarten – eng verknüpft mit der Geschichte des Planeten.

Geschichte der Erde

Weil aber unser Geschichtsbegriff gemeinhin auf die überschaubare Menschheitsgeschichte fixiert ist, müssen wir ihn erweitern auf Zeiten, wo es Menschen noch nicht gab, von einer traditionell verengten Geschichtsbetrachtung auf eine naturwissenschaftliche, kosmologische, sehr viel weitere Begriffswelt überleiten.

Der Schöpfungsbericht der Genesis hat die erdgeschichtlichen Vorstellungen bis in die Neuzeit hinein tiefgreifend beeinflußt. Das Wissen der Griechen, die erste Ansätze der Beobachtung geologischer Erscheinungen entwickelt hatten – worüber Plinius der Ältere in seiner »Historia Naturalis« berichtet –, kam über beschreibende Beobachtung nicht hinaus. Eine »Entwicklung« der Erde – das Begreifen des Planeten als einen historischen Gegenstand – war dem Altertum wie dem Mittelalter fremd. Erst in der Neuzeit gab es einen neuen Ansatz (so lange dauerte es übrigens, bis die Geologie zur anerkannten Wissenschaft wurde): im 19. Jahrhundert.

Wir tasten uns in der Zeit zurück, indem wir Zeugnisse von vergangenen Ereignissen suchen und indem wir einen immer wieder überprüften Zeitmaßstab aus der vertrauten Gegenwart

weit in die Vergangenheit zu schieben versuchen. Dieser Zeitmaßstab war im vergangenen Jahrhundert ein ganz und gar kon-
troverses Thema. Geologen hatten erkannt, daß die aufeinander-
geschichteten Sedimente der Erdkruste so etwas wie einen geologischen Kalender darstellen, daß also die untersten Schichten die
ältesten, die obersten die jüngeren sind. Sie waren daher imstande, eine relative Datierung vorzunehmen (keine absolute).
Die Geologen gaben damals Abschätzungen des Erdalters zu
einigen hundert Millionen Jahren, weil die chemischen Prozesse,
die zur Gesteinsbildung und zu den verschiedenen Metamorpho-
sen führten, lange Zeiträume erforderlich machten.

In seinem Hauptwerk »The Origin of Species« (Der Ursprung
der Arten) von 1859 schreibt Charles Darwin [2]: »Sir W.
Thompson concludes, that the consolidation of the crust can
hardly have occurred less than 20 or more than 400 Million years
ago ... Judging from the small amount of organic change since
the commencement of the Glacial epoch, that appears a very
short time for the many and great mutations of life, which have
certainly occured since the Cambrian formation.« (Sir W.
Thompson kommt zu dem Schluß, daß sich die Erdkruste nicht
vor weniger als 20, aber auch nicht vor mehr als 400 Mio. Jahren
verfestigt hat ... Gemessen an den geringfügigen organischen
Veränderungen seit dem Ende der Eiszeit scheint dies eher eine
zu kurze Zeitspanne für die zahllosen und weitgehenden Veränderungen der Lebensformen zu sein, die seit dem Kambrium
unzweifelhaft eingetreten sind.) Thompson (Lord Kelvin) war
eine Autorität in der Physik jener Zeit, seiner Meinung war
schwer entgegenzutreten. Hermann von Helmholtz hatte andererseits versucht, das Alter der Sonne zu bestimmen, indem er
deren Strahlungsleistung abschätzte und annahm, diese stamme
alleine aus der Gravitation. Er fand 22 Mio. Jahre für das Erdalter – wobei er natürlich von Kernfusion im Sonneninneren noch
nichts wußte.

Der Geologe Joly berechnete das Alter der Ozeane zu 80–90
Mio. Jahren aus der Ansammlung von Kochsalz im Ozean nach
dem Transport aus den Gesteinen der Kontinente (Erosion)

durch die Flüsse. Das war die Überzeugung der wissenschaftlichen Welt gegen Ende des vergangenen Jahrhunderts.

Zeitmessung mit Hilfe radioaktiver Atome

Das alles änderte sich, als zu Anfang dieses Jahrhunderts die Radioaktivität entdeckt wurde. Damit war nämlich die Uhr gefunden, die es erlaubte, auch weit zurückliegende Ereignisse zu datieren – und zwar absolut, gemessen von der Gegenwart aus. Das hat damit zu tun, daß sich bestimmte Elemente durch radioaktiven Zerfall in andere Elemente verwandeln und daß dies in einer bestimmten, für das betreffende Element charakteristischen Zeit geschieht. Man mißt dazu die an einem bestimmten Ort vorhandene Konzentration von Mutter- und Tochtersubstanz und kann daraus die Zeit bestimmen, die verstrich, seit die Muttersubstanz an der betreffenden Stelle abgelagert worden ist – zu der also die radioaktive Uhr auf Null gestellt worden ist. Abb. 1 zeigt die gebräuchlichen Zeitmeßverfahren und ihren Anwendungsbereich.

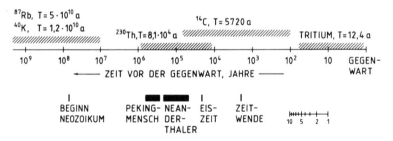

Abbildung 1 *Methoden zur Altersbestimmung und deren Anwendungsbereich*

Das Verhältnis der Bleiisotope $^{206}Pb/^{204}Pb$ und $^{207}Pb/^{204}Pb$ in Gesteinen sind in ganz spezieller Weise mit dem Alter der Gesteine verknüpft. Natur-Uran enthält zwei radioaktive Isotope, ^{238}U und ^{235}U. ^{232}Th ist ein drittes radioaktives Element mit noch

15

längerer Halbwertszeit T. Alle drei zerfallen in relativ stabile Endprodukte, die Bleiisotope mit den Massenzahlen 206, 207 und 208. Auf dem Weg dahin existieren verschiedene, kürzerlebige Zwischenzustände; schließlich entsteht ^{206}Pb aus ^{238}U (T = $4{,}56 \cdot 10^9$ a*), ^{207}Pb aus ^{235}U (T = $7{,}13 \cdot 10^8$ a) und ^{208}Pb aus ^{232}Th (T = $1{,}34 \cdot 10^{10}$ a). Daneben enthalten manche Mineralien das stabile Bleiisotop ^{204}Pb ($\sim 1\,\%$), das nicht durch radioaktiven Zerfall entstand, sondern primordial vorhanden gewesen sein muß. Dessen Konzentration gibt einen Hinweis auf den ursprünglichen Bleigehalt eines Minerals. Das Verhältnis der anderen Bleiisotope zu diesem liefert daher eine ausgezeichnete, von allem anderen unabhängige Methode der Altersbestimmung. Solche Analysen wurden erstmalig 1953 vorgenommen.

1931 wurde für das Erdalter noch ein Wert zwischen 1,46 und 3 Mrd. Jahren bestimmt. Erst 1960 wurden »alte Granite« entdeckt, deren Alter sich zu 3,2 ± 0,7 Mrd. Jahren bestimmen ließ. 1965 gelang es erstmalig, das Alter eines Meteoriten zu erstaunlichen 4,55 ± 0,07 Mrd. Jahren zu bestimmen. Seitdem setzt man den Beginn der Kondensation des Sonnensystems 4,6 Mrd. vor der Gegenwart an, vermutet also, daß diese sehr alten Materialien mit als erste kondensierten. Der Umstand, daß wir auf der Erde kein Material finden, das älter als 3,8 Mrd. Jahre alt ist, deutet darauf hin, daß die Erde zu diesem Zeitpunkt noch geschmolzen war, daß sich also erst danach eine feste Oberfläche gebildet hat.

Die Entstehung der Sonne

Die Sonne andererseits, so weiß man aus vielen Vergleichen mit anderen Sternen, bildete sich aus einer Gas- und Staubwolke in der Galaxis. Solche Wolken haben die Eigenschaft, daß, wenn das Material, gleich aus welchem Grund, auch nur ein bißchen komprimiert wird, die Schwerkraft des Systems sehr viel schnel-

---

* a: Abkürzung für lateinisch anni, Jahre (vgl. Anh. 6)

ler wächst als der Gasdruck. Ein solches System tendiert, wie man sagt, dazu, »gravitationsinstabil« zu werden: es beginnt, einmal angestoßen, in sich zusammenzustürzen. Eine solche Gaswolke hatte sich vorher aber an der Bewegung des galaktischen Systems beteiligt, besaß daher auch Drehimpuls. Mit der Zunahme der Masse im Zentrum wuchs wegen der Erhaltung des Drehimpulses die Drehgeschwindigkeit – weil auf diese Weise das Trägheitsmoment verringert wurde. Der Drehimpuls errechnet sich nämlich als Produkt des Trägheitsmoments mit der Winkelgeschwindigkeit. Zugleich nahm die Temperatur des Gases zu. Sobald diese ausreichte, das Gas zu ionisieren, es also elektrisch leitend zu machen, wurde auch das in der Galaxis existierende Magnetfeld in den Verdichtungsprozeß mit eingeschlossen, nach innen gerissen und dabei verstärkt. Irgendwann wurde diese Kondensationsbewegung durch den wachsenden Gasdruck verlangsamt. Daher begann das Material auf die Symmetrieebene (das ist die Ebene senkrecht zur Drehachse) herunterzuregnen. Wegen des Magnetfeldes wurde der Gasball »elastisch«; zugleich wurde – vermutlich über das Magnetfeld – der Drehimpuls auf die äußeren Regionen der Gasscheibe übertragen, so daß sich die Rotation des zentralen Systems verlangsamte und die Kondensation fortschreiten konnte. Danach (zehn bis hunderttausend Jahre nach Beginn des Zusammensturzes) erst erreichte der Zentralstern seine kritische Masse und in seinem Innern die zum Einsetzen des Wasserstoffbrennens erforderliche Temperatur von 15 Mio. Grad, worauf nach Durchlaufen der »T-Tauri-Phase« (einer charakteristischen Entwicklungsphase im Leben eines Sternes, die einige 10^7 Jahre dauert) ein über lange Zeiten stabiler Zustand erreicht wurde, was die Untersuchungen von Meteoriten in bezug auf den Sonnenwind bestätigen. Die Lichtemission der Sonne dagegen hat danach noch zugenommen (vgl. unten). Die Entwicklung der Planeten, die nun einsetzte, ist daher bezüglich des Zentralsterns unter wahrscheinlich relativ konstanten, zeitlich nur langsam sich ändernden Umweltbedingungen erfolgt. Heute ist das Sonnensystem ein Laboratorium für die Astrophysik, weil sich hier manches nachprüfen läßt, was über

Sterne vermutet wird. Die Astrophysik hat daher über die Planetenforschung einen weiteren wichtigen experimentellen Zugang zu den Geheimnissen des Kosmos erhalten.

Die Geschichte unseres Planeten ist andererseits ein Test, mit dessen Aufklärung Vorstellungen über die Entstehung des Sonnensystems überprüft werden können. So fügt sich schließlich eins ins andere.

Es kann unbeschreiblich faszinieren, Zeuge dieser Entdeckungsgeschichte zu sein, die das Werden des Planeten, des Sonnensystems und des Kosmos begreiflich macht: wo zugleich im Mikrokosmos die Struktur der Moleküle, Atome und Kerne, die Kräfte der Natur in Hyperwelten faßbar werden – was die Welt im Innersten zusammenhält – und sich dies zum Ganzen zu fügen beginnt mit der Geschichte des Universums, gewissermaßen vor unseren Augen. Die Geschichte der Atmosphäre schließlich läßt uns in ganz anderer Hinsicht in den vielfältigen Veränderungen ihrer Eigenschaften im Lauf der Zeit auch Hinweise auf ihr mögliches künftiges Verhalten erkennen. Indem wir den Bereich tatsächlicher Schwankungen bestimmter Eigenschaften in der Vergangenheit ermessen, wird uns das Ausmaß möglicher Schwankungen in der Zukunft erst recht bewußt.

Kapitel 1   Die Geschichte der Erde

Empfindliches Gleichgewicht

Das System Erde ist im Sonnensystem das einzige, das im Lauf seiner Geschichte Leben ermöglichte. Dessen Wechselbeziehungen mit der frühen Atmosphäre des Planeten hat schließlich die Biosphäre hervorgebracht – in der wir leben. Die Biosphäre dankt ihre Existenz einem komplizierten Gleichgewichtszustand, der von einer großen Zahl von Energieumsetzungsprozessen aufrechterhalten wird. Dieser Gleichgewichtszustand bestimmt unter anderem die mittlere Temperatur des Planeten. Abweichungen dieser mittleren Temperatur um wenige Grade nach oben würden zum Abschmelzen der Poleiskappen führen; eine Absenkung um nur 2 °C würde eine neue Eiszeit hervorrufen. Immerhin liegt das Ende der Würmeiszeit erst 10000 Jahre zurück.

Die chemische Zusammensetzung der Atmosphäre, der Staubgehalt der Luft (Aerosol) und dessen Größenverteilung, die Oberflächenbeschaffenheit der Erde (Rückstrahlungseigenschaften) und der Wärmefluß in die Atmosphäre (aus dem Erdinnern und durch menschliche Aktivitäten) bestimmen diesen Gleichgewichtszustand.

Der Zustand der Atmosphäre hat sich über die Zeiten hin langsam verändert. In der für die kulturelle Entwicklung der Menschen relevanten Zeitspanne der letzten 10000 Jahre allerdings ist das Klima, wie man diesen Gleichgewichtszustand nennt, von leichten wellenförmigen Veränderungen um die Mittellage herum abgesehen, konstant geblieben.

Solche nicht deterministischen, das heißt nicht vorhersagbaren Schwankungen haben immer wieder zu Warmzeiten und zu Kaltzeiten geführt. Wahrscheinlich ist es kein Zufall, daß der kulturelle Aufstieg von Völkern mit Warmzeiten einherging: Die Sumerer im sogenannten sumerischen, die minoische Kultur im kretischen Maximum. Das mittlere und das neue Reich der Ägypter entstand in einer klimatischen Warmphase, die von 1900 bis 1400 v. Chr. dauerte. In Abb. 2 kann man dies erkennen.

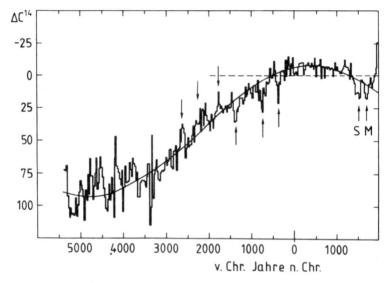

Abbildung 2 *Änderung des Gehalts von radioaktivem Kohlenstoff (^{14}C) in organischem Material in der jüngeren Geschichte (aus [20]). Man erkennt das Maunder- (M) und das Spörer-Minimum (S), wo eine Abnahme der Sonnenaktivität zu einer Zunahme der Intensität der kosmischen Strahlung führte. Diese Zeiten waren mit Kaltzeiten verbunden. Die Pfeile bezeichnen Maxima und Minima aus der jüngeren Vergangenheit, die entsprechend mit Warm- und mit Kaltzeiten in Verbindung gebracht werden können.*

In diesem Bild ist nach der von W. F. Libby eingeführten Radiokohlenstoffmethode die Veränderung des Gehalts verschiedener Materialien an Kohlenstoffatomen mit der Massenzahl 14 dargestellt (Zunahme ist nach unten gezeichnet). Solche sogenannten Isotopen des gewöhnlichen Kohlenstoffs, der die Massenzahl 12

20

hat, können in der Atmosphäre durch Kernreaktionen von energiereichen Atomkernen der kosmischen Strahlung (die zeitlich konstant ist) mit Atomen der Luft entstehen. Mit jedem Atemzug atmen auch wir solche Kohlenstoffatome ein, ebenso wie das Pflanzen tun. Lebende Strukturen nehmen daher solchen Kohlenstoff in sich auf und bauen ihn im Zellgewebe in dem konstanten Verhältnis zum normalen Kohlenstoff mit der Massenzahl 12 mit ein. Dieses Kohlenstoffatom mit der Massenzahl 14 ist jedoch radioaktiv und zerfällt wieder mit einer Halbwertszeit von 5180 Jahren. Hatte ein Jahr günstige Wachstumsbedingungen, konnten also die Pflanzen kräftig wachsen, dann konnten sie auch viele Kohlenstoffatome mit der Massenzahl 14 in ihr Gewebe einbauen. Einmal in Gewebestrukturen eingebaut, kann der Kohlenstoff nicht mehr verschwinden, ist darum auch über den Tod der Pflanze (oder des Tieres) hinaus nachweisbar – mit andern Worten: Wenn man den relativen Gehalt an ^{14}C (im Verhältnis zu ^{12}C) bestimmt, kann man angeben, wie alt die betreffende Gewebeprobe ist. Durch Untersuchung von Baumscheiben kann man sogar feststellen, wie gut das Wachstum in einem bestimmten Jahr gewesen ist. Man versteht, daß Wachstum und mittlere Temperatur miteinander verknüpft sind, daher kann man aus der Analyse von Kurven, wie in Abb. 2 gezeigt, auch entnehmen, wie die mittlere Temperatur in dem betreffenden Jahr gewesen ist. Die Pfeile weisen auf solche Zeitabschnitte hin, in denen die mittlere Jahrestemperatur höher war als das langjährige Mittel. Wie man sieht, erstreckten sich solche über Jahrzehnte oder Jahrhunderte.

Klima und kulturelle Entwicklung

Deshalb ist es gewiß kein Zufall, daß die Blütezeit von Kulturen, wie die der Maya, der Sumerer oder der Kreter, mit solchen Warmzeiten zusammengefallen sind. Ganz im Gegenteil: Historiker sollten sich intensiver mit den Ergebnissen der Klimaforschung beschäftigen; viel Rätselhaftes würde vermutlich aus den

Geschichtsbüchern verschwinden und sich plausibel als Veränderung klimatischer Gegebenheiten äußern.

Im Frühmittelalter gab es in Mitteleuropa – auch nach zeitgenössischen Berichten – eine Warmzeit. Mitte des 17. Jahrhunderts litt Mitteleuropa unter der »kleinen Eiszeit«. Damals reifte beispielsweise auf der Schwäbischen Alb das Getreide nicht mehr. Napoleon ritt in einer klimatischen Kaltphase gen Moskau, und unser gegenwärtiges Klima scheint seit dem Ende des Zweiten Weltkrieges von einer solchen Klimaschwankung zum Kälteren hin charakterisiert zu sein. Allerdings ist das relativ schwer zu beurteilen, weil Klimaschwankungen stochastisch zu erfolgen scheinen, also prinzipiell (jedenfalls nach derzeitigem Verständnis) weder über längere (Jahr) noch über kürzere Fristen (Wochen) prognostizierbar sind (vgl. dazu Abb. 3).

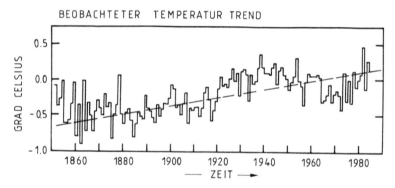

Abbildung 3 *Trend gemessener Temperaturen der Luft an der Erdoberfläche über Land auf der Nordhemisphäre 1860–1980 (nach [50])*

Weil Klimaschwankungen weder ausreichend verstanden werden noch – nach allem was man weiß – periodisch sind, kann man heute kaum zuverlässige Vorhersagen in bezug auf die zukünftige Entwicklung machen. Alle Aussagen in dieser Richtung sind ein wenig spekulativ. Selbst wenn wir den Trend einer längerfristigen klimatischen Variation kennen würden, wären wir nicht in der Lage, daraus Aussagen über kürzere Intervalle oder über das

Klima einer Region zu machen, weil wir eben die relative Bedeutung der verschiedenen Einflußgrößen nicht kennen – oder jedenfalls nicht gut genug kennen. Darum wissen wir über das künftige Klima des Planeten so gut wie nichts. Es ist allerdings möglich, physikalische Modellvorstellungen zu entwickeln und den Einfluß bestimmter Größen auf das Klima im Rahmen solcher Modelle zu studieren. Viele dieser Einflußgrößen zeigen gegenseitige Abhängigkeiten. Man kann also leicht zu falschen Bewertungen kommen, wenn man das nicht richtig in das Modell eingebaut hat. Klimaforschung ist eine Wissenschaft, die sicher noch ganz am Anfang ihres Weges steht, insbesondere deshalb, weil die mathematischen Schwierigkeiten bei der Behandlung solcher Modelle außerordentlich groß sind.

Hinzu kommt, daß mittlerweile anthropogene Einflüsse auf klimatische Zustände nicht mehr vernachlässigbar sind – womit zum Ausdruck gebracht werden soll, daß die durch die Betätigung des Menschen erzeugten Veränderungen am Zustand des Planeten Erde nicht länger zu den vernachlässigbaren Kleinigkeiten gerechnet werden dürfen. Diese moderne Schwierigkeit hat insbesondere mit der mittlerweile erreichten Größenordnung der anthropogenen Energieumsetzungsprozesse zu tun.

Die sekundäre Atmosphäre

Die geologischen Zeugnisse der Geschichte unseres Planeten weisen darauf hin, daß wahrscheinlich die Pole der Erde über lange Zeiten hin eisfrei waren. Man kann davon ausgehen, daß die Oberflächentemperatur nach der langsamen Abkühlung der Kruste (nach Ende des Steinhagels aus Planetesimalen und Staub, der fast 1 Mrd. Jahre lang auf die Planeten niederging, wovon uns die Krater auf Merkur, Mars oder Mond noch heute Zeugnis ablegen) zunächst vom Treibhauseffekt des Kohlendioxyds bestimmt worden ist, ähnlich wie heute auf der Venus. Allerdings muß man einschränkend hinzufügen, daß die erste Atmosphäre, die bei der Bildung des Planeten entstand, sehr wahrscheinlich verlorengegangen ist. Dafür spricht eine ganze Reihe von Gründen. Die Sonne ist nach ihrer Bildung aus dem präsolaren Nebel ziemlich rasch – wie uns die Beobachtungen an anderen Sternen und die Beschäftigung mit Sternentwicklungsmodellen gelehrt haben – in die T-Tauri-Phase übergegangen (so genannt nach einer Klasse von Sternen, von denen bekannt ist, daß sie gerade diese Phase durchlaufen). In dieser Phase hat der Sonnenwind – jenes von der Sonne abströmende, aus elektrisch geladenen Protonen und Elektronen bestehende Plasma – sehr viel höhere Intensität gehabt als heute, wo der Fluß bei etwa 10^8 Teilchen/cm^{2}s liegt. In der Tauri-Phase zum Beispiel könnte er 1000mal höher gewesen sein. Einer solchen Strömung würde keine Planetenatmosphäre standgehalten haben – sie wäre, auch wenn das Magnetfeld des Planeten einen gewissen Schutz vor dem Eindringen des Plasmas geboten hätte, weggerissen worden.

Eine direkte Bestätigung dieser Vermutung wird man wohl nicht erwarten können. Die Erkundung der Frühgeschichte der Erde ähnelt daher eher einer kompliziert ausgedachten Detektivgeschichte, in der die Detektive Indizienbeweise zu führen gezwungen sind, um hinter das Geheimnis der Hauptfigur Erde zu kommen. Einer dieser Beweise, der besonders wichtig ist, hat mit der Häufigkeit bestimmter chemischer Elemente auf der Erde und im übrigen Sonnensystem zu tun. Die Häufigkeiten, mit denen die Elemente im Sonnensystem und auf der Erde vorkommen (vgl. Tab. 1), zeigen zunächst, daß es einige Elemente wie Magnesium oder Aluminium, Schwefel, Silizium und schwerere gibt, deren Häufigkeiten auf der Erde denen im übrigen Sonnensystem gleichkommen. Wenn man also annimmt, daß sich beide aus demselben Materialreservoir gebildet haben, dann folgt, daß die leichten Elemente, an denen die Erde ganz offensichtlich verarmt ist, »abhanden« gekommen sein müssen. Das könnte passiert sein, als die Erde noch sehr heiß war, so daß die Moleküle – ehe sie zu Mineralien kondensiert waren – noch genügend hohe Geschwindigkeiten erreichen konnten, um dem Schwerefeld der Erde zu entkommen (vgl. dazu Anh. 2).

24

Tabelle 1 *Elementhäufigkeiten auf der Erde und im Sonnensystem (nach [15], verändert)*

Element		Ordnungszahl	Erde	Sonnensystem
Wasserstoff	H	1	$8,4 \cdot 10^{-3}$	$3,5 \cdot 10^{4}$
Helium	He	2	$3,5 \cdot 10^{-11}$	$3,5 \cdot 10^{3}$
Kohlenstoff	C	6	$7,1 \cdot 10^{-3}$	8
Stickstoff	N	7	$2,1 \cdot 10^{-5}$	16
Sauerstoff	O	8	3,5	22
Fluor	F	9	$2,7 \cdot 10^{-4}$	$9 \cdot 10^{-3}$
Neon	Ne	10	$1,2 \cdot 10^{-10}$	5
Magnesium	Mg	12	0,89	0,887
Aluminium	Al	13	0,094	0,088
Silizium	Si	14	1	1
Schwefel	S	16	0,1	0,35
Argon	Ar	18	$5,9 \cdot 10^{-8}$	0,12
Krypton	Kr	36	$6 \cdot 10^{-12}$	$8,7 \cdot 10^{-5}$
Xenon	Xe	54	$5 \cdot 10^{-13}$	$1,5 \cdot 10^{-6}$

Man nimmt jedoch heute aus vielerlei Gründen an, daß die Erde nicht aus einer Gaswolke kondensierte, sondern größere Dimensionen als andere benachbarte Gesteinsbrocken erst zu einer Zeit erreichte, als die Temperaturen im präsolaren Nebel so niedrig geworden waren, daß die schwerflüchtigen Elemente bereits fest oder doch schon flüssig waren. Dann müssen die Edelgase (Tab. 1) wie alle Gase, die sich im Gravitationsfeld des wachsenden Materieklumpens Erde befanden, auch in der durchschnittlichen Häufigkeit, mit der die Elemente im Sonnensystem vorkommen – vorhanden gewesen sein. Von dem gewaltigen T-Tauri-Wind der Sonne können sie mit der Uratmosphäre weggefegt worden sein. Denn da die Erde relativ kühl war, konnten sie auch nicht so hohe Geschwindigkeit besitzen, um aus dem Gravitationsfeld entweichen zu können. Auch kennt man keinen Prozeß, der die Edelgase etwa separat entfernt haben würde.

Darum glaubt man heute allgemein, daß die Erdatmosphäre nicht primordial, also nicht zusammen mit dem Planeten, aus dem solaren Urnebel entstand, sondern sekundär ist, sich also später gebildet hat. Damit nämlich lassen sich die abweichenden Häufigkeiten der Edelgase verstehen. Das Verhältnis ^{40}Ar/^{36}Ar (^{40}Ar entsteht aus dem radioaktiven Zerfall von ^{40}K im Erdinneren) ergibt zugleich ein Maß für das Ausgasen der festen Oberflächen. Die Fakten passen mit diesem Modell zusammen, darum dürfte es der wirklichen Geschichte mindestens nahe kommen.

Die Entstehung der Erde

Die Erde – so nimmt man heute an – hat sich nicht homogen, sondern inhomogen gebildet, das heißt, sie bildete sich aus Gesteinsklumpen, die zwar in sich alle sehr homogen, das heißt in allen Elementen gut durchmischt, waren und etwa gleiche chemische Zusammensetzung gehabt haben. Das zeigen auch Untersuchungen der Verteilung von Blei, das als Überrest des radioaktiven Zerfalls von Uran 238 entstand (vgl. Tab. 2).

Tabelle 2 *Häufigkeiten der Elemente in der festen Erde (Gewichtsprozent)*

Sauerstoff	46,6 %
Silicium	27,7 %
Aluminium	8,1 %
Eisen	5,0 %
Kalzium	3,6 %
Natrium	2,9 %
Kalium	2,6 %
Magnesium	2,1 %

Solange die Temperatur im solaren Nebel hoch war, konnten die leichtflüchtigen Elemente nur gasförmig existieren. Als die Temperatur sank, konnten sich durch kontinuierliche Akkretion im Nebel zunächst Körnchen schwerflüchtiger Verbindungen bilden wie Korund (Al_2O_3) oder Perovskit ($CaTiO_3$) oder Eisenverbindungen und so weiter, die nach und nach durch Zusammenstöße

26

auch zu größeren Klumpen wachsen konnten. Aus diesen entstanden schließlich durch Aufsammeln der im interplanetaren Raum umherschwirrenden kleineren oder größeren Staubteilchen und Gesteinsbrocken einige wenige größere Körper. Das geht wie im Monopoly: Ist ein Körper erst einmal ein wenig größer als die anderen, wächst er sehr rasch auf Kosten der anderen weiter.

An die bereits verfestigten, bei höherer Temperatur schmelzenden (und auch kondensierenden) Materialien konnten sich nun die leichtflüchtigen Elemente anlagern (durch Adsorption, Absorption oder durch Bildung chemischer Verbindungen). Als die Temperatur im solaren Nebel unter 750 K gesunken war, konnte das vorhandene Eisen zuerst zum zweiwertigen Eisenoxyd FeO, unter 400 K auch zu Fe_2O_3 oxidieren. Gleichzeitig bildete sich auch die bei hohen Temperaturen stabile Kohlenstoffverbindung CO, daraus entstanden später Methan (CH_4) und andere Kohlenwasserstoffverbindungen.

Die frühe Aufheizung im inneren Teil des Sonnensystems hat dazu geführt, daß leichter flüchtige Elemente wie Natrium verdampften und nach außen abgeführt wurden, dort nach und nach an festen Körnern adsorbiert oder auch chemisch gebunden wurden. Wir müssen also davon ausgehen, daß die Zusammensetzung des Materials im inneren Sonnensystem (I) von der im äußeren Sonnensystem (II) verschieden war. Die Marsbahn etwa könnte die Grenze zwischen beiden Populationen gebildet haben: Vom Mars glauben wir heute sicher zu wissen, daß er homogen entstand (Venus dagegen wie die Erde inhomogen). Die spätere Dotierung der Erde mit Material II konnte dadurch zustande kommen, daß nach Abkühlung Bahnstörungen, verursacht durch Jupiter, solches Material nach innen kanalisiert haben. Das Massendefizit im Asteroidengürtel fände so eine natürliche Erklärung – auch heute gibt es schließlich noch erdbahnkreuzende Asteroiden.

Das Wachstum der Planeten vollzog sich dann sehr rasch, denn sie ernährten sich von ihren kleineren Nachbarn – eine Art Planetenkannibalismus. Durch den ständigen Einschlag von solchen Planetesimalen erwärmten sich die Planeten zusätzlich so sehr, daß sie schmolzen. Dabei kam es zur Kernbildung, wobei also die schweren Elemente wie Eisen und verwandte, der Schwerkraft folgend, nach innen sanken und den noch heute flüssigen Kern bildeten. Diese Differenzierung, wie man diesen Prozeß nennt, muß vor mehr als 4 Mrd. Jahren stattgefunden und könnte nach vorsichtiger Schätzung etwa 200 000 Jahre gedauert haben. Nach dieser schwersten Umweltkatastrophe, die die Erde in ihrer Geschichte betroffen hat, kühlte sie von außen nach innen allmählich ab. Als äußere Schichten blieben dann spezifisch leichtere Materialien zurück – der Silikatmantel.

Da man z. B. in Basalten hohe Nickelgehalte antrifft, muß man schließen, daß dieses Material erst später auf die Erde gelangt ist, denn sonst wäre es ja mit in den Kern gesunken. Im oberen Erdmantel und in der Erdkruste war daher auch metallisches Eisen nie vorhanden: Was wir dort finden, ist später, und zwar teilweise schon oxydiert, von außen dahin gelangt.

Mit dem sich rasch lichtenden solaren Nebel kühlten sich auch die Planeten infolge abnehmender Behinderung durch zunehmende thermische Ausstrahlung rasch ab, die Oberflächen verfestigten sich: Die ältesten Gesteine, die wir auf der Erde finden, stammen aus diesem frühen Prozeß. Man findet solche zum Beispiel in der Ouverwacht-Gruppe in Südafrika (3,4–3,7 Mrd. Jahre alt) und in den Quarziten in Grönland, 3,75 Mrd. Jahre alt. Die Erde hat also erst etwa 600 bis 800 Mio. Jahre nach Beginn der Kondensation des Sonnensystems eine feste Oberfläche bekommen.

Inzwischen hatte auch die Sonne so viel Masse akkumuliert, daß in ihrem Inneren Wasserstoffbrennen einsetzte. Sie durchlief danach ihre T-Tauri-Phase, um schließlich zum Hauptreihenstern zu werden. Der starke Sonnenwind jener Zeit riß die primordiale Atmosphäre der Planeten weg, vermutlich während sich die Erde differenzierte, sich also in den Kern und den diesen umgebenden Mantel trennte. Währenddessen und danach sammelte die Erde jenes Material auf, das jetzt den oberen Mantel und die Erdkruste bildet. Insgesamt hat das massive Bombardement, dem die Erde wie die anderen inneren Planeten und der Mond in der Frühzeit ausgesetzt waren, etwa 1 Mrd. Jahre gedauert und brach dann rasch ab (als der Raum leergefegt war). Das kann man aus Untersuchungen der Kraterhäufigkeit und der Kraterdichte an Bildern ableiten, die bei nahen Vorbeiflügen an Mars, Merkur und am Mond gewonnen wurden. Die großen Körper haben im inneren Sonnensystem wie kosmische Staubsauger alles Material, das da herumschwirrte, aufgesammelt – bis die Planetenbahnen und ihre nähere Umgebung leergefegt waren.

Die Abkühlphase des Planeten

Beim weiteren raschen Abkühlen des Planetenkörpers (der ohne Atmosphäre zunächst kräftig abstrahlen konnte) wurde das an äußeren und an inneren Oberflächen des festen Materials adsorbierte Gas langsam frei und gelangte an die Oberfläche. Dies war möglich, weil durch lokale Aufheizung, etwa als Folge von Meteoriteneinschlägen und als Folge sich ausgleichender Temperaturspannungen der sich abkühlenden Gesteinsmassen, tektonische Bewegungen einsetzten, sich Risse bildeten.

Der mechanische Zerfall der Gesteinsoberfläche durch physikalische Prozesse geht der chemischen Verwitterung voraus, die auf Lösungsvorgänge hinausläuft. Karbonatgesteine verkarsten, bei mergeligen Kalken bleiben zähe Lehme und Tone zurück, sandige Kalke liefern lockere Quarzsande. Bei der Verwitterung der silikatischen Gesteine, die 95% der Erdkruste ausmachen (Tab. 3), spielt der Sauerstoff eine wichtige Rolle. Zurück bleiben Aluminiumsilikate (Kaolin) und Tonmineralien. Die Verwitterung von Granit führt zu leichten, warmen Böden (Feldspalthaltig), die von Basalten zu fettem, braunem Lehm mit Restgestein, also schweren kalten Böden.

Sehr wahrscheinlich bestand die so entstehende Atmosphäre zunächst aus viel Wasserdampf, zu dem nach und nach Kohlendioxyd, Stickstoff, auch andere Verbindungen wie etwa Schwefelwasserstoff traten. Die ultraviolette Sonnenstrahlung sorgte da-

Tabelle 3 *Hauptbestandteile der Erdkruste*

CO_2	1,4 %
SiO_2	57,6 %
Al_2O_3	15,3 %
CaO	6,99 %
Na_2O	2,88 %
FeO	4,27 %
Fe_2O_3	2,53 %
MgO	3,88 %
K_2O	2,34 %
H_2O	1,37 %
TiO_2	0,84 %
P_2O_5	0,22 %

für, daß sich Wassermoleküle (vgl. Kap. 8) aufspalteten in Wasserstoff und Sauerstoff (Photolyse).

Aufwärts diffundierender Sauerstoff wurde in hinreichend verdünnter Umgebung in größerer Höhe auch zu Ozon aufoxydiert, wodurch sich der Ultraviolettanteil des Sonnenlichts in größerer atmosphärischer Tiefe verminderte, also auch die Sauerstoffproduktionsrate. Sauerstoff kann sich daher in der frühen Atmosphäre nicht beliebig viel gebildet haben. Die Konzentration wurde aber auch begrenzt, weil sich an der Erdoberfläche erheblicher Bedarf entwickelte: Durch geologische Aktivitäten auf der jungen Erde wurden immer neue Gesteinsformationen an die Oberfläche befördert; Sauerstoff wurde in dieser Zeit rasch zur Oxydation, hauptsächlich von Eisen, verbraucht. Die gebänderten Eisenerze belegen dies: Die »Luft« muß wechselnden Sauerstoffgehalt gehabt haben – wann immer durch Erdbewegungen frisches, nicht oxydiertes Material an die Oberfläche gelangte, wurde Sauerstoff zur Oxydation verbraucht; die Atmosphäre wurde für eine Weile reduzierend. Die Dauer hing jeweils von der Rate ab, mit der Wasser photolytisch zerstört werden konnte. Der Übergang zu einer oxydierenden Atmosphäre wurde erst möglich, als eine weitere Quelle für Sauerstoff entstanden war: die Photosynthese (vgl. Kap. 8).

Der Sauerstoffgehalt der frühen, sekundären Atmosphäre muß also in Bodennähe nahe Null gewesen sein; er kann auch in geringen Höhen nicht mehr als wenige Prozent betragen haben. Ein Gleichgewicht zwischen Photodissoziation von Wasser in der Atmosphäre und der diese begrenzenden Bildung von Ozon in größerer Höhe (UV-Absorption) sowie dem Bedarf an Sauerstoff zur Oxydation am Boden bestimmte die Sauerstoffkonzentration.

Es ist unwahrscheinlich, daß Gase aus dem unteren Mantel der Erde (vgl. Anh. 4) mit in die Atmosphäre gelangen konnten. Zur Ausgasung trugen wohl nur Kruste und oberer Mantel bei.

Das Ausgasen des Planeten Venus muß ähnlich verlaufen sein. Allerdings hat Venus viel Wasser dadurch verloren, daß Hydrolyse zu freiem Wasserstoff führte, der entweichen konnte – wegen der geringeren Schwerebeschleunigung leichter als auf der Erde. Wasser fehlt daher heute auf der Venus. Beim Mars dürfte Wasser zur Oxydation von Eisen an der Oberfläche verbraucht worden sein. Der frei werdende Wasserstoff entwich und riß vermutlich die Edelgase mit sich. Der hohe Eisengehalt der Gesteine an der Marsoberfläche legt das nahe. Wasser ist in der Marsatmosphäre heute noch mit 28 ppm als Spurengas vertreten.

Die Zusammensetzung der Atmosphäre wurde von der Struktur der Oberfläche und den chemischen Prozessen, die damit verknüpft waren, mitbestimmt. Vulkane sorgten für einen Gleichgewichtszustand und tun es auf lange Sicht noch: Die Zusammensetzung der von ihnen ausgeschleuderten Gase wird bestimmt durch chemische Gleichgewichte im Magma, aus dem sie stammen.

Die frühe Erde hatte sich nach Verfestigung der Oberfläche, jedoch noch vor Bildung der sekundären Atmosphäre vermutlich sehr rasch auf eine Temperatur von 260 K abgekühlt (vgl. Anh. 3) – gerechnet mit einer Albedo von 17%, dem heutigen Mars entsprechend. Mit dem Beginn des Ausgasens der Erdoberfläche und tieferer Schichten wurde der Raum über der Erdoberfläche allmählich »trübe« – hauptsächlich im Infrarotbereich, wo die Erde bis dahin problemlos abstrahlen konnte. Mit dem dadurch entstehenden Treibhauseffekt begann sich der Boden zu erwärmen. Der Druck des Wasserdampfes, der aus dieser Quelle in die Atmosphäre gelangt war, könnte allmählich bis auf etwa 10^3 dyn/cm^2 (1 hPa) angewachsen sein, die Temperatur stieg, das Ausgasen nahm zu. Als der Wasserdruck in der Atmosphäre 10^4 dyn/cm^2 (10 hPa) erreicht hatte, begann das Wasser auf der Oberfläche zu kondensieren; nun konnte der Treibhauseffekt nicht mehr zunehmen. Zunächst konnte es aber wegen der frei werdenden Kondensationswärme auch zu keiner Temperaturabnahme kommen – so lange, bis das Wasser kondensiert und weitgehend aus der Atmosphäre verschwunden war. Nun erst konnte die Temperatur wieder sinken. Das Wasser füllte die Klüfte und Schluchten des Planeten und bildete die Ozeane, deren Wassermenge sich darum in den letzten 2 Mrd. Jahren nicht mehr verändert haben dürfte.

Der anfangs gewaltige Atmosphärendruck nahm rasch ab. Wolken bildeten sich, deshalb stieg die Albedo der Erde allmählich auf etwa 0,3. Die Oberfläche der Erde hat sich vor 3,76 Mrd. Jahren verfestigt; 3,76 Mrd. Jahre alt sind die ältesten Sedimentgesteine. Wenig später finden wir nun auch jenseits der schieren – wenn auch physikalisch gestützten – Spekulation erste Zeugnisse der frühen Erde. Denn Sedimentgesteine belegen auch, daß Wasser existiert haben muß. Daraus ergibt sich, daß zwischen der Bildung der festen Oberfläche, dem Aufbau der sekundären Atmosphäre und der Kondensation des Wassers ein Zeitraum von nur wenigen 100 Millionen Jahren gelegen haben kann. Tab. 4 beschreibt die so entstandene Erde – unseren Planeten – in Zahlen.

Der radioaktive Zerfall bestimmter Elemente im Gestein erlaubt die präzise Bestimmung des Alters dieser Gesteine. Damit wurden als Folge der Wechselwirkung zwischen Atmosphäre und Erdoberfläche auch Aussagen über das Paläoklima des Planeten möglich. Mit der Bildung der Ozeane begann auch Sedimentation, also die Ausfällung wasserunlöslicher chemischer Verbindungen, die den Meeresboden in immer neuen Schichten überzog. Gips und Anhydride konnten beispielsweise in Gesteinen

Tabelle 4 *Die Erde in Zahlen*

Halbachse Pol	6356,9 km	Abstand von der Sonne:	
Äquator	6378,3 km		
Mittl. Dichte	5,52 g/cm^3	Min (Jan)	$1,471 \cdot 10^8$ km
Masse	$5,973 \cdot 10^{27}$ g	Mittlerer	$1,496 \cdot 10^8$ km
Äquatorumfang	40 076,6 km	Max (Juli)	$1,521 \cdot 10^8$ km
Oberfläche	$5,099 \cdot 10^8$ km^2	Bahngeschw.	29,78 km/s
Volumen	$1,083 \cdot 10^{12}$ km^3	Exzentrizität	
Abplattung	1 : 297	der Bahn	0,017
(Rotations-		Bahnneigung	
ellipsoid)		gegen Ekliptik	0^0

Höchste Erhebung (Mt. Everest)	8882 m
Tiefste Stelle im Meer (Marianengraben)	−11 035 m
Magnetisches Moment	$8,06 \cdot 10^{21}$ [Tesla cm^3]
Umdrehungsperiode (siderisch)	23h56m04s
Umdrehungsdauer	24 h
Rotationsgeschwindigkeit am Äquator	465 m/s
(Erdoberfläche)	

Masse der Atmosphäre	$5,136 \cdot 10^{21}$ g
Mittlere Dichte der Atm. in Seehöhe (0 °C)	1,293 kg/m^3
Mittlerer Luftdruck in Seehöhe (0 °C)	1013,3 hPa
Masse des Wassers	$591 \cdot 10^{23}$ g
Eisvolumen	$2,2 \cdot 10^7$ km^3
Wasservolumen in Seen und Flüssen	$0,13 \cdot 10^6$ km^3
Albedo der Oberfläche	0,3
Mittleres Molekulargewicht der Atmosphäre	29

erst dann auftreten, als sich in der Atmosphäre hinreichend viel freier Sauerstoff gebildet hatte. Deshalb waren zunächst auch SO_4-Kationen selten, kommt Gips in diesen ersten Formationen relativ selten vor. Karbonate waren aus dem nämlichen Grund selten, denn das Kohlendioxyd befand sich hauptsächlich noch in der Atmosphäre.

Erst als das Wasser aus der Atmosphäre verschwunden war, sank die Temperatur auf einen Wert, der unter + 100 °C gelegen haben muß, aus anderen Gründen aber auch sicher über + 30 °C gelegen hat. Das Wasser der neu gebildeten Ozeane hatte also zunächst sehr hohe Temperatur. Unter den Sedimenten, die aus diesen Prozessen stammen dürften, findet man beispielsweise die hämatitischen Eisensteine aus frühen präkambrischen Felsen (vgl. Tab. A1 in Anh. 4). Sicheres Altpräkambrium kennt man besonders aus Finnland und Schweden, der Halbinsel Kola, Kanada, Grönland, Süd- und Ostafrika.

Erste Spuren von Leben

Die ältesten Lebensformen sind die Ramsay-Sphären – kugelige Mikrofossilien, die in Swartkoppie in Swaziland, Südafrika, vor 3,4 Mrd. Jahren entstanden sind. Berichte über ähnliche Gebilde aus den 3,8 Mrd. Jahre alten Quarziten im Südwesten Grönlands sind unsicher. Erst seit dem frühen Präkambrium (vor 3,2 Mrd. Jahren) bildeten sich Karbonate. Deren Kohlenstoffisotopenzusammensetzung (Kohlenstoffatome mit den Massenzahlen 12 und 13) zeigt erstaunlicherweise große Ähnlichkeit mit den heute gebildeten Karbonaten. Auch die massenspektroskopische Analyse von organischem Kohlenstoff aus Gesteinsformationen in Westaustralien, die mit die frühesten Spuren von Leben enthielten, ergab das gleiche Verhältnis der Kohlenstoffisotope zueinander, das man auch in heute lebenden Organismen findet, und zwar in autotrophen Organismen, die ihre Nahrung aus dem Kohlendioxyd der Luft gewinnen. Alle Pflanzen sind autotrophe Organismen (die Umkehrung ist aber nicht richtig). Die untersuchten Proben waren also entweder autotrophe Organismen, oder sie lebten in Gemeinschaft mit autotrophen Organismen. Dies ist aber ein deutlicher Hinweis darauf, daß sogar Chlorophyll bereits gebildet worden sein muß. Mit der Bildung von Chlorophyll begann aber auch die Assimilation (Photosynthese), die in organischen Prozessen Sauerstoff bildete. Damit hatte für die Atmosphäre ein neues Kapitel ihrer Entwicklungsgeschichte begonnen.

Also hat es bereits damals Leben gegeben – wenige hundert

Millionen Jahre nur, nachdem die Oberfläche sich verfestigt hatte. Die ersten autotrophen Organismen benutzten chemische Energie zur Replikation, sie lebten vermutlich im Wasser, das in etwa 10 m Tiefe hinreichenden Schutz vor dem tödlichen Ultraviolett (UV) der Sonne bot. Der Aufstieg zur Oberfläche begann mit der Entwicklung von UV-resistenten Mokekülen und deren Vereinigung zu Schutzschichten. Damit konnten die Organismen das UV des Lichts nützen; die Voraussetzungen waren gegeben, die zur Bildung von Chlorophyll führten, bei Blaualgen – Prokaryoten – vermutlich zuerst.

Zunächst aber brauchten Bakterien Wasserstoff, Methan und Schwefelwasserstoff, um autotroph durch Reduktion von H_2 und CO_2 Energie zu gewinnen. Mit der Photosynthese sammelte sich freier Sauerstoff in der Atmosphäre. Dieses oxydierende Gas war aber zunächst für lebende Strukturen Gift. Der Schritt der Anpassung der Organismen an eine sauerstoffhaltige Atmosphäre und Hydrosphäre hat daher für die Evolution des Lebens ganz entscheidende Bedeutung gehabt. Denn die Anreicherung von Sauerstoff nahe der Erdoberfläche führte zur Trennung des Lebens in aerobe und anaerobe Lebensformen, auch zur Trennung der Lebensräume. Heute haben alle mehrzelligen Lebewesen eukaryotische Zellen, fast alle Eukaryoten sind aerob. Ihre Entwicklung muß also zeitlich nach dem Erscheinen von Sauerstoff in der Atmosphäre begonnen haben.

Der Anstieg der Sauerstoffkonzentration in der Atmosphäre führte zu weiteren Schutzmaßnahmen der aeroben Welt, die bis heute in Kraft blieben. Älteste pflanzliche Reste sind die 3 Mrd. Jahre alten kalkabscheidenden Blaualgen (knollen- und krustenförmige Gebilde, Stromatolithen). Sie sind die frühesten Zeugen für die Existenz der Photosynthese. Der erste rote Sandstein entstand vor 1,45 Mrd. Jahren im heutigen Schweden. Er kann nur unter hinreichend stark oxydierenden Bedingungen entstanden sein. Erste Hinweise auf zugleich oxydierende und reduzierende Eigenschaften der Atmosphäre stammen aus der Zeit vor 1,9 Mrd. Jahren. Darin muß man den frühesten Hinweis auf ein Ansteigen der Sauerstoffkonzentration in der Atmosphäre sehen

– also auf die Entstehung von biologischer Sauerstoffproduktion. Das Auftreten von Stromatolithen kann nur in einer sauerstoffreicheren Atmosphäre stattgefunden haben.

Seit 1,5 Mrd. Jahren haben wir verbürgte Evidenz für freien Sauerstoff in der Atmosphäre: als die Eukaryoten auftauchten, die einen membranumhüllten Zellkern besitzen. Solche Zeugnisse fand man in gewissen Formationen in Grönland, auch in den mächtigen Karbonatschichten der Bulawayon-Gruppe im Südwesten von Simbabwe (dem früheren Rhodesien) und eben in West-Australien. Die dort gefundenen Organismen sind stromatholitische Algenformen. Vermutlich kamen diese in flachen Seen oder Meeren vor. Sie mußten sich aber in Tiefen von mehr als 10 m gebildet haben, sonst wären sie von der solaren Ultraviolett-(UV-)Strahlung zerstört worden. Insgesamt sprechen Indizien dafür, daß die mittlere Temperatur der Erdoberfläche vor etwa 3 Mrd. Jahren noch bei etwa 70 °C gelegen haben muß. Andererseits ergeben sich Hinweise auf Temperaturen aus der Instabilität organischer Verbindungen und Polymere, deren Existenz Voraussetzung für die Entstehung von Leben waren. Alle Reaktionen, die auf biologische Organisation von Strukturen zielen, laufen nur unterhalb des Schmelzpunktes polynukleotider Strukturen ab. Der in Frage kommende Temperaturbereich liegt zwischen 0 °C und + 35 °C [16].

Wahrscheinlich sank die Temperatur damals sehr rasch, denn mit der Kondensation des Wassers begann auch CO_2 in Lösung zu gehen, wodurch sich der Treibhauseffekt verringerte. Dies alles würde auf eine verblüffend kurze Zeitspanne zwischen dem Erreichen hinreichend günstiger Umweltbedingungen zur Entstehung komplexer Moleküle und der Organisation biologischer Objekte hinweisen. Andererseits sollte man da auch nicht zu überrascht sein: Aus der Kometenphysik weiß man, daß sich relativ komplexe organische Moleküle in unglaublich kurzen Zeiten aus den von der Oberfläche des Kometenkerns abdampfenden Muttermolekülen bilden.

Etwa 1 Mrd. Jahre nach der Entstehung von Leben muß es zu einer explosionsartigen Vermehrung lebendiger Strukturen und deren evolutionärer Entwicklung gekommen sein. Das CO_2 der heutigen Atmosphäre stammt aus biologischen (neuerdings auch aus anthropogenen) und photochemischen Prozessen. Das CO_2, das ursprünglich aus dem Erdmantel stammte, dürfte überwiegend in den Sedimenten festgelegt worden sein. Mit der Abnahme der Kohlendioxydkonzentration stieg die Sauerstoffproduktion der belebten Natur, so daß sich der Anteil an freiem Sauerstoff in der Atmosphäre langsam zu erhöhen begann (Abb. 4). Dieser war nach anfänglicher Prozenthäufigkeit in der Oxydationszeit wahrscheinlich wieder unter 1% gesunken. Mit der Zunahme der Sauerstoffkonzentration bildete sich Ozon in der Stratosphäre. Dadurch verminderte sich die UV-Intensität in

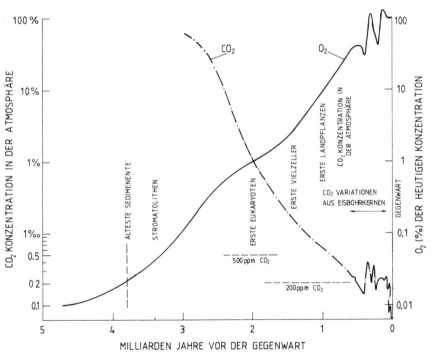

Abbildung 4 *Abnahme der CO_2-Konzentration, Zunahme der Sauerstoffkonzentration in der Atmosphäre im Lauf der Erdgeschichte (O_2 nach [3], CO_2 nach [4], jüngere Geschichte nach [34])*

37

der unteren Atmosphäre, nun jedoch ohne Auswirkung auf die Sauerstoffproduktion. Dieses ermöglichte den lebendigen Strukturen den Aufstieg an die Wasseroberfläche, was sicher die Intensität des Stoffwechsels steigerte, mithin die Produktionsrate für Sauerstoff. Nicht lange danach finden wir auch die ersten Spuren von Leben an Land. Die Zusammensetzung der heutigen Atmosphäre ist in Tab. 12 wiedergegeben.

Die *chemische* Evolution brachte von den einfachen anorganischen Verbindungen allmählich kompliziertere, organische hervor: Aminosäuren, Nukleinsäurebasen, Polypeptide, Polynukleotide. Danach setzte die *molekularbiologische* Evolution ein, als es zur Ausbildung molekularer Selbstorganisation kam und sich autoreproduktive Reaktionsnetze aufgrund kolloidchemischer Gesetzmäßigkeiten bilden konnten. Diese Entwicklung führte zu den sogenannten Probioten. Die *biologische* Evolution führte über die Eobioten zur prokaryotischen Keimzelle (Bakterien, Blaualgen), schließlich zur eukaryotischen Kleinzelle, von da zum Mehrzeller.

Im Übergangsbereich vom Nichtleben zum Leben dürfte die Morphologie durch die Kugelform als energetisch günstigste Struktur bestimmt gewesen sein. Die ältesten bekannten Lebewesen, die 3,4 Mrd. Jahre alten Ramsay-Sphären, die man 1976 im Hornstein der Ouverwacht-Gruppe bei Swartkoppie im Baberton-Bergland in Südafrika gefunden hat, waren kugelige Strukturen. Prokaryoten und Eukaryoten (die also einen Zellkern hatten) trennten sich vor rund 2 Mrd. Jahren, Pflanzen und Tiere vor etwa 1,1 Mrd. Jahren. Die ältesten Bioten stammen aus Bitter Springs in Australien und sind 900 Mio. Jahre alt.

Periodische Klimaänderungen

Gewiß gibt es periodische Einflüsse, die sich natürlich der Entwicklung des Planeten aufgeprägt haben müssen: Die Sonneneinstrahlung auf den Planeten wechselt im Tag-Nacht-Rhythmus, wir haben den Jahreszeiteneffekt, den Sonnenfleckenzyklus, der

11 beziehungsweise 22 Jahre dauert. Der Erde-Sonne-Abstand ändert sich aus himmelsmechanischen Gründen (Einfluß auf die Exzentrizität der Erdbahn) mit einer Periode von 95 000 Jahren. Die Inklination der Bahnebene (das ist ihre Neigung gegen die Ebene der Ekliptik) variiert mit einer Periode von etwa 40 000 Jahren. Schließlich hat die Präzession (zur Erläuterung vgl. Abb. 5) eine Periode von rund 20 000 Jahren (Parameter von Milankovicz).

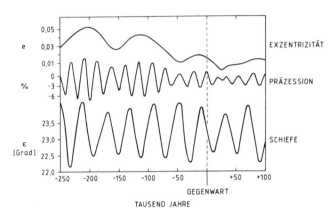

Abbildung 5 *Die Änderung der Exzentrizität der Erdbahn, der Präzession der Erdachse und der Inklination der Bahnebene. Änderungen dieser Bahnparameter rufen Änderungen der Bestrahlungsstärke der Erde hervor, also Klimaeffekte (Parameter von Milankovicz). Die Änderungen der Intensitäten liegen im Fall der Exzentrizität bei 7 %, bezüglich der Präzession bei 2 %. Die damit verbundenen Klimaeffekte wurden an Eisbohrkernen und Tiefseebohrkernen bestätigt (nach [8]).*

Solche Änderungen haben notwendigerweise klimatische Effekte. Natürlich hat man nach diesen Effekten in der Geschichte des Planeten gesucht, und ebenso natürlich hat man deren Spuren auch gefunden. Denn das muß so sein – aus einsehbaren physikalischen Gründen.

Hingegen ist der Einfluß anderer astronomischer Größen auf das Klima weniger evident und darum bisher auch keineswegs eindeutig nachgewiesen. Unser Sonnensystem bewegt sich nämlich im Verband mit den Sternen der Milchstraße um das galaktische Zentrum herum – in derzeit etwa 274 Mio. Jahren (es ist interessant, daß die großen Eiszeiten – Diluvium, permo-karbonische, jung-proterozoische – auch ungefähr diesen zeitlichen Abstand haben). Die Umlaufzeit dürfte früher bedeutend länger gewesen sein, nämlich etwa 400 Mio. Jahre; die Sonne bewegt sich nämlich spiralig einwärts, dem galaktischen Zentrum zu. Beim Umlauf in der Galaxis bewegt sich das Sonnensystem durch Bereiche mit unterschiedlicher Neutralgasdichte. Es ist vermutlich nicht besonders aussichtsreich, nach Effekten zu suchen, die sich aus der unterschiedlichen Entfernung des Sonnensystems vom galaktischen Zentrum als Folge von Wirkungen der Gravitationskraft der im galaktischen Zentrum vereinigten riesigen Massen ergeben. Das Durchqueren von Bereichen mit unterschiedlicher Neutralgasdichte könnte dagegen gewisse Effekte durchaus vermitteln. Unsere Nachbarschaft im interstellaren Raum weist derzeit eine Neutralgasdichte von einem Atom pro hundert Kubikzentimeter Raum auf.

Das war zu anderen Zeiten sicher anders. Lokal kann die interstellare Gasdichte in Wolken ohne weiteres hunderttausendmal größer gewesen sein. Die von Sonnenwind und Magnetfeld gegen den interstellaren Wind aufgespannte Heliosphäre verhindert den Austausch von Plasma zwischen beiden Bereichen – neutrales Gas aber kann diese Grenzen ungehindert durchqueren. Daher ist die Erdmagnetosphäre sicher von dem Teil des interstellaren Gases durchsetzt worden, der der ionisierenden solaren Strahlung entkommen ist. Auf diese Weise könnte in der Tat Energie in die Erdatmosphäre transportiert werden. Das Sonnensystem hat, seit es existiert, das galaktische Zentrum nur gut ein dutzendmal umlaufen. Daher ist es schwer, damit zusammenhängende Effekte statistisch signifikant herauszupräparieren und nachzuweisen. Inwieweit Eiszeiten auf solche Effekte zurückgeführt werden können, ist daher fraglich. Da andererseits Eiszeiten auch in der folgenden Erdgeschichte vorgekommen sind, ist die Suche nach den Ursachen für solche klimatischen Verschiebungen im Bereich astronomischer Einflüsse eher unergiebig.

Andererseits muß man darüber nachdenken, welche anderen Effekte zwischen dem interstellaren Raum und der Erde Einflüsse vermitteln könnten. Es ist sicher denkbar, daß beim Durchqueren einer dichten interstellaren Staubwolke auch Material auf die Sonnenoberfläche gelangen konnte und dabei zu Schwankungen in der solaren Leuchtkraft Anlaß gegeben hat. Es gibt aber auch einen aus der im Sonneninneren ablaufenden thermonuklearen Reaktion resultierenden Effekt, der eine Erhöhung der solaren Leuchtkraft um etwa 5 % pro Mrd. Jahre (vgl. oben) mit sich bringt. Schließlich ist auch diskutiert worden, inwieweit sich Änderungen im Konvektionssystem der Sonne ergeben könnten oder eventuell bereits ergeben haben konnten. Aber das ist vage und wenig präzisierbar. Zwar sind solche Effekte nicht auszuschließen, wir haben aber auch keine positive Evidenz, die ihre Existenz bestätigen würde.

Vulkanausbrüche und Klimaverschiebungen

Sehr viel wahrscheinlicher ist, daß sich in der Erdkruste als Folge ihrer Abkühlung ganz erhebliche Spannungen ausgebildet haben, deren Ausgleich sich in gewaltigen Erdbeben vollzogen hat. Vulkane sind aus dem nämlichen Grund hervorgebrochen und haben ihre Asche kilometerhoch in die Stratosphäre geschleudert. Feiner Staub kann in hohen Schichten der Atmosphäre jahrelang verweilen. Die Intensität vulkanischer Ausbrüche jener Frühzeit der Erdgeschichte ist gewiß nicht mit heutigen Maßstäben zu messen. Damals haben vulkanische Aktivitäten wahrscheinlich das Hundert- oder gar Tausendfache dessen geschafft, was ein heutiger Vulkanausbruch in die Atmosphäre zu blasen imstande ist.

Die größten Vulkanausbrüche der Neuzeit waren wohl jene des Tambora im Jahr 1815 und der des Krakatau im Jahr 1883, beide in Indonesien. Der Ausbruch von 1815 hatte ganz erhebliche Folgen: Man nennt das Jahr 1816 das »Jahr ohne Sommer«, weil der in der Atmosphäre schwebende Staub die Sonneneinstrahlung so stark vermindert hatte, daß selbst in mittleren Breiten im Juni Schnee fiel (zwar waren alle Jahre zwischen 1812 und 1817 zu kalt – diese Jahre gelten als Kaltzeit; 1816 aber sanken die Temperaturen noch weiter ab). Bei diesem Vulkanausbruch, der 150 km³ Asche auswarf, starben 12 000 Menschen. Auch der Krakatau-Ausbruch führte zu meßbaren Temperaturerniedrigungen (0,5 °C); drei Jahre lang, so berichten Zeitgenossen (unter ihnen Hermann v. Helmholtz), waren die Sonnenuntergänge farbenprächtige Schauspiele, bis in den November hinein war purpurfarbenes Nachtglühen zu beobachten, des in der Atmosphäre verbliebenen Staubes wegen, der das Sonnenlicht stark streute.

Der (unterseeische) Krakatau-Ausbruch zerstörte die Insel Krakatau fast völlig. Er förderte »nur« 18 km³ Eruptionsmasse, schleuderte diese aber bis zu 60 km Höhe empor. Zeitgenossen berichten von einer 45 m hohen Flutwelle (Tsunami), die auf Sumatra und Java die tropische Vegetation abrasierte, die selbst im fernen San Franzisko noch mit 15 cm Höhe ankam und zwölf Stunden nach dem Ausbruch das 7000 km entfernte Aden erreichte. Die Druckwelle der Explosion umlief den Planeten sechsmal. 36 000 Menschen starben. Naturkatastrophen solchen Ausmaßes sind heute also immer noch möglich. Übrigens gehört es zu den erstaunlichsten Phänomenen, daß sich die Vegetation die dort mit Lava und Asche 30–100 m hoch bedeckte Erde in wenigen Jahren zurückerobern konnte [5].

Der Ausbruch des El-Chichòn in Mittelamerika im Jahr 1982 (etwa 0,5 km³ Asche) hat zu ähnlichen Folgeerscheinungen geführt. Immerhin war der Ausbruch des El-Chichòn der größte Ausbruch seit jenem des Krakatau – ich komme darauf in Kap. 7 in anderem Zusammenhang zurück. Die erste Eruption fand am 28. März 1982, 23:32 Uhr statt; sie erzeugte eine Eruptionssäule von 17 km Höhe. Die Eruption dauerte fünf Stunden. Während die beiden folgenden Eruptionen am 3. und 4. April 1982 viel Lava förderten, war der erste Ausbruch für die Staubbilanz der Atmosphäre bestimmend. 85 % des Staubes (Bimsstein) hatten Korngrößen unter 1 µm. Die Astronomen des Observatoriums auf dem Mauna Loa auf Hawaii berichteten, daß sich die Intensität der Sonnenstrahlung am Erdboden nach dem Ausbruch um 25–30 % verminderte. Der US-Wettersatellit NIMBUS, der mit Meßgeräten zur Messung von Ozon ausgerüstet war, wurde ozonblind – weil sehr viele Sulfataerosole emittiert worden waren, deren Lichtstreuung die Ozonemission verdeckte; insgesamt, so schätzten die Experten, wurden bei diesem Ausbruch 3,3 Mio. Tonnen Schwefeldioxyd ausgestoßen – das ist ebensoviel, wie in der Bundesrepublik pro Jahr durch Kohlenstoffverbrennung freigesetzt wird.

Der Krakatau-Ausbruch stellt zugleich einen Wendepunkt in der Geschichte der Meteorologie dar. Die gewaltige Detonation ließ zum erstenmal die stratosphärischen Zirkulationssysteme erkennen, und ähnlich haben die Ozeanographen aus diesem Ereignis gelernt.

Im Gefolge solcher Vulkanausbrüche hat sich also stets die Transparenz der Atmosphäre ganz erheblich verringert, wodurch die mittlere Oberflächentemperatur sinken konnte. Abkühlungen von noch größerem Ausmaß dürften von jenen tektonischen Aktivitäten ausgegangen sein, die sich im Gefolge der Formung der Erdoberfläche eingestellt haben, als die kontinentalen Schollen zerrissen und auseinanderzudriften begannen, oder, wo sie sich aufeinander zubewegten, als sich die Gebirge auffalteten.

Relativ hohe Temperaturen dürften die Oberfläche der Erde bis vor gut 200 Mio. Jahren (Keuper, vgl. Anh. 7) charakterisiert haben (Eiszeiten dazwischen ändern dieses Gesamtbild nicht), als die Landmassen noch eine zusammenhängende Scholle bildeten. Vermutlich hatten sich zu dieser Zeit als Folge der fortschreitenden Erstarrung in der Erdkruste gewaltige Spannungen ausgebildet, deren Einfluß sich nun auf die Oberfläche der Erde auszuwirken begann. Auch im Präkambrium hatte sich die Kruste schon mehrfach gefaltet, gehoben, war teilweise wieder abgetragen worden (Gondwana und Nordkontinent). Im Jura, vor etwa 180 Mio. Jahren, begann die Kontinentalscholle erneut zu zerreißen – Amerika, Europa, Afrika, Indien, Australien, die Antarktis trennten sich voneinander. Dieses Ereignis war natürlich von den üblichen Begleiterscheinungen geologischer Aktivität umrahmt: Erdbeben und Vulkanismus. Solche Vorgänge untersucht das Fachgebiet der Plattentektonik: die Verschiebbarkeit von Platten der Erdkruste auf der Asthenosphäre, einer Schicht im äußeren Erdmantel. Am Schelf der Kontinente schieben sich zum Beispiel auch heute noch in sogenannten Subduktionszonen (Abb. 6) ständig Platten des Meeresbodens unter die Kontinentalplatten, getrieben von aufquellendem Material im mittelozeanischen Rücken. Auch die Kontinentaldrift wird dadurch aufrechterhalten (vgl. Tafel 3).

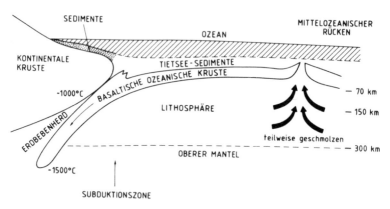

Abbildung 6 *Im mittelozeanischen Rücken quillt ständig Material aus dem Erdmantel an die Oberfläche und schiebt den Tiefseeboden seitlich weg. Dieser verschwindet deswegen in den Subduktionszonen unter den Kontinentalschollen wieder im Erdmantel.*

Der Kreislauf der Gesteine

Unter den Ozeanen ist der obere Mantel sehr weich und enthält angeschmolzenes Material bereits in 80 km Tiefe. Die Riffe in der Ozeanmitte erheben sich fast 3 km über den mittleren Ozeanboden. Dort quillt ständig flüssiges Material nach oben, drängt den Seeboden seitlich weg und kühlt langsam ab und erstarrt. Dabei friert übrigens die Richtung des Erdmagnetfeldes im er-

44

starrenden Material mit ein (magnetische Kristalle, die sich im Magnetfeld orientieren, werden festgelegt). So enthält der Seeboden eine Art Magnetaufzeichnung, die die historischen Richtungen des Erdmagnetfeldes (das aus unbekannten Gründen im Lauf der Zeit viele Male umklappte) nebeneinander aufbewahrt, weil das Material in einer Richtung senkrecht zum Riff in Richtung vom Riff weg immer älter ist. Der Meeresboden bewegt sich von diesem mittelozeanischen Rücken um 1–10 cm/a fort. Die mittelozeanischen Rücken in den Weltmeeren sind eine Art Naht zwischen den Platten. Sie verbinden heiße Stellen der Erde miteinander. Solche liegen zum Beispiel unter den Inseln im Atlantik: Azoren, Island, Spitzbergen; das sind Gebirgsgipfel des atlantischen Rückens, die über die Wasseroberfläche aufragen. Im Pazifik und im Indischen Ozean schwingt sich der mittelozeanische Rücken in weitem Bogen um Australien bis nach Hawaii.

Auf diese Weise gelangen auch Sedimente in den äußeren Mantel. Die absinkenden Platten bleiben bis in Tiefen von 700 km erhalten und lösen sich erst dort allmählich auf, vermischen sich mit dem dichteren Material (Eklogit), wandeln sich in dieses um. Über den Subduktionszonen bilden sich Vulkane, ja ganze Ketten von Vulkaninseln (Hawaii, Island, Azoren u. a.). Das Plattenmaterial wird dort mit dem Magma des Mantels vermischt und gelangt durch Spalten im Vulkanausbruch zurück an die Oberfläche. Die Ozeane füllen sich deswegen nicht mit Sedimenten, die Kontinente werden nicht erodiert: der Kreislauf der Gesteine sorgt für ein säkulares Gleichgewicht.

Im Verlauf der Erdgeschichte folgten auf Revolutionen – etwa der Auffaltung der Gebirge – immer wieder Perioden relativer Ruhe. Man muß sich klarmachen, daß jede Veränderung der Landschaft auch Veränderungen des Klimas mit sich brachte – allein schon weil sich die Strömungsverhältnisse in der Atmosphäre je nach der Oberflächengestalt, der Land-Meer-Verteilung änderten. Daraus ergibt sich als ein ganz wesentliches Überlebenskriterium für das Lebendige: die Anpassungsfähigkeit. Erst mit der Landnahme der Pflanzen verlagerte sich das Schwergewicht der organischen Produktion vom Meer aufs Land.

Mit geologischer Aktivität sind jeweils kräftige Vulkanausbrüche verbunden, die Staub in sehr große Höhen verfrachten, wo sich Aerosol recht lange halten kann. So hervorgerufene Trübungen der Atmosphäre führen zur Verminderung der Nettoeinstrahlung, zugleich auch zu verstärkter Abstrahlung in den Weltraum, mithin zu einer Nettoabnahme der Bodentemperatur. War der Staub nach Jahren zu Boden gesunken, konnte sich der frühere Zustand allmählich wieder einstellen. So ließe sich erklären, daß das Klima im Jura zwischen feuchtwarm und feuchtkalt hin- und herschwankte.

Klima und Menschheitsgeschichte

Nach Abklingen der geologischen Aktivitäten in der Kreidezeit und im Frühtertiär stellte sich im europäischen Raum wieder ein eher tropisches Klima ein – beispielsweise wuchsen im norddeutschen Raum im Tertiär Palmen, also vor rund 30 Mio. Jahren. Im Gletschergarten von Luzern kann man sehr anschaulich sehen, wie sich eine einst palmenbestandene Küste im Verlauf der quartären Eiszeit allmählich zu einem doch recht unwirtlich kalten Land entwickelte. (Die im Text erwähnten geologischen Formationen sind in Anh. 7 näher erläutert.)

Zu Beginn des Quartär, vor 1 Mio. Jahren also, gab es eine weitere geologisch aktive Periode – sie ist auch heute noch nicht vollständig abgeklungen –, in der zahlreiche Vulkane aufbrachen und das Klima kälter wurde. Seitdem hat es in Mitteleuropa mehrfach Vereisungen gegeben (Diluvium). Der Botaniker K. F. Schimper hat dafür den Namen Eiszeit geprägt – in einer Ode zu Galileis Geburtstag im Jahre 1837. Diese enormen Klimaschwankungen (Abb. 7) der jüngeren Erdgeschichte sind eigentlich erst in den letzten 10 000 Jahren etwas abgeklungen. Der Beginn der Evolution des Menschen ist also unter anderem möglich geworden, weil eine Klimaverbesserung die Vermehrung der Menschen erlaubte.

Am Ende der letzten Vereisungsphase (Würm-Eiszeit – man

muß sich klarmachen, daß damals der Meeresspiegel 140 m tiefer lag und sich erst mit zunehmender Temperatur langsam hob) lebten auf der Erde etwa 5 Mio. Menschen, meist als Jäger und Sammler. Bei Christi Geburt waren es schon 200 Mio. – heute sind es 5 Mrd.! Unsere geringen Kenntnisse der Eigenheiten unseres Planeten erlauben uns also kein präzises Urteil über seine weitere Entwicklung. Die Wiederholung von Klimaveränderungen in die eine oder die andere Richtung ist daher möglich.

Zehntausend Jahre sind ein kurzes Intervall in dieser nach Millionen Jahren zu rechnenden geologischen Zeitskala, die zur Beurteilung der weiteren Entwicklung des Planeten die einzig angemessene ist. Eine natürliche Klimaschwankung ist daher durchaus in der Lage, Fauna und Flora, den belebten Teil des Planeten, nachhaltig zu verändern. Solche Veränderungen auf kleiner Skala hat es immer gegeben. Beispielsweise verschwand am Ende des 12. Jahrhunderts im Mittleren Westen der USA innerhalb einiger Dutzend Jahre das mannshohe Präriegras; an seine Stelle trat eine steppentypische Vegetation – wohl als Folge einer länger anhaltenden Trockenheit. Ein Indianerstamm (Mill-Creek-Culture), der vom Getreideanbau gelebt hatte, verschwand gleichzeitig [7]. Vergleichbare gleichzeitige Veränderungen in anderen Kontinenten lassen sich nicht finden.

Die Warmzeit, die um 5000 v. Chr. einsetzte, hatte es den Menschen ermöglicht, seßhaft zu werden. Sie wurde die wärmste Periode der jüngeren Klimageschichte. Die Kaltzeit (um 2200 v. Chr.) zwang auf der Nordhalbkugel weiter im Norden Lebende, in den wärmeren Süden auszuweichen – das muß man als den Beginn der indogermanischen Völkerwanderung ansehen; in der Kaltphase (nach 450 n. Chr.) stießen die Germanenstämme nach Süden vor – das war die letzte Völkerwanderung. Das Reich Karls des Großen konnte nur in der klimatischen Warmphase, die um 800 begann, Bestand haben, war nur unter klimatisch günstigen Bedingungen regierbar (vgl. Abb. 7).

Während der Warmzeit des Hochmittelalters vermehrten sich die Menschen kräftig. Durch Rodung und Ackerbau war die Ernährung gesichert. Die Abkühlungsphase im 15. Jahrhundert

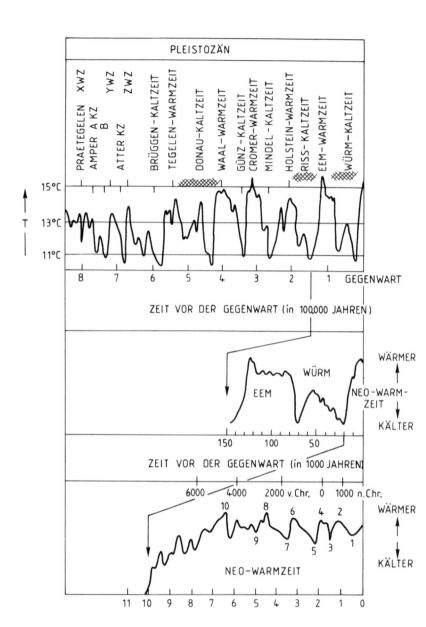

48

◀ **Abbildung 7** *Klimaschwankungen in der Vergangenheit, repräsentiert durch die Variation der mittleren Temperatur. Die Ziffern bedeuten: 1 – kleine Eiszeit; 2 – mittelalterliche Warmzeit; 3 – Kaltzeit der germanischen Völkerwanderung; 4 – Warmzeit der Römerzeit; 5 – Kaltzeit, zweite indogermanische Völkerwanderung, Griechen siedeln im Mittelmeerraum; 6 – Warmzeit, neues Reich der Ägypter; 7 – Kaltzeit, erste indogermanische Völkerwanderung; 8 – Warmzeit; Einwanderung aus Trockengebieten in Stromländer (Ägypten, Mesopotamien, Indien, China), Entstehung der ersten Hochkulturen; 9 – Kaltzeit; 10 – wärmste Epoche der Neowarmzeit; Beginn von Ackerbau und Viehzucht, Eisschilde schmelzen ab (nach [1], überarbeitet).*

brachte dann viele Krisen mit sich (kleine Eiszeit), mit Ernährungsproblemen, die unter anderem zu den Auswanderungen nach Amerika führte. Verlassene Gehöfte (Wüstungen) geben davon heute noch Zeugnis.

So haben Klimaschwankungen die Geschichte menschlicher Zivilisation immer beeinflußt – und dieser Einfluß war zweifellos größer, als häufig geglaubt wird.

Die Erforschung der Klimata vergangener Zeiten ist eine ebenso schwierige wie wichtige Aufgabe. Sie beginnt mit der Suche nach geeigneten Zeugen für klimatische Besonderheiten in der Vergangenheit. Solche finden wir allerdings nicht aus der frühesten Zeit nach Entstehung der Erde, von der wir eigentlich nur wissen, daß die Erde existiert haben muß. Der Planet selbst gibt uns keine Zeugnisse seiner ersten 800 Mio. Jahre, als seine Oberfläche weich war. Klima ist mithin keine konstante Eigenschaft der Atmosphäre des Planeten.

Tabelle 5 *Warm- und Kaltzeiten in der jüngeren Geschichte*

Warmzeiten in der jüngeren Geschichte (Holozän)	
Zeit	
12000–8000 v. H.	Vermutlich als Folge günstiger Bahndaten der Erde (Milankovicz-Parameter), d. h. 7 % Sonnenenergie mehr als auf der Südhemisphäre, da Perihel im Nordsommer.

49

	Abschmelzen des skandinavischen Eises, Wasserstand des Tschadsees so hoch, daß er zum Niger abfließt.
9500 v. H.	Höhepunkt der postglazialen Warmzeit.
7800 v. H.	Einbruch der Hudson-Bay, Erwärmung in Ostsibirien, Straße von Dover öffnet sich. Klimaasymmetrie auf beiden Seiten des Atlantik: Europa, Asien, Afrika erwärmen sich, Amerika bleibt kalt. Temperaturgegensätze Pol–Äquator nehmen ab, Hadley-Zirkulation wird schwächer, Ozeanverdunstung nimmt zu, tropische Regenwälder breiten sich aus.
6500–4500 v. H.	Humide Phase. Nilfluten bis 5 m höher. Subarktische Wälder auf den Inseln Nord-Norwegens. Wendepunkt in der Temperaturentwicklung.
Ab 5000 v. Chr.	Umwandlung von Wald in Acker- und Weideland in SW-Asien. Neues Reich der Ägypter, Indus-Zivilisation, Sumerer, Babylonier. Beginn der Abholzung der Küstenwälder im Mittelmeergebiet, Holzexporte der Phönizier nach Ägypten und Mesopotamien. Ähnlicher Raubbau in China nach Chow-Dynastie.
200 v. Chr.–250 n. Chr.	Optimum der Römerzeit (Imperium Romanum). Alpenübergänge eisfrei. Reiche Niederschläge in Nordafrika – Kornkammer Roms. Bergbau in den Alpen. 218 v. Chr. überschreitet Hannibal die Alpen.
Ab 500 n. Chr.	Eskimos treiben Walfang vor Nord-Grönland. Waldgrenze in Kanada lag über 100 km weiter nördlich als heute. Mittlere Sommertemperatur 1 °C höher. Weinbau in Ostpreußen, Pommern, Südschottland, Rinderzucht in der Sahara.
Ab 860 n. Chr.	Wikinger besiedeln Island, Getreideanbau in Island (bis 65 °N).
Ab 880 n. Chr.	Wikinger besiedeln Süd-Grönland (Eric der Rote), Entdeckung Amerikas durch die Wikinger, Ostgrönlandstrom eisfrei.
1000–1254 n. Chr.	Mittelalterliches Optimum. Blütezeit des Deutschen Reiches (Barbarossa 1152–1190). Zunahme der Bevölkerung um 400 %.
1276–1299	Schwere Dürre in Nordamerika. Indianer geben Siedlungen im Südwesten der USA auf.
1430	Dürreperiode in Europa.
1788/89	Schwere Dürre in Europa, Hungersnot, Hagelschlag verwüstet 1788 in Frankreich Ernte, soziale Unruhen lösen die Französische Revolution aus.

65000– 10000 v. H.	Würmeiszeit, letzte Eiszeit, bestand aus 5–6 Kaltphasen im Abstand von 1500–2000 Jahren. Der Meeresspiegel lag damals 140 m unter dem heutigen Niveau.
4800– 4600 v. H.	Kältevorstoß in Nordamerika.
2200– 600 v. Chr.	Kaltzeit; große indogermanische Völkerwanderung nach Süden, dorische Einwanderung, Kolonisation der Griechen im Mittelmeerraum, Einwanderungen nach Italien, Griechenland, Türkei, Babylonien, Indien.
375–750 n. Chr.	Germanische Völkerwanderung, ausgelöst durch Kaltphase. Wiederholte Gletschervorstöße. Klimaverbesserung erst zur Zeit Karls des Großen.
1190 n. Chr.	Erneuter Eisvorstoß nach Süden.
1200–1400	Klimawende.
1250/51	Schwere Sturmfluten, Landverluste, Zuidersee bricht ein, Friesische Inseln entstehen; weitere schwere Fluten 1287, 1304, 1362.
1310–1330	Eisvorstoß unterbrach Schiffahrt in der Dänemarkstraße vor Grönland. Wikingerkolonien erliegen den Folgen der Klimaverschlechterung, Hunger, Epidemien, Kämpfe mit den Eskimos.
1313–1317	Extrem kalte Sommer in Europa, schwere Hungersnot.
1322/23	Ostsee völlig zugefroren, Kaufleute ziehen über das Eis von Rostock nach Schweden, ebenso von Riga über Gotland nach Stockholm.
1425–1460	Mißernten als Folge von Klimaextremwerten, hohe Getreidepreise, soziale Konflikte in Schottland, Wüstwerden von Dörfern im Gebirge in ganz Europa. 1430 Katastrophenjahr.
1593–1640	Kleine Eiszeit; in der Schweiz Schneedauer bis zu 100 Tagen. Weiterer Vorstoß arktischen Treibeises, das z. B. Island bis September blockierte, Wassertemperaturen 3–5° niedriger als heute.
1683/84	Kältester Winter, Eisnebel über Europa. Mittlere Temperaturen fast 5 °C niedriger als heute. Festeisbrücke über den Kanal von Dover, 3–5 km breit. Später noch weitere Kaltperioden (1669, 1719, 1743, 1776, 1820, 1856).

Kapitel 2   Die Wärmekraftmaschine der Erde: Eine erste Beschreibung der Atmosphäre

Die Konvektion

Die atmosphärischen Zirkulationssysteme sind Reaktionsmechanismen der Atmosphäre, die lokale wie globale Ungleichgewichte ausgleichen. Die Energieeinstrahlung durch die Sonne (die einzige externe Energiequelle für den Planeten) führt zur Erwärmung der Atmosphäre, aber auch zur Erwärmung des festen Erdbodens und der Meere. Etwa 51 % der eingestrahlten Sonnenenergie erreichen den Erdboden und werden dort absorbiert (Abb. 8). Rund 16 % der gesamten den Planeten erreichenden Sonnenenergie werden in der Atmosphäre, rund 3 % in den Wolken absorbiert (es kann, je nach Bewölkungsgrad weniger sein, vgl. Abb. 8). Der Rest wird in den Weltraum zurückgestreut.

Die Atmosphäre ist also ein ganz erheblicher Energieträger – bei Gewittern oder gar Wirbelstürmen gewinnt man davon leicht eine Vorstellung.

In den äquatornahen Bereichen übertrifft die Einstrahlung der Sonne die Ausstrahlung von Atmosphäre und Erdoberfläche. Daher heizt sich dieser Teil der Erde im Vergleich zu den anderen auf – dort wird es wärmer als anderwärts. Über den Polregionen ist die Einstrahlung von der Sonne kleiner, schon wegen der Abflachung der Erdkugel gegenüber der Richtung zur Sonne. Die schneebedeckten Flächen haben darüber hinaus auch hervorragende Reflexions- und Abstrahlungseigenschaften, wie jeder aus eigener Anschauung weiß: Die starke Abkühlung der Luft über schneebedeckten Flächen in klaren Winternächten hat die gleiche Ursache; Schneeflächen strahlen im Bereich infraro-

52

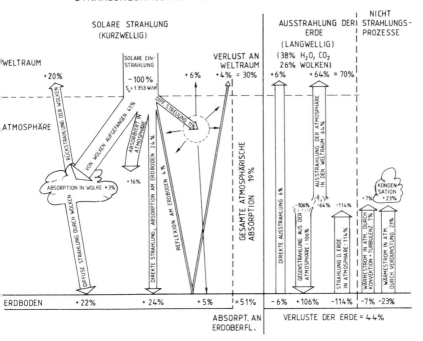

Abbildung 8 *Verteilung der einfallenden Sonnenenergie auf Erdboden und Erdatmosphäre. Am Rand der Atmosphäre, in der Atmosphäre und am Erdboden, wird jeweils die Bilanzsumme gebildet (Bildmitte und rechte Seite). Die linke Seite beschreibt die kurzwellige Strahlungsbilanz, die rechte Seite die langwellige infrarote (nach [1]).*

ten Lichts besonders stark ab. Die Erde erzeugt daher über den Polregionen ein permanentes Energiedefizit. Da ist leicht verschiebbares Gas wie geschaffen, um durch Strömung einen Ausgleich zwischen dem Energieüberschuß am Äquator und dem Energiedefizit am Pol herbeizuführen.

Praktisch geschieht der Ausgleich dadurch, daß die warme Luft in der Äquatorregion aufsteigt und sich in der Höhe polwärts bewegt, während zugleich in der bodennahen Atmosphäre zum Äquator gerichtete Strömungen entstehen. Würde sich die Erde nicht um ihre Achse drehen, würden die Luftströmungen viel regelmäßiger ausfallen. Die Luft würde am Äquator aufsteigen, zu den Polen fließen, dabei abkühlen, dort absinken und schließlich an der Erdoberfläche wieder zum Äquator zurückströmen. Das ist in Abb. 9 skizziert. Bei der Venus, die sich ähnlich wie der Mond fast nur einmal pro Umflauf um die Sonne um ihre Achse dreht (genauer in 243 Tagen), ist das zum Beispiel der Fall.

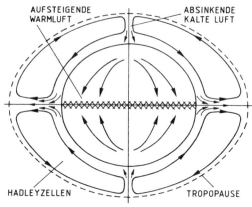

KONVEKTIONSSYSTEM DER ATMOSPHÄRE EINES NICHT ROTIERENDEN PLANETEN

Abbildung 9 *Konvektion auf einem nicht oder nur langsam rotierenden Planeten – zum Beispiel der Venus*

Bei der Erde tritt aber außer am Äquator eine mit der Rotation des Planeten verknüpfte Kraft von merklicher Stärke auf: die Coriolis-Kraft. Sie hat damit zu tun, daß sich die Erde ständig unter sich bewegender Materie wegdreht – sofern diese nicht starr mit der Erde verbunden ist. Man nennt sie nach dem französischen Physiker Gaspard Gustave Coriolis (1792–1843); ihre Horizontalkomponente ist groß gegenüber allen anderen horizontalen Kräften auf der Erde. Andererseits aber ist ihre Größe klein gegenüber der vertikal wirkenden Gravitation (Schwerkraft). Die Coriolis-Kraft bewirkt, daß Luftströmungen auf der Nordhalbkugel der Erde nach rechts (wenn man in Bewegungsrichtung schaut) abgelenkt werden, auf der Südhalbkugel dagegen nach links. Da Winde aus Gebieten hohen Luftdrucks herausgetrieben werden, sorgt die Coriolis-Kraft dafür, daß die Luft, die sonst entlang dem Druckgradienten getrieben werden würde (also in Richtung des jeweils größten Druckunterschieds), entlang den Isobaren (den Linien gleichen Luftdrucks) bewegt wird. So entstehen auf der Nordhalbkugel um Hochdruckgebiete (bei Draufsicht von oben) im Uhrzeigersinn zirkulierende Systeme, während für die Südhalbkugel das Umgekehrte gilt (vgl. Abb. 31). (Wasser wird aus dem nämlichen Grunde, wenn es nach Norden fließt, auf der Nordhalbkugel gegen das östliche Ufer gedrückt und höhlt dieses verstärkt aus.) Diese Kraft »zerbricht« die Konvektionsströmung, die sich auf einem nicht rotierenden Planeten ausgebildet haben würde (Abb. 9), und erzwingt ein komplizierteres Strömungssystem (Abb. 10, 11). Die Coriolis-Kraft ist dafür verantwortlich, daß diese als Hadley-Zellen (so genannt nach George Hadley, 1682–1744, der darüber zuerst nachgedacht hat) bekannten Transportsysteme nur bis in mittlere Breiten (bei 30°) reichen (Abb. 10), wo im absinkenden Luftstrom die subtropischen Hochdruckgürtel entstehen. Dort übernehmen dann riesige Wirbelsysteme die Rolle des Energietransporteurs: etwa die uns aus der täglichen Wetterkarte vertrauten, am polseitigen Rand der Hadley-Zellen sich abrollenden Tiefdruckwirbel, die die warmen tropischen Luftmassen vollends in die polnahen Kühltruhen des Planeten schaffen. (Wir kommen später darauf zurück, daß auf diese Weise natürlich auch die in diesen Luftmassen enthaltenen »anderen« Stoffe in die Polregion gebracht werden.) Wegen der geringen Rotationsfrequenz ist auf der Venus die Coriolis-Kraft auch sehr klein, so daß sich die in Abb. 9 dargestellten Zirkulationsverhältnisse einstellen können.

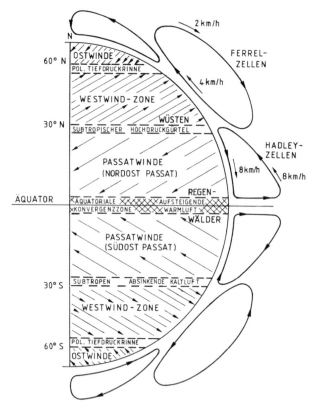

ATMOSPHÄRISCHES KONVEKTIONSSYSTEM der ERDE

Abbildung 10 *Konvektionssystem auf einem rotierenden Planeten – zum Beispiel der Erde*

Die Zirkulationssysteme

Zunächst nimmt die am Äquator aufsteigende Luft an der am Äquator herrschenden Rotationsbewegung mit der dort typischen Geschwindigkeit teil. Die über der Äquatorzone aufsteigenden Luftmassen werden in der Höhe nach Norden und nach Süden auseinandergetrieben, kühlen sich in der Höhe allmählich ab, sinken in höheren Breiten (bei 30°) wieder zu Boden und strömen teils in Richtung Äquator, teils polwärts. Die Ablenkung durch die Coriolis-Kraft läßt aus den zum Äquator zurückströmenden Luftmassen in diesem Breitenbereich die Passate entstehen: auf der Nordhalbkugel die Nordostpassatwinde, auf der Südhalbkugel die Südostpassate. Beide Strömungen treffen im Äquatorbereich wieder zusammen, in den intertropischen Konvergenzzonen, und treiben dadurch das Aufsteigen der Luft weiter an. Im Bereich der Kalmen (den subtropischen Hochdruckgebieten) war die mit ihnen bezeichnete Windstille der Alptraum der Seefahrer vergangener Jahrhunderte. Zum Boden zurücksinkende Luftmassen im Breitenbereich um 30° (Roßbreiten) erhöhen in dieser Region den Atmosphärendruck – dieser Effekt ist für die Entstehung des subtropischen Hochdruckgürtels verantwortlich. Die polwärts abströmende Luft wird durch die Coriolis-Kraft nach Osten abgelenkt und erzeugt die in mittleren Breiten vorherrschenden Westwinde.

Die aus großer Höhe absinkenden Luftmassen besitzen noch die Rotationsgeschwindigkeit dieser Höhenschichten. Beim Niedersinken werden sie abgebremst, weil die Luft der höheren Breiten in gleicher Höhe in geringerem Abstand von der Erdachse rotiert, also kleinere Geschwindigkeit hat und hinter der voreilenden tropischen Luft zurückbleibt, so daß auf diese Weise aus niederen Breiten Drehimpuls in hohe Breiten übertragen wird (vgl. Abb. 11). So wird also potentielle Energie (die aus der differentiellen Heizung stammt) in kinetische Energie verwandelt. Dieses ist der Mechanismus, der eine ganze Menge Energie in die polseitigen Begrenzungen der subtropischen Gürtel pumpt, wo sie dann die Westwinde (die nach Osten strömende Luft) der mittleren Breiten treibt.

Es ist ganz wichtig, sich klarzumachen, was mit den verschiedenen Zirkulationssystemen gemeint ist. Da gibt es natürlich – an einem Ort, zu einer bestimmten Zeit betrachtet – sehr verschiedenartige Strömungen. Das Gesamtbild schält sich erst durch Mittelbildung über längere Zeiträume und über größere räumliche Bereiche heraus. So findet man schließlich als Nettoströmungen die beschriebenen Zirkulationssysteme.

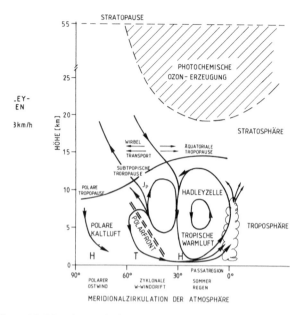

Abbildung 11 *Meridianzirkulation der Erde im Detail*

Natürlich beteiligen sich auch die Ozeane am Energietransport, etwa mit 30 % (z. B. durch den Golfstrom). Mehr Energie als das Oberflächenwasser transportiert allerdings das Tiefenwasser, durch die Dänemarkstraße zwischen Grönland und Island allein 100 W/m².

In mittleren Breiten nimmt die Temperatur polwärts rascher ab als in niederen, weil sich in ihnen unterschiedlich temperierte Luftmassen nahe kommen. Der Westwind erreicht dort in der oberen Troposphäre seine größte Stärke: Es bilden sich Strahlströme aus. Solche Strahlstromsysteme führen rund um die Erde, winden sich hin und her in langen nord- und südwärts auslenkenden Wellen. Biegen diese Wellen lokal ständig polwärts aus, kann sich dazwischen alsbald ein Hochdruckkeil ausbilden; wo sie äquatorwärts ausbiegen und Kaltluftvorstöße erlauben, entstehen Tiefdrucktröge. Die Windverhältnisse in der Höhe setzen sich dann meist bis zum Boden hin durch. Man kann daher –

58

vereinfacht – sagen, daß unser Wetter eigentlich in großen Höhen entsteht. Dies möchte ich aber in einem späteren Exkurs in die Meteorologie näher besprechen.

Der Aufbau der Atmosphäre

Weil die Atmosphäre ein so kompliziertes Gebilde darstellt, ist es bequem, geeignete Begriffe zu ihrer Beschreibung einzuführen. Man kann da auf sehr verschiedene Weise vorgehen und verschiedene Kriterien als Beurteilungsbasis wählen.

Beispielsweise kann man sich auf die Zusammensetzung der Atmosphäre beziehen – dann würde man im einfachsten Fall von »Homosphäre« und von »Heterosphäre« sprechen, wo also die Durchmischung der Gase (vom Wasserdampf abgesehen) vollständig ist beziehungsweise wo die verschiedenen Bestandteile der Luft nicht mehr gut durchmischt sind. Beide trennt die »Turbopause«, die bei etwa 80 km Höhe liegt.

Generell bildet man in der Geophysik Begriffe nach dem klassischen Bild konzentrischer kugelsymmetrischer Schalen, der Sphären (dem aber keine tiefere Bedeutung untergeschoben werden darf!). Jede Schicht ist also eine »Sphäre«, verschiedene Sphären trennt ein Bereich, in dem ein physikalischer Parameter »springt« oder einen Extremwert annimmt. Solchen Trennschichten fügt der Geophysiker das Affix »-Pause« hinzu.

Betrachtet man den Temperaturverlauf (Abb. 12) der Atmosphäre (dessen Erklärung ich auf das nächste Kapitel verschieben möchte), dann findet man von unten nach oben fortschreitend stetig sinkende Temperaturen (6–8°/km) in der Troposphäre, bis in der Tropopause in etwa 10 km Höhe ein Minimum der Temperatur erreicht wird. Die Tropopausenhöhe schwankt mit der Jahreszeit und der geographischen Breite: sie liegt am Äquator im Höhenbereich um 16 km, am Pol bei etwa 8 km. In mittleren Breiten liegt sie um 11 km, jedoch treten dort gelegentlich Unterbrechungen auf (Abb. 11), wo nämlich die Tropopausenhöhe von 8 auf 16 km Höhe »springt«. Die Temperatur der Tropo-

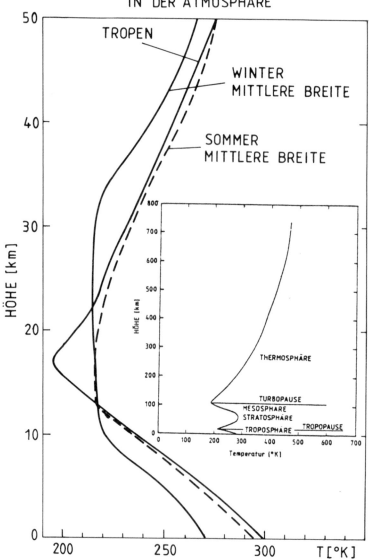

TEMPERATURVERLAUF
IN DER ATMOSPHÄRE

pause liegt am Äquator unter − 60 °C, am Pol bei − 40 °C, in mittleren Breiten um − 50 °C. Danach nimmt die Temperatur in der Stratosphäre wieder zu bis zur Stratopause, die in etwa 50 km Höhe angetroffen wird. In der darüberliegenden Mesosphäre sinkt dann die Temperatur wieder bis zum niedrigsten Wert in der Atmosphäre in der Mesopause in 80 km Höhe (identisch mit der Turbopause). In der Thermosphäre darüber steigt die Temperatur nun wieder stetig zur Exosphärentemperatur an.

Den Höhenbereich, in dem sich eine Fülle chemischer Reaktionen abspielt und der sich von etwa 20 km Höhe bis jenseits der Turbopause erstreckt, nennt man auch Chemosphäre.

Beurteilt man die Atmosphäre schließlich nach dem Ionisationsgrad der Atome und Moleküle, so nennt man den unter 50 km Höhe liegenden Teil die Neutrale Atmosphäre, den darüber liegenden Teil die Ionosphäre. Im Anh. 5 ist dargestellt, wie die einfallende Sonnenstrahlung und die nach unten zunehmende Gasdichte Maxima der freien Elektronendichte entstehen lassen können, oft auch relative Maxima, so daß man mit einigem Recht von Schichten sprechen kann. Entsprechend unterscheiden wir mit herkömmlicher Terminologie, die der Zeit der phänomenologischen Beschreibung der Ionosphäre entstammt, die D-, E, F1- und die F2-Schicht. Wegen der Dichte freier Elektronen können elektromagnetische Wellen oberhalb einer bestimmten Frequenz – die man die Grenzfrequenz nennt – die Ionosphäre nicht mehr durchdringen: Sie werden gespiegelt (vgl. Abb. 13), genauer gesagt erleiden sie eine starke Strahlkrümmung. Der »Licht«-Strahl findet im Medium eine mit der Höhe wachsende Zahl freier Elektronen vor, was wie ein stetig zunehmender Brechungsindex wirkt, so daß der Strahl bei tieferem Eindringen in die Ionosphäre immer stärker abgelenkt wird und schließlich

◄ **Abbildung 12** *Typischer Verlauf der Temperatur in der Atmosphäre in Sommer und Winter in mittleren Breiten und in den Tropen. Das Insert zeigt den Temperaturverlauf in geraffter Skala bis hoch in die Thermosphäre.*

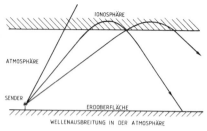

Abbildung 13 *Reflexion elektromagnetischer Wellen an der Ionosphäre*

wieder aus der Ionosphäre austritt; damit ergibt sich die sogenannte Raumwelle. Auf diese Weise können Funksignale sowohl
an der Ionosphäre als auch an der festen Erdoberfläche gespiegelt werden. Der gekrümmte Zwischenraum zwischen Erdoberfläche und Ionosphäre wirkt wie ein Hohlleiter. Auf diese Weise
kann man beispielsweise im Langwellenbereich sehr große Entfernungen überbrücken (Abb. 14). Die Wellen können dabei die
Erde sogar vielfach umrunden – wenn die Bedingungen günstig
sind.

Die Frequenz einer elektromagnetischen Welle ist bezüglich
ihres Schicksals in der Ionosphäre von großer Bedeutung. Wellen,
deren Frequenz oberhalb der Grenzfrequenz der Ionosphäre liegen, durchdringen diese. UKW-Wellen sind ein Beispiel dafür;
sie können nur in geringem Umkreis um den Sender empfangen
werden (vgl. Abb. 14, unten; Überreichweiten treten nur bei
speziellen Bedingungen auf).

Bis etwa 1970, als Satelliten- und Mikrowellenkommunikation
aufkamen, war die Ionosphäre das wichtigste Kommunikations-
medium für Nachrichtenübertragung (Lang-, Mittel- und Kurz-
welle). Die Untersuchung ihrer Eigenschaften war eine wichtige
Voraussetzung für die optimale Nutzung ihrer Möglichkeiten
(Untersuchungen dieser Art wurden früher auch an unserem Institut durchgeführt).

Am Boden beträgt die Dichte der (trockenen) Luft unter Normalbedingungen (damit meint der Physiker eine Temperatur von
$0\,°C$ und einen Luftdruck von 1013 hPa) 1,293 kg/m^3, bei 20 °C
mißt sie 1,204 kg/m^3.

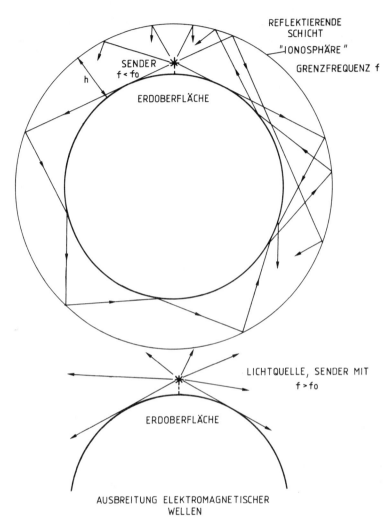

REFLEKTIERENDE SCHICHT

"IONOSPHÄRE"

GRENZFREQUENZ f

SENDER f < fo

h

ERDOBERFLÄCHE

LICHTQUELLE, SENDER MIT f > fo

ERDOBERFLÄCHE

AUSBREITUNG ELEKTROMAGNETISCHER WELLEN

Abbildung 14 *Elektromagnetische Wellen mit Frequenzen unterhalb der Grenzfrequenz der Ionosphäre werden an der Ionosphäre gespiegelt; da sie auch an der gut leitenden Erdoberfläche reflektiert werden, können sie sich über sehr große Entfernungen ausbreiten. Eine Welle mit einer Frequenz oberhalb der Grenzfrequenz vermag die Ionosphäre zu durchdringen. Daher ist ihre Reichweite auf der Erde wegen der Krümmung der Erde begrenzt (zum Beispiel UKW, Fernsehempfang).*

63

Zwischen Polen und Tropen gibt es Bereiche, in denen die Tropopause gelegentlich Lücken hat (Abb. 11, vgl. auch Kap. 4); durch sie ist wirksamer Vertikaltransport in die Stratosphäre möglich. Die Troposphäre wird durch das Wettergeschehen maßgeblich beeinflußt, das es in Hoch- und Tiefdruckgebiete strukturiert und mitunter horizontal schichtet. Typisch nimmt auch die Geschwindigkeit der horizontalen Winde mit der Höhe zu (Abb. 15).

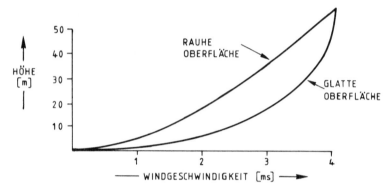

Abbildung 15 *Die Windgeschwindigkeit nimmt wegen der Reibung an der Erdoberfläche mit der Höhe zu.*

Das Wettergeschehen wird als Folge der Erwärmung des Erdbodens durch die Sonne angetrieben vom konvektiven Transport von Wärme, Wasserdampf und den anderen Spurengasen. Die Vertikal- und Horizontalbewegungen nehmen sehr oft turbulenten Charakter an, wodurch die Durchmischung der Luft besonders effektiv vollzogen wird.

Die Troposphäre empfängt ihre Wärmeenergie hauptsächlich von der Erdoberfläche, die sich durch die Sonnenstrahlung aufheizt. Die Wiederausstrahlung im Infrarotbereich, die mit der Erwärmung verknüpfte Konvektion (Vertikalbewegung) und die durch unterschiedliche Temperaturen getriebenen Winde (Horizontalbewegung) auf lokaler, regionaler oder gar globaler Skala sorgen für die Verteilung dieser Energie in der Atmosphäre.

Mit der Strömung wird auch Wasserdampf transportiert. Weil bei dessen Kondensation die hohe Verdampfungswärme des Wassers (2256,7 kJ/kg) frei wird, bezeichnet man den mit dem Transport von Wasserdampf verknüpften Energietransport auch als den von latenter Energie. Durch die Kondensation des Wasserdampfes werden mit den Niederschlägen neben in Wasser lösbaren Gasen auch atmosphärische Aerosolteilchen aus der Atmosphäre entfernt.

Der Temperaturverlauf in der Atmosphäre

In der Stratosphäre (Abb. 12) steigt die Temperatur von der Tropopause an stetig, weil dort Sauerstoff und Ozon einen großen Teil der kurzwelligen Sonnenstrahlung absorbieren. Die tiefe Temperatur der Tropopause ist also Folge der starken Strahlungsabsorption der Stratosphäre. Der kompensierende Wärmestrom von der Erdoberfläche führt dann zur Ausbildung des Minimums (ohne diesen würde die Temperatur weiter fallen).

Wasserdampf, CO_2 und O_3 sind die wichtigsten Infrarotstrahler der Atmosphäre. Wasserdampf dominiert in der Troposphäre, in Stratosphäre und Mesosphäre dagegen dominiert als Infrarotstrahler CO_2, dessen Häufigkeit immerhin 20mal größer ist als die von Ozon. Die Abkühlung in der Mesosphäre durch Infrarotausstrahlung wird daher vom CO_2 bestimmt.

Es ist nützlich, sich klarzumachen, daß dies eine Folge eines komplizierten dynamischen Gleichgewichtszustandes ist, der durch kleine Störungen bereits relativ weit in die eine oder die andere Richtung verschoben werden kann.

Oberhalb der Tropopause steigt auch die Windgeschwindigkeit nach anfänglicher Abnahme wieder an. Die Temperatur erreicht in einer Höhe von etwa 50 km 0 °C, um darüber wieder abzusinken. Das ist die Folge abnehmender Gasdichte: die Heizung des Gases durch Absorption ist nicht mehr so effektiv. Man nennt dies Temperaturmaximum Stratopause, den darüberliegenden Höhenbereich Mesosphäre.

65

In der Mesosphäre nimmt die Temperatur erneut ab. Die Stratopause vermag, ähnlich wie die Erdoberfläche, in den darüberliegenden Luftschichten Konvektion anzutreiben. In 80 km Höhe ist die Temperatur auf den niedrigsten Wert in der Atmosphäre abgesunken, auf $-80\,°C$. Dieses Minimum nennt man Turbo- oder Mesopause. Hier ist die Gasdichte bereits so niedrig, daß die mittlere freie Weglänge der Moleküle schon in der Größenordnung von Zentimetern liegt. Die Stoßzeiten haben sich auf 30 µsec verlängert. Nun kann auch das Dissoziationsprodukt des Sauerstoffmoleküls O_2, der atomare Sauerstoff O, stabil existieren. Die dabei vom Licht übertragene Energie sorgt für steigende Gastemperaturen – die Moleküle fliegen schneller. Die Photodissoziation der Moleküle verringert in der darüberliegenden Luft das mittlere Molekulargewicht, das durch die ganze Atmosphäre bis zur Turbopause wie das Mischungsverhältnis der Gase konstant geblieben war.

Die Thermosphäre (oberhalb von etwa 80 km) wird charakterisiert durch diesen Anstieg der Temperatur, bestimmt durch die Strahlungsabsorption des molekularen Sauerstoffs. Dieser wird durch Licht im Wellenlängenbereich unter 200 nm dissoziiert und teilweise ionisiert. Die Energie der Dissoziationsprodukte geht in Wärme über, daher steigt die Temperatur. Atomarer Sauerstoff wird somit zum Hauptbestandteil der Thermosphäre.

Symmetrische Moleküle wie N_2 und O_2, dominant in der Mesosphäre, können im Infrarotbereich nicht abstrahlen. Die Temperatur wird daher in der Thermosphäre so weit in die Höhe getrieben, bis sich ein hinreichend steiler Temperaturgradient gebildet hat, der nun wieder wirksame Energieverlustprozesse ermöglicht.

Nach oben geht die Thermosphäre kontinuierlich in die Exosphäre über. Mit abnehmender Dichte nimmt die mittlere freie Weglänge zu, bis schließlich die Atmosphäre nach außen hin offen erscheint, so daß Atome und Moleküle auf ballistischen Bahnen ohne weitere Stöße mit anderen Molekülen weit aus der Atmosphäre heraushüpfen oder eben auch, wenn ihre Geschwindigkeit groß genug war, entweichen können. Den Übergang dahin nennt man die Exobasis; ein Begriff, der in der kinetischen Gastheorie definiert wird. Sie liegt in etwa 500 km Höhe.

Von der Solarstrahlung bleiben 30 % in der oberen Atmosphäre stecken (Abb. 8). Die Ausstrahlung überwiegt somit in der oberen Atmosphäre, während am Grunde der Atmosphäre die Absorption der Sonnenstrahlung überwiegt. Die Atmosphäre wird daher – vergröbert ausgedrückt – von unten her geheizt und von oben her gekühlt. Die vertikalen Transportprozesse verdanken ihren Antrieb dieser einfachen Grundtatsache.

Winde

Neben den schon erwähnten Zirkulationssystemen (Abb. 10), die den Energieüberschuß der äquatorialen Regionen und das Defizit der polnahen Regionen ausgleichen, gibt es eine Vielzahl von lokalen Ungleichgewichten, die stets dazu führen, daß Luft in Bewegung gerät – was wir »Wind« zu nennen pflegen. Die über dem Äquator aufsteigenden Luftmassen führen zur Ausbildung von Gebieten geringen Luftdrucks in niederen Breiten. Im aufsteigenden Luftstrom kondensiert Wasser – Wolken bilden sich, die die Einstrahlung etwas vermindern. Die warmen, aufsteigenden Luftmassen sorgen dafür, daß sich die Tropopause, jene die Troposphäre von der darüberliegenden Stratosphäre trennende »Kältefalle«, deren extrem niedere Temperatur den vertikalen Austausch von Luftmassen praktisch unterbindet, nach oben in Höhen von bis zu 15 km verlagert. In mittleren Breiten sinkt die Tropopause auf etwa 10 km ab, in hohen Breiten auf 8 km.

Auf der Südhalbkugel ist die Dynamik etwas anders, weil im Norden die größeren Landflächen mehr Sonnenlicht absorbieren als die sehr viel größeren Meeresflächen der Südhalbkugel. Im Norden bilden sich zum Beispiel im Winter zwei große, quasistationäre Tiefdruckgebiete über Island und den Aleuten aus.

Lokale Windsysteme entstehen beispielsweise durch die unterschiedliche Erwärmung von Land- und Meeresflächen. Am Tage steigt die wärmere Luft über dem Land auf, so daß eine dies ausgleichende, von See her wehende kühle Brise entsteht. Neben solchen sich aus den tageszeitlichen Veränderungen ergebenden Winden gibt es jahreszeitlich bedingte, wie etwa die Monsune, die durch die Jahreszeitunterschiede – Erwärmung im Sommer, Abkühlung im Winter – auf den großen asiatischen Festlandsmassen erzeugt werden.

Wir haben gesehen, daß das dynamische Geschehen in der Atmosphäre letzten Endes vom Energieeintrag in die Atmosphäre im Tag-Nacht-Rhythmus bestimmt wird, also von der Fähigkeit der Atmosphäre abhängt, Energie aufzunehmen. Davon wird sogleich die Rede sein. Der Energieinhalt der Atmosphäre schwankt jedoch auch für jede Hemisphäre jahreszeitlich; entsprechend ändert sich die atmosphärische Dynamik.

Der Einfluß der Sonne

Die Intensität der Sonnenstrahlung wird durch das Auftreten von Sonnenflecken auf der Oberfläche der Sonne Schwankungen unterworfen sein. Diese sind 2000 °C kühler als ihre Umgebung, erscheinen daher dunkel. Große Flecken haben Durchmesser bis zu 250 000 km. Solche kurzzeitigen Änderungen, die mit dynamischen Veränderungen auf der Sonnenoberfläche zu tun haben, machen nach unserer gegenwärtigen Kenntnis weniger als 0,5 % der Gesamtintensität der Sonnenstrahlung aus (s. auch Kap. 7). Wenn Klimaveränderungen, die in der jüngeren Erdgeschichte aufgetreten sind, durch Änderung der Intensität der einfallenden Sonnenstrahlung hervorgerufen worden wären, dann hätte sich die Strahlungsintensität der Sonne um mehr als 1 % verändert haben müssen – denn derzeit bemerken wir ja keine klimatischen Veränderungen, die auf direkte Wirkung der sichtbaren Sonnenstrahlung zurückgeführt werden könnten, obwohl Änderungen der Intensität in dieser Größenordnung sicher stattfinden [10], [11], [12]. Abb. 16 zeigt gemessene Schwankungen der integralen Intensität der Sonnenstrahlung.

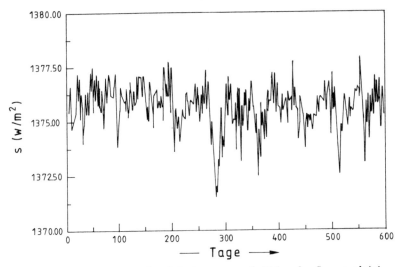

Abbildung 16 *Variation der Solarkonstante als Folge der Sonnenaktivität, zum Beispiel Sonnenflecken, die die strahlende Fläche vermindern (nach [11])*

Bei gleichbleibender Intensität der Sonnenstrahlung kann es aber dennoch zu ganz erheblichen Temperatureffekten kommen, zum Beispiel wenn sich die Absorptionseigenschaften der Erdatmosphäre verändern würden oder die spektrale Intensitätsverteilung im Sonnenlicht. Dies könnte etwa hervorgerufen worden sein oder hervorgerufen werden durch Änderung in der Zusammensetzung der Atmosphäre, insbesondere in solchen Gasen, die im infraroten Spektralgebiet absorbieren können. Darauf möchte ich in einem späteren Kapitel näher eingehen. Tab. 6 gibt den mittleren Verlauf von Temperatur, Druck und Dichte für die Standardatmosphäre wieder – mit aus globalen Daten gemittelten Werten. Es ist bequem, auf eine solche modellhafte Atmosphäre Bezug nehmen zu können.

Bleibt nachzutragen, daß man die Beschäftigung mit den physikalischen, chemischen und Plasmaprozessen oberhalb der Tropopause in dem Fachgebiet Aeronomie zusammenfaßt. Vorgänge in Troposphäre behandelt vorwiegend die Meteorologie.

Tabelle 6 *Standardatmosphäre*

Höhe [km]	Temperatur °C	Druck [hPa]	Dichte [kg/m³]
0	15,0	1013	1,23
1	8,5	899	1,23
2	2,0	795	1,01
3	− 4,5	701	0,99
4	−11,0	617	0,82
5	−17,5	541	0,74
6	−24,0	472	0,66
7	−30,0	411	0,59
8	−36,9	357	0,53
9	−43,4	308	0,47
10	−50,0	265	0,41
11	−56,4	227	0,36
12	−56,5	194	0,31
13	−56,5	166	0,27
14	−56,5	142	0,23
15	−56,5	121	0,20
20	−56,4	55	0,088
30	−46,4	11,7	0,018
40	−22,0	2,8	0,004
50	− 2,4	0,8	0,001

Kapitel 3   Physik von Luft und Wasser: Einige Grundlagen der Atmosphärenphysik

Das Gas Luft übt zunächst einmal hydrostatischen Druck aus – einfach vermöge seiner Masse und der Tatsache, daß sich dieses Gas im Schwerefeld der Erde befindet. Dieser Druck wirkt in alle Richtungen mit gleicher Stärke – er beträgt in Seehöhe 1013 hPa. (Wegen der Einheiten möchte ich den Leser auf Anh. 6 verweisen.)

Natürlich verringert sich der Druck mit der Höhe, weil ja mit zunehmender Höhe immer weniger Materie darüber liegt und nach unten drückt. In einer summarischen Betrachtung kommt man zum Ergebnis, daß der Druck exponentiell (Abb. 17) mit der Höhe abnimmt (barometrische Höhenformel, Anh. 2). Das stimmt aber nicht genau, weil der Verlauf des Luftdrucks mit der Höhe über Hochdruck- und über Tiefdruckgebieten unterschiedlich ist (Abb. 18) – wenigstens in der Troposphäre. In der Stratosphäre ist dieser Unterschied nicht mehr zu bemerken. Bis zu einer Höhe von etwa 100 km verläuft der Druck dann tatsächlich weitgehend exponentiell. Oberhalb von 100 km Höhe, in der Thermosphäre, wird die Abnahme des Drucks mit der Höhe schwächer als exponentiell. Entsprechenden Verlauf nimmt die Dichte der Luft (Abb. 17). Dies hat mit den Einstrahlungsverhältnissen zu tun: Denn wegen der Variabilität der Sonnenaktivität, die sich insbesondere am kurzwelligen Ende des solaren Spektrums bemerkbar macht, findet man einen merklichen Unterschied, wenn man den Verlauf der (kinetischen) Temperatur mit der Höhe zu verschiedenen Zeiten untersucht. Zu den Zeiten hoher Sonnenaktivität ist die Temperatur der Thermosphäre merklich höher als zu den Zeiten geringerer Sonnenaktivität (Abb. 19).

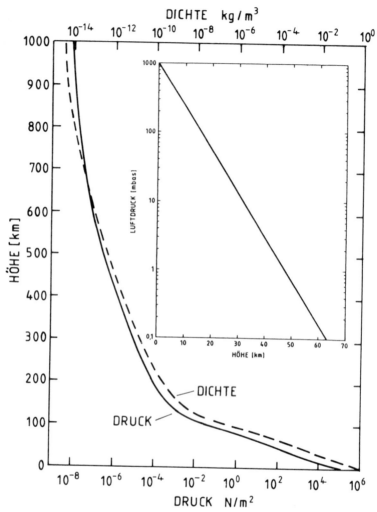

Abbildung 17 *Verlauf von Luftdruck und Dichte mit der Höhe. Das Insert zeigt den exponentiellen Verlauf des Drucks im unteren Atmosphärenbereich.*

Daß andererseits mit zunehmender Höhe auch der Einfluß der kurzwelligen Strahlung der Sonne auf den Zustand der Atome und Moleküle der Erdatmosphäre erheblich wird, bemerkt man

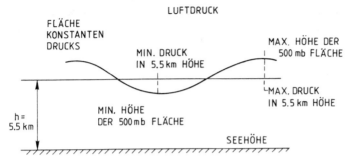

Abbildung 18 *Variation der Höhe einer Fläche konstanten Luftdrucks*

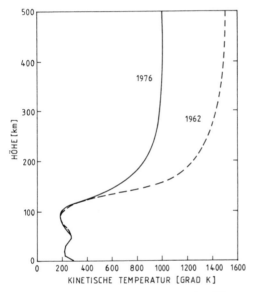

Abbildung 19 *Schwankungen der Temperatur der Thermosphäre bei niederer (1976) und bei hoher (1962) Sonnenaktivität*

hauptsächlich an der Veränderung des mittleren Molekulargewichts der Luft. Dieses ist bis in 100 km Höhe (Turbopause) konstant. Dort dissoziiert der Sauerstoff in seine Atome, das mittlere Molekulargewicht der Luft sinkt. Weil die Dichte bereits sehr klein ist, spielen Effekte wie Konvektion und turbulente

73

Mischung oberhalb von 100 km Höhe keine Rolle mehr. Die Gase beginnen sich hier entsprechend ihrem Molekulargewicht zu trennen – zu sedimentieren: Gravitationstrennung sorgt für eine Veränderung der Zusammensetzung – die schwereren Konstituenten werden seltener.

Auch die mittlere freie Weglänge nimmt mit der Höhe sehr rasch zu, das ist die Strecke, die Moleküle im Mittel zurücklegen können, ohne mit anderen Teilchen zusammenzustoßen. Vergrößert sich diese, nimmt entsprechend die mittlere Stoßhäufigkeit ab (also die Zahl der Zusammenstöße pro Sekunde). Aus Abb. 20 erkennt man: Bis zur Turbopausenhöhe ist die Stoßfrequenz noch so groß, daß sich Änderungen im Gas sehr schnell anderen Molekülen mitteilen. Oberhalb der Turbopause verändern sich die Eigenschaften mit der Höhe sehr viel langsamer als in den tieferen Schichten.

Druck ist Kraft pro Flächeneinheit; beim Luftdruck ist es die auf die Luftmoleküle wirkende Schwerkraft. Da man den Luftdruck bestimmen kann und die Schwerebeschleunigung kennt, kann man die Masse der über einem Quadratzentimeter liegenden Luftsäule bestimmen:

$$m = p/g = 1{,}032 \cdot 10^3 \; [\text{g/cm}^2]$$

Multipliziert man nun diese Masse mit der gesamten Erdoberfläche ($F = 5{,}1 \cdot 10^{18}$ cm^2), so findet man für die Masse der Atmosphäre näherungsweise: $M = 5{,}27 \cdot 10^{21}$ g. Mit genauerer Rechnung kann man das Ergebnis noch verbessern und findet dann:

$$M = 5{,}136 \cdot 10^{21} \text{ g}$$

Im Verhältnis zur Masse der Erde ($M_e = 5{,}97 \cdot 10^{27}$ g) ist das ein verschwindend kleiner Bruchteil.

Auf ein zylindrisches Luftvolumen im Schwerefeld der Erde ist der Druck, der auf die untere Seite wirkt, größer als jener, der auf die obere Seite des Zylinders wirkt, weil über der oberen Zylinderfläche die kleinere Masse lastet. Änderte sich nun aus irgendeinem Grund in unserem Zylinder die Dichte ϱ' gegenüber

74

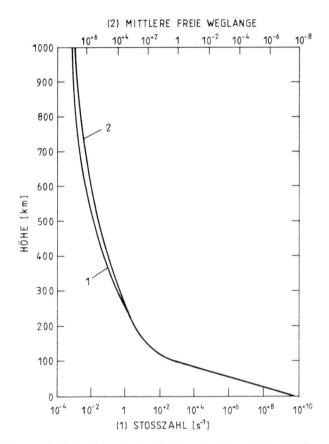

Abbildung 20 *Verlauf von Stoßzahl (1) und mittlerer freier Weglänge (2) der Moleküle in der Atmosphäre mit der Höhe*

der Umgebungsluft (ϱ), so erwartet man, daß auf das Volumen eine Kraft K wirkt:

$$K = Vdp = (\varrho - \varrho') \cdot ALg \qquad (1)$$

Hierbei soll A die Querschnittsfläche des Zylinders bezeichnen, L dessen Höhe und g die Schwerebeschleunigung. Ist $\varrho > \varrho'$, dann ergibt sich eine nach oben gerichtete Kraft – wir sprechen von Auftrieb, im umgekehrten Fall würde die Luftblase zu Bo-

75

den sinken. Dieselbe Überlegung läßt sich auf einen Luftballon anwenden. Lokale Änderungen der Dichte kann man zum Beispiel erwarten, wenn starke Sonneneinstrahlung bestimmte Bodenbereiche stark erwärmt. Das teilt sich der Luft mit, es kommt zur Ablösung von Luftblasen, die nach oben steigen (vgl. Abb. 21). So muß man sich den Beginn von Konvektion in der freien Atmosphäre vorstellen. Weil im aufsteigenden Luftstrom die Temperatur sinkt, kann es zur Kondensation des Wasserdampfes kommen, zur Wolkenbildung. Darauf komme ich im nächsten Kapitel noch einmal zurück.

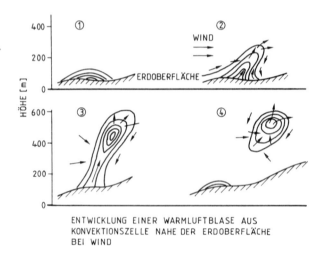

ENTWICKLUNG EINER WARMLUFTBLASE AUS
KONVEKTIONSZELLE NAHE DER ERDOBERFLÄCHE
BEI WIND

Abbildung 21 *Einsatz von Konvektion in der freien Atmosphäre*

Mischungsverhältnisse

Eine charakteristische Eigenschaft der Luft ist, daß sie – wenigstens in den Komponenten, die lange in der Atmosphäre verweilen – gut durchmischt ist. Es ist deshalb üblich, statt von der Konzentration eines Gases von dessen Mischungsverhältnis zu sprechen. Dieses kann sich auf das Volumen beziehen (Index

76

»v«); dann ist damit die Zahl n_i der Moleküle der Sorte i zu der Zahl n aller anderen gemeint:

$$s_v = n_i/n; \; n = \Sigma \, n_i \tag{2}$$

Bezieht man sich aber auf die Masse, dann muß man mit dem Verhältnis der Molekulargewichte multiplizieren:

$$s_m = (n_i/n) \cdot (M_i/M) = (\varrho_i/\varrho) \tag{3}$$

Die Durchmischung der Luft wird von drei Effekten herbeigeführt: von Diffusion, Konvektion und von der turbulenten Mischung.

Die Diffusion von Molekülen durch ein Gas wird sicher um so schwieriger, je größer die Zahl der Atome oder Moleküle in der Volumeneinheit ist; sie wird durch Zusammenstöße behindert, die natürlich auch um so häufiger vorkommen, je größer die Geschwindigkeit der Teilchen ist. Zu Zusammenstößen kommt es, wenn sich die Teilchen innerhalb einer bestimmten Wirkungssphäre begegnen, dem Wirkungsquerschnitt. Die Zeit, die im Mittel zwischen Zusammenstößen verstreicht, nennt man Stoßzeit. Zwischen den Stößen wirkt die Schwerkraft auf die Teilchen ein. Die Zeit, die ein Teilchen benötigt, um eine charakteristische Strecke zu überwinden, nennt man Diffusionszeit. Sie ist gegeben durch

$$\tau = 2 \cdot \sigma \cdot v \cdot N \cdot (H/g) \tag{4}$$

(N: Loschmidtzahl: $6{,}02 \cdot 10^{23}$ Moleküle/Mo; H: Skalenhöhe; g: Erdbeschleunigung.) In Bodennähe ist τ etwa $3{,}10^{12}$ s (entsprechend 10^5 Jahren). Dieser Zeitraum ist trotz der relativ hohen Geschwindigkeit der Teilchen, die in Abb. 22 dargestellt ist, sehr sehr groß gegenüber Zeiten, innerhalb deren zum Beispiel Durchmischungsprozesse durch Konvektion ablaufen.

Diffusion ist also für die Troposphäre kein wichtiger Durchmischungsprozeß. Mit Diffusion ist der summarische Effekt des Irrwegs vieler Moleküle gemeint, die wegen der Zusammenstöße mit anderen ständig die Richtung ändern. Das ändert sich natürlich mit der Höhe, wo sich die Gewichte deutlich anders darstellen.

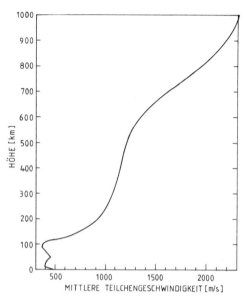

Abbildung 22 *Geschwindigkeit der Luftmoleküle in verschiedenen Höhen*

Konvektion ist der vorhin beschriebene Aufstieg eines erwärmten Luftpakets, dessen Platz sofort wieder von anderer, kühlerer Luft eingenommen wird. Das läuft auf sehr wirkungsvolle Durchmischung hinaus.

Turbulente Mischung ist sehr viel schwieriger zu beschreiben; hier genügt es, festzuhalten, daß, wenn die Strömung unregelmäßig verläuft – eben turbulent –, die physikalische Behandlung der Prozesse sehr viel komplizierter wird, was sie zum Leidwesen der Physiker dennoch nicht weniger bedeutsam werden läßt.

Der mittlere Druck in Seehöhe beträgt 1013 hPa. Nach der barometrischen Höhenformel nimmt der mittlere Druck exponentiell mit der Höhe ab (Abb. 17), zunächst mit der Skalenhöhe H. Da sich die Temperatur der Atmosphäre mit der Höhe ändert, ändert sich auch H: In der oberen Troposphäre beträgt H etwa 7 km, erreicht an der Mesopause in 80–90 km Höhe ein Minimum von 5 km und wächst in der Thermosphäre bis auf 100 km.

78

wesen stark anreichern kann. Dieser Prozeß wurde am Columbia-Fluß im Staate Washington eindeutig dokumentiert. Obgleich die Radioaktivität unterhalb des dort betriebenen Reaktors niedrig war und noch weit unter der Höchstgrenze für Trinkwasser lag, waren die Anreicherungen im Flußplankton 2000-, in den Enten 40 000-, in Jungvögeln, die sich von Insekten ernährten, 590 000- und im Eigelb der Wasservögeleier 1 000 000mal größer als im Wasser selbst.

Gibt es Nahrungsmittel, die Radioaktivität binden und sie zur Ausscheidung bringen?

Die Japaner haben nach den Bombenabwürfen in Hiroshima und Nagasaki viel mit Nahrungsmitteln experimentiert, um den betroffenen Strahlenopfern zu helfen. Sie empfehlen:

- Miso, eine salzige Sojabohnenpaste. Miso zieht radioaktive Elemente wie Strontium aus dem Körper und bringt sie zur Ausscheidung. Miso ist in Bio-Läden erhältlich.
- Algen wie Kombu, Wakame, Hiziki, Nori, Agar-Agar haben eine ähnliche Wirkung wie Miso. Außerdem enthalten sie Jod.
- Milchsäureprodukte wie Sauerkraut und milchgesäuertes Gemüse erfüllen möglicherweise eine ähnliche Funktion.

Kann ich mich vorbeugend gegen Radioaktivität schützen?

Durch eine Lebensweise und Ernährung ohne belastende Giftstoffe, durch Stärkung der körpereigenen

Strahlenpegel ergibt. Ein Teil der Isotope zerfällt kurzfristig und verringert die Gesamtstrahlung. Ein anderer Teil strahlt praktisch ewig. So hat zum Beispiel das Jod-129, was zur Zeit zu sehr großer Besorgnis führt, eine Halbwertzeit von 17 250 000 Jahren. Mit anderen Worten, wir und alle nachkommenden Generationen müssen mit diesen langlebigen strahlenden Substanzen bis in alle Ewigkeit leben. Und die Radioaktivität wird immer wieder neue Schäden hervorrufen.

Bekommen wir in Zukunft überhaupt noch unverseuchte Nahrung?

Überall, wo verseuchte Wolken durchgezogen sind, und vor allen Dingen, wo es geregnet hat, ist auch der Boden für Jahrzehnte verseucht. Wenn auf diesem Boden Nahrungsmittel wachsen, so sind auch sie verseucht. Besonders problematisch: Viele Pflanzen und Organismen reichern die radioaktiven Substanzen bis zu tausend- und millionenfachen Konzentrationen an, selbst wenn die Radioaktivität in der Luft schon längst abgeklungen ist. Deshalb müssen ständig Untersuchungen durchgeführt werden, um dann die Nahrungsmittel, die am meisten verseucht sind, aus dem Verkehr zu ziehen. Da gesundheitliche Schäden vorausschbar sind und unverseuchte Nahrungsmittel sehr knapp werden, werden wir uns irgendwann den sogenannten Sachzwängen beugen müssen. Außerdem existiert bisher nur für radioaktives Jod ein Toleranzwert. Die vielen weiteren, Dutzende Substanzen konzentrieren sich in der Nahrung.

Es ist bekannt, daß sich Radioaktivität, die nur in geringen Mengen in der Umwelt ist, über Kleinstlebe-

Die Erwärmung der Thermosphäre folgt der Sonnenposition mit etwa zwei Stunden Verspätung. Am Ort größter Erwärmung hebt sich die Atmosphäre als Folge der thermischen Ausdehnung, hat also gegen 14 Uhr Ortszeit eine Beule, die wegen der Drehung der Erde nach Westen wandert (feste Ortszeit). Thermosphärische Winde transportieren Luft aus dieser Zone heraus in alle Richtungen. Auf der Nachtseite entwickelt sich um 4 Uhr Ortszeit ein entsprechendes Höhentief, in das die Luft einströmt. Die thermosphärischen Winde sind zum Teil schneller als die Erdrotation. Es kann dort sogar zu einem als Superrotation bekannten Phänomen kommen. Dies ist nicht mit der Rotation der Erde verknüpft. Zur Zeit gibt es zwei Theorien zur Erklärung des Effekts.

Die erste geht vom Drehmoment aus, das von der Sonne auf die durch die Temperaturverteilung asymmetrische Atmosphärenmassenverteilung ausgeübt wird, vom Quadrupolmoment. Die zweite Theorie sieht die Ursache der Superrotation im Drehimpulstransport, der durch die Hadley-Zellen bewirkt wird. Meridionale Zirkulation werde dadurch in azimutale Strömung verwandelt. Der Rückstrom dieser Zirkulation, die Passatwinde, werde durch Reibung am Boden verlangsamt. Die Superrotation der Erdatmosphäre in den Tropen erreicht Geschwindigkeiten von etwa 10 m/s gegen die mitrotierende Atmosphäre. Ausgeprägter ist Superrotation bei anderen Planeten: Venus, Jupiter, Saturn. Einigkeit bezüglich der Erklärung der Superrotation besteht derzeit nicht.

Mond und Sonne wirken über die Schwerkraft nicht nur auf die Ozeane, sondern auch auf die Atmosphäre ein, in der es also entsprechend Ebbe und Flut gibt. Nur kann ein Gas einer solchen Kraftwirkung auf vielfältigere Weise folgen als das Wasser der Ozeane. Durch Gezeitenkräfte getriebene Winde in der Thermosphäre verursachen, weil sie auch elektrisch geladene Teilchen mitreißen, Ströme in der Ionosphäre, die eine tägliche Variation des erdmagnetischen Feldes zur Folge haben (die Ströme erzeugen Magnetfelder, die sich dem der festen Erde überlagern). Die Atmosphäre reagiert auf die Gezeitenkräfte aber nicht nur durch die Ausbildung von Strömungen. Die Gezeitenkräfte regen auch Wellen an: die Schwerewellen, die ihrerseits eine Fülle anderer dynamischer Prozesse anfachen; darunter fällt auch die »clear-air-turbulence«, die den Flugpassagier durch fürchterliches Rütteln und Schütteln oft in Angst geraten läßt. (Schwerewellen sind zu unterscheiden von Gravitationswellen, mit denen sie gelegentlich verwechselt werden. Jene sind Wellen, die sich in der Luft ausbreiten, diese sind Wellen, die in der Einsteinschen Allgemeinen Relativitätstheorie postuliert werden, bisher aber noch nicht sicher nachgewiesen werden konnten.)

Modelle der Atmosphäre

Das Wetter bestimmt die turbulente Durchmischung des Atmosphärengases in der Troposphäre. Konvektive Bewegungen von Gasmassen können im allgemeinen als adiabatisch (vgl. Anh. 1) angesehen werden, weil sich die Bewegung in der Regel rasch vollzieht, so daß es kaum zur Temperaturanpassung mit der Umgebung kommt. Würden wir nur adiabatische Prozesse betrachten, ergäbe sich aus der adiabatischen Zustandsgleichung (A10 in Anh. 1) eine Höhe der Atmosphäre von etwa 28 km. In der Tat haben die Geophysiker noch um die Jahrhundertwende geglaubt, daß diese Höhe etwa die Höhe der Erdatmosphäre beschreibe, daß es also in 28 km Höhe so etwas wie eine »Grenze der Atmosphäre« gäbe.

Es gab aber auch damals bereits einige Beobachtungstatsachen, die dieser Annahme widersprachen. Da wurde beispielsweise 1883 beim Ausbruch des Krakatau eine Schallausbreitung beobachtet, die nicht erklärbar schien. Das Geräusch des Vulkanausbruchs war nämlich gut 3000 km weit zu hören. Im Ersten Weltkrieg bemerkte man, daß Geschützdonner in manchen Entfernungen nicht, in anderen, größeren Entfernungen wieder sehr wohl zu hören war. Das konnte aber nur so zustande gekommen sein, daß sich die Schallwellen in der Höhe in weniger stark schallabsorbierender Luft hatten ausbreiten können. Schallwellen werden durch Winde und Temperaturschichtungen in der Atmosphäre verzerrt. Da aber solche anomalen Schallausbreitungen sowohl gegen als auch mit dem Wind beobachtet worden sind, konnte nur ein Temperatureffekt die Ursache sein, und zwar mußte offenbar die Temperatur in großer Höhe wieder zunehmen.

Andere Hinweise auf die Dichte der Atmosphäre und deren Verlauf mit der Höhe kamen nach und nach hinzu. Das Aufleuchten von Meteoren wurde plausibel als Reibungserhitzung von Meteoriten auf ihrem Weg durch die Atmosphäre erklärt. Dies angenommen, ließ sich, wenn deren Geschwindigkeit, Masse und Dichte bekannt war, auf die Dichte der Luft in der Höhe schließen, in der der Meteor erschien, wie auf jene, in der er wieder verschwand.

Aus solchen Überlegungen gewann die Einsicht an Boden, daß das Modell der 28 km dicken Atmosphäre nicht richtig sein konnte. Die Schlußfolgerung war klar: Die Temperatur der Atmosphäre mußte in großen Höhen wieder zunehmen. So begann die Atmosphärenphysik sich zu einem interessanten Forschungsobjekt zu entwickeln. Den tatsächlichen Temperaturverlauf haben wir in Abb. 12 kennengelernt. Die Schallgeschwindigkeit (Abb. 23) nimmt ähnlich wie die Temperatur mit der Höhe zunächst ab und später wieder zu. Es leuchtet ein, daß aus Untersuchungen der Schallausbreitung der Temperaturverlauf in der Atmosphäre abgeleitet werden kann.

Bei Raketenaufstiegen wurden in den sechziger Jahren zur Untersuchung der Atmosphärenstruktur auch solche Schallausbreitungsmessungen herangezogen. Dazu wurden Granaten während des Fluges in kurzen Abständen von einer Rakete aus abgefeuert; der Schall wurde am Boden mit in geeigneten Abständen aufgestellten Mikrophonen registriert.

Erst nach dem Zweiten Weltkrieg standen für die Erforschung der höheren Schichten der neutralen Atmosphäre geeignete Instrumente und Hilfsmittel zur Verfügung: Raketen, später Satelliten – zuerst aber leistungsfähige Ballons, die ohne allzugroßen Aufwand in Höhen von über 40 km vorstoßen konnten. Plastik-

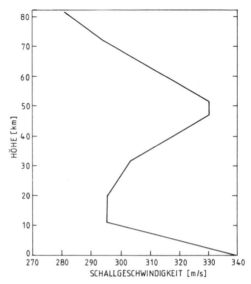

Abbildung 23 *Änderung der Schallgeschwindigkeit in Luft mit der Höhe*

ballons konnten über viele Stunden, sogar tagelang in großen Höhen bleiben. Flughöhen bis 50 km werden heute vereinzelt erreicht. 1936 erreichte Erich Regener (1881–1955), einer der Pioniere der Atmosphärenforschung, mit ausgeklügelter (damaliger) Technik eine Rekordhöhe von 28 km! Er hatte im weiteren das zu frühe Platzen vieler Gummiballons auf die Zerstörung des Materials durch das Ozon zurückgeführt und angefangen, Zellophanballons zu bauen. Er leitete damit die nach dem Krieg so erfolgreiche Ära der Plastikballons ein.

Bericht über Anfänge

Regener, Professor für Experimentalphysik und Direktor des physikalischen Instituts an der Technischen Hochschule in Stuttgart, verlor seine Ämter wegen der damaligen Rassengesetze. Er unternahm daraufhin das Wagnis, in Friedrichshafen eine private »Forschungsstelle für Stratosphärenphysik« zu gründen, wohin ihm drei seiner Mitarbeiter folgten. Dank des Ansehens, das Regener in der Fachwelt genoß, konnte die Forschungsstelle bereits am 30. 5. 1938 in die damalige Kaiser-Wilhelm-Gesellschaft eingegliedert werden. Dort setzte Regener mit seinen Mitarbeitern jene Arbeiten fort, die er bereits in Stuttgart begonnen hatte: Mit einem Spektrographen hatte er 1934 in der Stratosphäre das Ozon gefunden, das schon Lord Kelvin vom Boden aus nachgewiesen hatte. Er hat dieses Phänomen danach in vielen Untersuchungen weiterverfolgt. Mit Georg Pfotzer zusammen hatte er Geiger-Müller-Zählrohre an Ballons aufsteigen lassen und dabei das Übergangsmaximum der kosmischen Strahlung in der Stratosphäre gefunden, das Pfotzer später korrekt erklären konnte (Pfotzer-Maximum). Mit der Übernahme des »Bodenseelaboratoriums« als »Forschungsstelle für Physik der Stratosphäre« in die Kaiser-Wilhelm-Gesellschaft im Jahr 1938 gewann Regener Unabhängigkeit und in der wissenschaftlichen Welt Anerkennung für seine Arbeiten.

Trotz großer Geheimhaltung war es damals den Fachleuten nicht verborgen geblieben, daß in Peenemünde Raketen entwickelt und gestartet wurden. Da lag es nahe, daß Regener und seine Mitarbeiter versuchten, statt eines Sprengkopfes auf eine dieser Raketen eine Kapsel mit Meßinstrumenten zu setzen [14].

Am 8. Juli 1942 kam es auf Initiative von Wernher von Braun in Peenemünde zu einem Gespräch mit Regener, von dem uns ein Protokoll überliefert ist. Darin wurde festgestellt, daß Untersuchungen, wie Regener sie plante, auch für die Raketenbauer von Interesse waren, weil mit besseren Dichte- und Temperaturmessungen die Raketenbahnen genauer berechenbar sein würden. In dem Protokoll heißt es darum, daß »...an die Forschungsstelle für Physik der Stratosphäre ... ein Entwicklungsauftrag ›Entwicklung einer Apparatur zur Höhenmessung für A4‹ ...« gegeben werden solle. Die Apparatur sollte bestehen aus »1. Quarzbarograph, 2. Drahtthermograph, 3. UV-Spektrograph, 4. Luftentnahmevorrichtung ...« Der Meßkopf sollte im Flug von der Rakete abgetrennt werden können und nach Beendigung der Messungen am Fallschirm zu Boden schweben.

25 000 Reichsmark wurden der Forschungsstelle damals zur Durchführung dieser Arbeiten zugewiesen. In der Folgezeit wurde im Friedrichshafener Labor, später an der Außenstelle in Weissenau bei Ravensburg an der Realisierung gearbeitet.

Wir würden heute sagen: Damals wurde die erste Nutzlast für eine Höhenforschungsrakete entwickelt; seit den fünfziger Jahren ist das weltweit tausendfach wiederholt worden. Das Gerät, ob seines Aussehens Regener-Tonne genannt, ist im Labor fertiggestellt, getestet und 1944 nach Karlshagen gebracht worden. Die Nutzlast wurde nie gestartet und ist in den Wirren des Kriegsendes verschollen. Nach dem Kriege wurde die Forschungsstelle, die nach Zerstörung des Friedrichshafener Labors während eines Luftangriffs ganz nach Weissenau verlagert worden war, zum Max-Planck-Institut (MPI) für Physik der Stratosphäre erhoben (1952); Regener selbst wurde Vizepräsident der Max-Planck-Gesellschaft.

Nach Regeners Tod wurde das Institut 1958 nach Lindau am Harz verlagert, und dort später – vereinigt mit dem MPI für Ionosphärenphysik – in »MPI für Aeronomie« umbenannt.

Man wird mir diesen Exkurs ins Historische nachsehen – weil das ein respektabler Teil unserer Institutsgeschichte ist. Eine Reihe von Regeners damaligen Forschungsgebieten wird an unserem Institut mit entsprechenden Akzentverschiebungen noch heute bearbeitet – wie die Untersuchung geladener Teilchen im Weltraum oder die Messung von Ozon und anderen Spurengasen in der Atmosphäre. Die Erforschung dieser Gebiete ist auch heute noch nicht abgeschlossen, einige sind zur Zeit sogar besonders aktuell.

Aussagen über den Verlauf von Dichte und Temperatur in der Thermosphäre ließen sich in den sechziger Jahren auf eine ebenso elegante wie einfache Weise gewinnen: Die ersten Satelliten flogen alle auf erdnahen Bahnen, tauchten daher manchmal sehr tief in die Atmosphäre ein und wurden dabei abgebremst. Da mit der Bahn eines Satelliten dessen Umlaufzeit sehr genau bekannt ist, liefern Abweichungen im Aufgang und im Untergang des Satelliten Hinweise auf seine Abbremsung. Grund für diese Abbremsung war natürlich die vorhandene Restatmosphäre in Höhen von einigen hundert Kilometern. Man lernte damals sehr schnell, wie aus solchen Messungen sehr zuverlässige Aussagen über den Verlauf der Dichte in der Atmosphäre zu gewinnen waren. Neben W. Priester von der Universität Bonn und L. G. Jacchia vom astronomischen Institut der Smithsonian Institution, Cambridge, Mass. ist hier vor allem auch H. K. Paetzoldt, damals noch an unserem Institut tätig, zu nennen, denen es gelang, die Erforschung der Atmosphäre in jenen Jahren um einen entscheidenden Schritt weiterzubringen.

Die Abbremsung eines Satelliten ist jeweils im Perigäum, also seinem erdnächsten Punkt, am größten. Als Folge der Abbremsung verringert sich dann sein Apogäum, also der erdfernste Punkt, damit auch die Umlaufszeit. Satelliten auf sehr exzentrischen Bahnen lieferten die Luftdichtewerte im Perigäum sehr genau, weil sich die Perigäumshöhe eines solchen Satelliten auch durch Abbremsung nicht wesentlich ändert, praktisch konstant bleibt. Solche Messungen wurden in großer Zahl durchgeführt; Satelliten auf sehr verschieden geneigten Bahnen wurden zur Messung mit herangezogen; dadurch ergab sich die Möglichkeit, Dichten im Höhenbereich zwischen 200 und 1000 km auch in verschiedenen geographischen Breiten, bei verschiedenen Aktivitätsgraden der Sonne ebenso wie bei verschieden starken Störungen des Erdmagnetfeldes zu bestimmen.

Raketenmessungen, wie Regener sie geplant hatte, sind auch heute noch die einzige Möglichkeit, auf direktem Wege Informationen im Höhenbereich oberhalb von etwa 40 km zu gewinnen. Beispielsweise hat H. U. Widdel an unserem Institut eine Methode zur Messung von Windgeschwindigkeiten in der Mesosphäre mit einem sehr einfachen Mittel zur Perfektion entwickelt: Er läßt aus kleinen Raketen, die bis zu Höhen von etwa 100 km aufsteigen können, Wolken metallisierter Kunststoff-Folien ausstoßen. Deren von Höhenwinden hin- und hergetriebenes langsames Absinken wird mit Radar verfolgt; daraus lassen sich Windgeschwindigkeiten in der Mesosphäre ermitteln.

Ein als Scheinwerfermethode bekanntes Verfahren wird auch

heute noch (mit Laser) angewendet. Damit läßt sich die Luftdichte bestimmen: Ein kurzzeitiger Lichtimpuls wird ausgesandt; hinter leistungsfähigen Teleskopen montierte lichtempfindliche Detektoren registrieren die Intensität des rückgestreuten Lichts als Funktion der Höhe. Diese läßt sich dann zur Dichte der Luft in Beziehung setzen. Von Raketen ausgestoßene Kugeln, deren Fall man verfolgen kann, sind eine weitere, früher häufig angewandte Methode zur Dichtemessung in der Atmosphäre.

Die Bestimmung des Höhenverlaufs von Dichte und Temperatur zielt natürlich vor allem auf die Erfassung von Veränderungen in diesen Größen bei bestimmten äußeren Einflüssen. Heute werden dazu auch leistungsfähige Radaranlagen eingesetzt. Die Rückstreuung des Radarsignals an Inhomogenitäten (Luftschlieren, Dichtegradienten u. ä.) wird verfolgt; damit lassen sich Strukturen in der Atmosphäre und deren Bewegungen in drei Dimensionen (Winde) verfolgen.

Ein ganz wichtiger Zweig der Atmosphärenforschung beschäftigt sich mit der Chemie der Atmosphäre. Dazu müssen insbesondere die verschiedenen Konstituenten der Luft bekannt sein. Weil aber bei diesen chemischen Prozessen vor allem die Spurengase eine besonders wichtige Rolle spielen, sind gerade in jüngster Zeit recht interessante Verfahren zur Untersuchung dieser Stoffe entwickelt und eingesetzt worden. In-situ-Methoden bringen geeignete Meßgeräte an Ort und Stelle, die verschiedene Spurengase direkt erfassen (z. B. Massenspektrometer). Das ist schwierig, wenn Gase mit sehr geringen Mischungsverhältnissen untersucht werden sollen. Ein Gas, dessen Mischungsverhältnis 1 ppm beträgt, wird im Mittel einmal registriert, während im gleichen Zeitraum eine Million Registrierungen anderer Moleküle erfolgt sind. Man kann aber auch direkt Luftproben entnehmen, zur Erde bringen und später im Labor etwa mit Gaschromatographen untersuchen. Dabei werden die sehr geringen Konzentrationen durch Anreicherungsverfahren am Meßort (z. B. durch fortlaufendes Ausfrieren der Gase) nachweisbar gemacht.

Die Schwierigkeit dieser Messungen liegt darin, daß sich das gesammelte Gas auf seinem Weg bis zum Gaschromatographen nicht verändern darf – was bei stark reaktiven Gasen, wie bei Ozon oder dem OH-Radikal, kaum möglich ist. Um solche Konstituenten an der Reaktion mit anderen Gasen zu hindern, müssen sie beim Einsammeln bereits unwirksam gemacht werden.

Remote-sensing-Technik ist ein modernes Schlagwort, das die heute wohl wichtigste Technik beschreibt. Von einem Sender ausgesandte Strahlung regt Moleküle direkt an; die durch Abbau der Anregung ausgestrahlte Intensität wird beobachtet (Radarprinzip). Beim Radiometer wird die auf natürliche Weise angeregte thermische Strahlung der Moleküle betrachtet. Diese Methoden integrieren Lichtintensitäten längs des Sehstrahles. Die Messungen lassen sich später durch Vergleich mit Referenzgasen oder Dichtemodellen »entfalten«. So werden Informationen über Spurengase an vom Beobachter weit entfernten Orten gewonnen – daher der Name. Setzt man solche Meßmethoden auf Erdsatelliten ein, so läßt sich, zum Beispiel durch Limb-scanning (vgl. Abb. 24), in wenigen Stunden ein globaler Überblick über den Höhenverlauf der Dichte eines bestimmten Gases gewinnen.

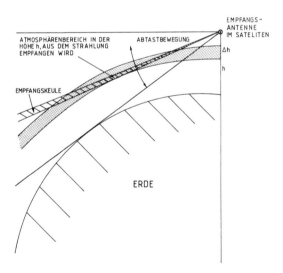

Abbildung 24 *Horizontabtastung durch Mikrowellenradiometer zur Bestimmung der Höhenverteilung von Spurengasen, schematisch dargestellt*

Die Rolle des Wasserdampfes in der Atmosphäre

Einige wichtige Eigenschaften der Atmosphäre werden durch das Spurengas Wasserdampf und sein Verhalten bestimmt. Die Eigenschaften von Wasser sind daher von erheblichem Interesse in diesem Zusammenhang. Ich möchte sie im folgenden kurz zusammenstellen.

Wasser ist eine der merkwürdigsten Substanzen, die wir kennen. Aus seiner Konstitution alleine ergibt sich eine ganze Reihe seiner »anomalen« physikalischen und chemischen Eigenschaften. Man kann Wasser einerseits auffassen als Wasserstoffoxyd, kann es aber auch als ein Hydrid des Sauerstoffs betrachten. Aber anders als die Hydride seiner chemisch Verwandten ist sein Gefrierpunkt deutlich höher als der von Selenwasserstoff H_2Se oder von Schwefelwasserstoff H_2S. Seine spezifische Wärme ist sehr groß, seine Dichte ändert sich nichtlinear mit der Temperatur und erreicht ihren größten Wert bei $+4\,°C$. Abb. 25 zeigt die

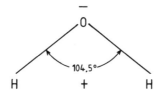

STRUKTUR DES WASSERMOLEKÜLS

$$O = C = O$$

CO_2: SYMMETRISCHES MOLEKÜL

Abbildung 25 *Struktur der Moleküle von Wasser und Kohlendioxyd. Weil die Ladungsschwerpunkte der positiven und der negativen Ladungen nicht zusammenfallen, hat das Wassermolekül ein permanentes Dipolmoment. Das CO_2-Molekül hat wegen seines symmetrischen Baus kein permanentes Dipolmoment, seine Elektronenhülle kann aber durch äußere Felder so verformt werden, daß ein solches Moment auftritt; wir sprechen dann von einem induzierten Dipolmoment.*

geometrische Lage der Atome im Wassermolekül: Sie läßt erkennen, daß die Ladungsschwerpunkte im Molekül für die positiven und die negativen Ladungen nicht zusammenfallen. Deswegen hat das Molekül ein permanentes elektrisches Dipolmoment. Mit diesem kann beispielsweise elektromagnetische Strahlung in Wechselwirkung treten – das Molekül kann aus einem solchen Strahlungsfeld Energie aufnehmen und dabei in angeregte Rotations- oder Vibrationszustände gelangen. Abb. 26 erläutert dies. Es kann durch Ausstrahlung diese Energie wieder abgeben. Das Molekül strahlt daher im infraroten und im Mikrowellenbereich.

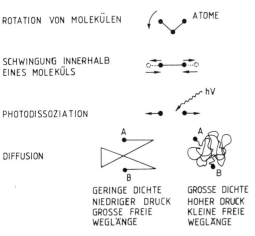

Abbildung 26 *Möglichkeiten zur Energieübertragung (Anregung) bei Molekülen (schematisch)*

Moleküle können Energie auf vier verschiedene Arten aufnehmen: als Translations-, Rotations-, Schwingungs- und elektronische Anregungsenergie. Moleküle mit permanentem Dipolfeld wie H_2O oder O_3 können daher Energie auf außerordentlich vielfältige Weise aufnehmen und wieder abgeben. O_2 und N_2 haben kein solches Dipolmoment, daher auch keine Energieübergänge im Infrarotbereich, sind also für die von der Erde ausgesandte Temperaturstrahlung ohne Bedeutung. Aus diesem Grund sind die in der Atmosphäre am häufigsten vorkommenden

Moleküle N_2 und O_2 für den Temperaturhaushalt der Atmosphäre von viel geringerer Bedeutung als etwa die Spurenelemente Wasserdampf, Ozon oder Kohlendioxyd.

Kohlendioxyd hat im Gegensatz zum Wasser ein symmetrisches Molekül (Abb. 25), hat daher kein permanentes, kann aber ein »induziertes«, von außen aufgeprägtes elektrisches Dipolmoment haben, besitzt somit auch energetisch relevante Übergänge im infraroten Teil des Spektrums (Vibrationsbanden). Diese drei Moleküle – H_2O, O_3 und CO_2 – sorgen trotz ihrer geringen Konzentration dafür, daß die Atmosphäre im infraroten Bereich des Spektrums fast »dicht« ist. Bei noch größeren Wellenlängen wird die Atmosphäre dann wieder durchsichtig (Zentimeterwellen). Mit der Strahlung dieser Wellenlängen kann man auch gleich durch die Wolken sehen (Radar). Erst noch längere Wellen werden wegen der freien Elektronen in der Ionosphäre (wo also nicht mehr in Atomen gebundene Elektronen Energie aufnehmen) reflektiert (bei Wellenlängen über 1 m). Im Zwischenbereich (UKW, VHF) ist die Ionosphäre noch transparent.

Eine freie Wasseroberfläche steht im Austausch mit der darüberliegenden Atmosphäre. Wassermoleküle treten durch die Oberfläche in die Atmosphäre und umgekehrt – im Gleichgewicht gleich viel in beiden Richtungen. Bis dieser Zustand erreicht ist, verdunstet Wasser, entzieht daher der Flüssigkeit mit jedem sie verlassenden Molekül Energie (Verdunstungskälte); umgekehrt gewinnt die Flüssigkeit Energie durch eintretende Moleküle. Mit zunehmender Temperatur nimmt die Zahl der in der Gasphase existierenden Moleküle zu, der Partialdruck wächst. Damit bezeichnet man den von den zum Beispiel Wassermolekülen allein ausgeübten Gasdruck; die Summe der Partialdrücke macht den Gesamtdruck aus. Die Verdunstung von Wasser ist mithin abhängig von der Temperatur, vom Temperaturverlauf in der Atmosphäre und von deren relativer Feuchte.

Auf diese Weise also gelangt Wasser in die Atmosphäre, wird durch Diffusion, Konvektion und Verwirbelung mit dem Gas der Luft bis hinauf in große Höhe vermischt. Mit dem Wasserdampf gewinnt das Gas Energie: die latente Energie. Diese wird nämlich erst dann frei, wenn der Wasserdampf kondensiert. Die Luft wird dadurch wärmer – man spricht dann von fühlbarer Energie. Im aufsteigenden Luftstrom kommt es wegen des abnehmenden Luftdrucks zur Abkühlung der Luft durch Expansion (wenn wir annehmen, daß es nicht zu Wärmeaustausch mit der Umgebung kommt, das betrachtete Luftvolumen sich also adiabatisch verhält). Deshalb kommt es zur Kondensation, zur Wolkenbildung, sobald der Sättigungsdampfdruck überschritten wird (vgl. Abb. 27). Dabei bilden sich zunächst kleine Tröpfchen, die durch

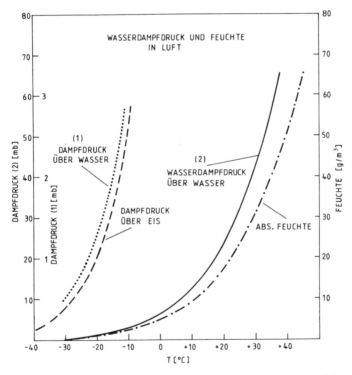

Abbildung 27 *Verlauf des Wasserdampfdrucks über Wasser und Eis in Abhängigkeit von der Temperatur. Die in Klammern gesetzten Zahlen weisen auf die zugehörige Skala hin. Die Kurve rechts, die sog. Magnussche Dampfdruckkurve, zeigt die Abhängigkeit der Aufnahmefähigkeit von Luft für Wasser als Funktion der Temperatur (absolute Feuchte).*

Stöße mit anderen allmählich wachsen. Von einer bestimmten Größe an können sie sich dann nicht mehr schwebend halten, sondern sinken im Schwerefeld nach unten. Gelangen sie dabei in wärmere Luftschichten, können sie wieder verdampfen, wo nicht, sinken die Tröpfchen weiter; durch Stöße und weitere Kondensation wachsen die Tröpfchen. Größere Tröpfchen wachsen aber auch deshalb schneller, weil der Dampfdruck über einer gekrümmten (konvexen) Wasserfläche höher ist als über einer weniger gekrümmten (größerer Durchmesser). Abb. 28 illustriert das.

Abbildung 28 *Kondensation von Wasser und Anwachsen der Tropfengröße*

In den Wassertröpfchen spielt sich eine ganze Reihe chemischer Reaktionen ab, die noch nicht vollständig untersucht worden sind. Die Reaktionen werden durch den pH-Wert im Tropfen kontrolliert. Dieser ist zunächst durch das atmosphärische CO_2 bestimmt (etwa gleich 6). Treten jedoch weitere Säurebildner ein, so sinkt der pH-Wert im Tropfen rasch ab.

Gelegentlich fällt die Umgebungstemperatur, in der Wassertröpfchen existieren, unter den Gefrierpunkt, so daß es zu Eisbildung kommt. Dann können sich die unterkühlten Wassertröpfchen um Eiskristalle herum zu größeren Graupeln oder auch zu Hagelkörnern entwickeln. Große Hagelkörner können im starken Aufwind konvektiver Wolken entstehen. Das Korn wächst durch Aufsammeln unterkühlter Tröpfchen, wobei sich das Wasser über das ganze Korn ausbreitet. Beim Gefrieren wird die Schmelzwärme frei, die Temperatur bleibt, bis alles Wasser gefroren ist, konstant. Danach sinkt die Temperatur des Korns wieder. Darum wachsen Hagelkörner sehr unregelmäßig. Erst wenn ihr Gewicht größer als die Auftriebskraft ist, beginnen sie zu fallen. So können auch sehr große Hagelkörner entstehen: Körner mit mehreren Kilogramm Gewicht wurden beobachtet; solche Brocken erreichen Fallgeschwindigkeiten bis zu 180 km/h und richten verheerende Schäden an, wie der Hagelfall in München vor wenigen Jahren gezeigt hat.

Die Schmelzwärme des Wassers beträgt 335 Joule/g (80 cal/g). Im Gegensatz zur Verdampfungswärme ist die Schmelzwärme für die meisten Stoffe vom Druck praktisch unabhängig – nicht so beim Wasser! Wasser dehnt sich bei Erstarren um 9 % aus, die Dichte des Eises ist also kleiner als die des Wassers. Der Schmelzpunkt des Eises erniedrigt sich darüber hinaus mit wachsendem Druck, und zwar um 0,0075 °C/Atm. Darum gleiten die Eismassen der Gletscher auf einem Wasserfilm zu Tal, unter den Kufen der Schlittschuhe schmilzt das Eis im Moment des Aufdrucks – daher die enorme Gleitfähigkeit auf Eis. Man nennt das die Relegation des Eises.

Bei tiefen Temperaturen ist der Wasserdampfdruck über Eis (Abb. 27) sehr klein. Dieser Umstand wird zur Gefriertrocknung ausgenützt. Bei sehr tiefen Temperaturen (unter -38 °C) bildet sich in der Luft Eisnebel: Eiskristalle sublimieren spontan aus Wasserdampf. Aus demselben Grund sind Winde in den Tropengebirgen oberhalb von 1500 m Höhe sehr trocken.

In der freien Atmosphäre gibt es oberhalb von -12 °C keine Eisbildung, sondern nur unterkühlte Wassertröpfchen. Aber auch zur Kondensation von Wassertröpfchen müssen Kondensationskerne vorhanden sein. Eisbildung gibt es wie gesagt durch homogene primäre Keimbildung aus der Dampfphase nur bei sehr tiefen Temperaturen. Homogene sekundäre Eisbildung aus unterkühlten Tröpfchen findet ebenso wie heterogene Eisbildung an Grenzflächen statt. Sublimationskerne sind Kristalle, die zu Eis isomorph sind, deren Kristallgitter also hexagonal wie das des Eises ist, an denen somit orientiertes Aufwachsen (man nennt das Epitaxie) der Eiskristalle möglich ist. Solche Keime sind zum Beispiel Silikate oder Kaolinit.

Bei Temperaturen unter $-12\,°C$ setzt sich die Eisbildung an Gefrierkernen durch, bei $-20\,°C$ überwiegt die Eisbildung die Tropfenbildung bereits, unter $-38\,°C$ gibt es nur noch reine Eiswolken durch Sublimation.

Wegen der Konfiguration des Sauerstoffatoms kann dieses mehr als zwei Wasserstoffatome um sich gruppieren: drei, vier oder fünf, die zu verschiedenen Wassermolekülen gehören können. Die auf äußeren Schalen befindlichen Elektronen verbinden sich mit den beiden Wasserstoffatomen zu H_2O. Vier Elektronen auf tieferen Schalen aber sind quasi mobil und können sich Ladungspartner suchen. Deshalb neigt Wasser zur Clusterbildung, also zur Bildung von lose gebundenen Molekülklumpen. Friert Wasser, bildet es stabile Cluster: Eiskristalle. Wassermoleküle können aus demselben Grund Fremdionen wie Käfige umgeben – deshalb ist Wasser ein so ausgezeichnetes Lösungsmittel für Elektrolyte.

Eis ist ein guter Isolator, leitet dennoch schwach. Während aber in Metallen elektrische Leitung durch frei bewegliche Elektronen vermittelt wird, geschieht die elektrische Leitung in Eis durch Ionen. Im Eis bilden sich nämlich Hydroniumionen H_3O^+ und das Hydroxylion OH^-. Auf 10^{12} Moleküle gibt es zwar nur ein Hydroniumion, doch kann es sich relativ schnell bewegen. Eis ist also ein protonischer Halbleiter. Mit geeigneten Säuren oder Basen lassen sich in Eis regelrechte pn-Übergänge herstellen – aus Eis lassen sich Transistoren machen!

Bei Temperaturen unter dem Gefrierpunkt ist der Dampfdruck von Wasser größer als der von Eis (s. Abb. 27). Der Unterschied ist bei $-13\,°C$ am größten. Darum wachsen Eiskristalle bei dieser Temperatur am schnellsten. Schneekristalle bilden sich

94

in fast unendlichen Variabilitäten – jedoch haben alle eines von drei Merkmalen: Sie kristallisieren in hexagonalen, prismatischen Säulen oder in dünnen, hexagonalen Platten oder in dendritischen Formen (Abb. 37).

Wo Eis und Wasser gemeinsam vorkommen, wächst stets das Eis auf Kosten des Wassers, weil der Sättigungsdampfdruck über Eis kleiner ist als über Wasser, Wasser also über Eis ständig aus der Gasphase ausfriert; dadurch sinkt der Wasserdampfdruck. Dann verdunstet aber weiteres Wasser aus der freien Wasseroberfläche. Wasserflächen haben daher stets die Tendenz, vollständig zuzufrieren.

Die Temperatur allein ist ausschlaggebend dafür, welche Form des Eises beim Gefrieren schließlich entsteht. Es können unverzweigte Nadeln entstehen, Säulen, platte Sterne, sechsstrahlige Sterne, kugelige Formen. Schnee, der in großen Flocken fällt, bildet Pulverschnee, der sich aber nach einigen Tagen setzt und in eine feste Schneedecke verwandelt (Diagenese). Kleine Flocken bilden gleich eine feste Schneedecke. In Gegenden mit ewigem Schnee bildet sich Firn, ein mehrjähriger Altschnee, durch Druckmetamorphose. Schnee schützt wegen seiner geringen thermischen Leitfähigkeit den Boden vor Auskühlung. Nur in schneearmen Regionen friert der Boden tief.

Schnee hat eine hohe Albedo, das heißt er reflektiert einfallendes Licht mit Wellenlängen unter 0,36 µm mit 75–88 %, im Bereich 0,36–0,76 µm noch mit 80–85 %. Oberhalb von 0,76 µm nimmt die Albedo sehr rasch auf Null ab: Infrarotes Licht wird vom Schnee restlos absorbiert, entsprechend strahlt Schnee im Infrarotbereich wie ein schwarzer Strahler. Das ist der Grund für die starke Abkühlung der Luft über Schneeflächen in klaren Winternächten, wenn also absorbierende Wolken die Ausstrahlung nicht behindern. Übrigens verursacht die mit der Wellenlänge zunehmende Absorption eine Zunahme des Blauanteils im am Eis reflektierten Licht: deshalb schimmern Eisspalten oder Eishöhlen bläulich.

Kapitel 4   Wolken, Wind und Wetter: Ein Exkurs in die Meteorologie

Ehe man über Klima redet, muß man ein paar Worte über das Wetter verlieren, weil das ja ein Gegenstand täglicher Erfahrung ist. Wer eine Reise plant, möchte möglichst genau wissen, wie das Wetter werden wird. Der Bauer will seine Ernte bei gutem Wetter einfahren, der Straßenzustand im Winter hat schon manche Konferenz platzen lassen – kurzum, es wäre schön, wenn sich das Wetter wenigstens auf ein paar Tage einigermaßen exakt vorhersagen ließe. Natürlich auch für länger und, noch besser, auch gleich für die Region oder eben gleich für den ganzen Globus. Aber da tut man sich schwer. Hätte »Wetter« nur zwei Zustände, gut und schlecht, so würde man bei der Wetterprognose ohne weitere Vorkenntnisse 50 % Treffsicherheit erreichen können. Nun ist Wetterprognose mehr als diese simple Beschreibung. Deshalb gilt eine Treffsicherheit von 80 % schon als ein ausgezeichnetes Ergebnis, das nur mit immensem Aufwand erreicht werden kann. 70 % erreicht man oft, weil die Trägheit des Systems Änderungen erst im Verlauf von Tagen eintreten läßt.

Um Wetter vorhersagen zu können, reicht es gewiß nicht, im Kaffeesatz zu lesen oder die Götter zu befragen: Man muß sich ein physikalisches Modell des Klimasystems verschaffen. Das ist ein System mathematischer Gleichungen, die zumindest die wichtigsten Prozesse in der Atmosphäre beschreiben wie Energieerhaltung, Bewegungsgleichungen, die Gasgesetze, ferner die wichtigsten Luftströmungen, Druck- und Temperaturverlauf – möglichst in drei Dimensionen als Funktion der Zeit und so weiter. Abb. 29 erläutert dies. In ein solches Modell werden gewisse, den gegenwärtigen Zustand beschreibende Parameter eingegeben; dann sieht man nach, welche Folgezustände sich daraus entwickeln. Da sind die Verdunstung der Ozeane, die Strahlungsbilanz, die Windgeschwindigkeiten, nicht nur am Boden, sondern in der gesamten Troposphäre zu berücksichtigen, der Wolkenbildungsprozeß muß modelliert werden, die Verhältnisse in Wolken, wann Regen fällt, wann Graupel oder Hagel, wann Schnee. Dazu müssen die Bodenverhältnisse ins Kalkül treten – denn Wetter wird auch sehr stark davon abhängen. Das macht man sich leicht klar: Die Niederschlagsmengen in Süddeutschland sind fast doppelt so hoch wie in Norddeutschland, weil sich Wolken im aufsteigenden Luftstrom bilden, also häufiger an den Westabdachungen der Mittel- und Hochgebirge. Diese zwingen die Luft aufzusteigen; darum fällt dort mehr Regen.

Derart komplexe Modelle gibt es zur Zeit nicht; es gibt nur einfachere. Beispielsweise teilt das im National Center of Atmos-

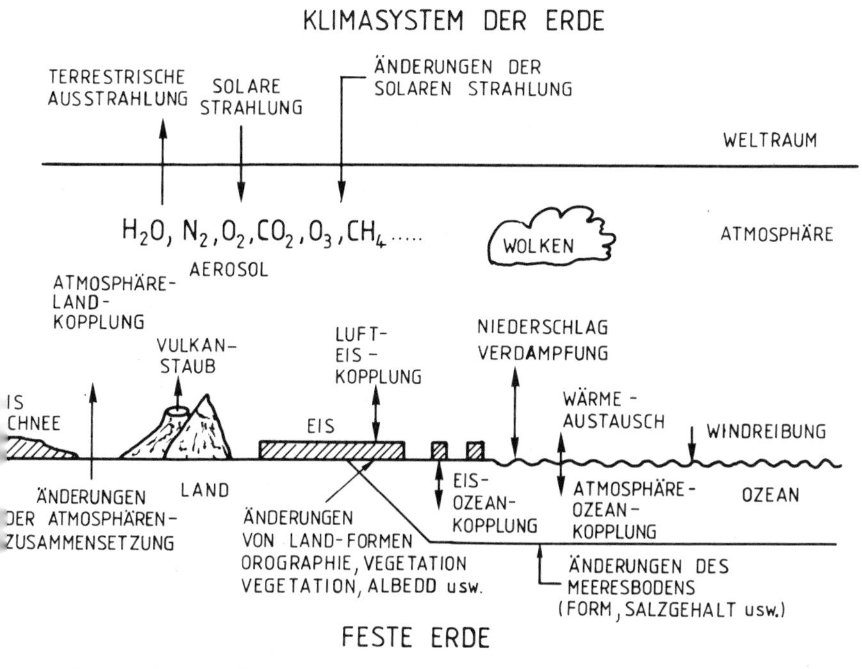

Abbildung 29 *Das Klimasystem der Erde*

pheric Research (NCAR) in Boulder, USA benutzte Klimamodell die Atmosphäre bis in 30 km Höhe in verschiedene Schichten ein und benutzt ein Gitter, dessen Abstände 4,5° Breite und 7° Länge betragen. In diesen »Elementen« wird das physikalische Geschehen parametrisiert, das heißt nicht mehr physikalisch beschrieben, sondern durch summarische Aussagen numerisch festgehalten.

Klimamodelle sind nicht an kurzlebigen Prozessen interessiert; umgekehrt braucht man zu Wetterprognosen nicht das Wachsen oder Verschwinden von Wäldern oder Gletschern zu berücksichtigen. Meteorologen machen an Hand geeigneter Wettermodelle regional brauchbare Vorhersagen. Allerdings erreichen solche Vorhersagen für zwei Tage in der Regel »nur« 75–80 % Treffsicherheit; diese steigt bei Vorhersagen für kürzere Zeiträume, nimmt aber für längere Vorhersagezeiträume rasch ab.

Man kann aber auch einen ganz anderen Weg einschlagen, der im Zeitalter der Großcomputer eigentlich naheliegt. In den USA wurde vor einigen Jahren ein Verfahren entwickelt, bei dem man einen Rechner mit einer Folge tatsächlich gemessener Wetterkarten gefüttert hat. Im Rechner war also der tatsächliche Ablauf von Wetter in der Vergangenheit gespeichert. Die Vorhersagemethode ist dann sehr einfach: Der Rechner vergleicht die aktuelle Wetterlage, die Wetterkarten der vorhergegangenen ein bis zwei Wochen, mit der gespeicherten Sequenz und wählt jene aus, die der aktuellen am nächsten kommt. Dann braucht man nur noch die Wetterkarten herzunehmen, die damals der ausgewählten Periode folgten, und hat damit ein Beispiel, wie sich das Wetter tatsächlich entwickelt hat. Waren die eingegebenen Parameter gut genug, kamen sich vergangener und gegenwärtiger Wetterablauf recht nahe. Beispiele belegen, daß die Methode brauchbar ist – auch wenn sie in einigen Fällen versagt hat.

Der Versuch, Wetter vorherzusagen, ist Jahrtausende alt. Für die Seeleute, Bauern, Jäger, Fischer unter unseren Altvordern war das ja in der Tat eine Frage des Überlebens. Darum wurden die Wolken beobachtet, die Winde, die Luftfeuchte – und dann wurden eben auch Schlußfolgerungen gezogen. So entstand das, was wir einfach Bauernregel nennen. Wie so oft, gibt es viele solcher Regeln, die unsinnig sind, weil sie sich eher am Glauben als am Wissen orientiert haben. Aber einige sind schon auf erstaunlich gute Beobachtungen zurückzuführen und damit auch heute noch brauchbar. Die »Siebenschläferregel« etwa, ihrer Anbindung an den Tag Siebenschläfer und an die »magische Sieben« entkleidet, besagt, daß der Sommer in Mitteleuropa warm oder kalt ausfällt, je nachdem ob sich die Lage des Azorenhochs bei den allgemeinen Veränderungen der Großwetterlage Ende Juni ein bißchen mehr oder weniger weit nach Norden verlagert.

Wetter ist das Resultat einer großen Zahl komplexer Prozesse, allesamt getrieben von der Einstrahlung der Sonne. Diese bewirkt Erwärmung der Erdoberfläche und der Atmosphäre, und weil dies nicht überall gleichmäßig geschieht, kommt es zu Winden, die diese thermischen Ungleichgewichte auszugleichen versuchen. Sie aber werden wiederum von der Struktur der Erdoberfläche maßgeblich beeinflußt, von Gebirgsketten ebenso wie von den Ebenen, und natürlich von der Verteilung von Landflächen und Ozeanen. Die »Maschine« Atmosphäre enthält gewaltige Energiemengen, von denen wir uns immer dann ein Bild machen können, wenn sie sich entladen haben – in Gewittern, in Stürmen, Tornados, Hurricans.

Die Vorteile exakter Wettervorhersage sind leicht einsehbar: Vorteile für die Landwirtschaft sind offensichtlich, für Luft- und Hochseeverkehr nicht minder, der Einsatz von Wasser bei Bewässerungen ließe sich genauer planen, Spritzungen mit Herbiziden auf das Nötigste beschränken. In vielen Gegenden ist das Vorhersagen von Trockenperioden im Hinblick auf die Wasserresourcen wichtig. Der Bau von Gebäuden könnte in solche Zeiten verlegt werden, wo kein abnormes Wetter zu erwarten ist. Bei Trockenheit, die oft auch Waldbrände im Gefolge hat, ließe sich entsprechende Vorsorge treffen. Das Management der Getränkeindustrie würde sich vereinfachen, die Energievorratshaltung optimieren ... Es lassen sich noch viele Beispiele finden, wie durch bessere Wetterprognosen Optimierungen erreicht werden können. Kein Wunder also, wenn viele Staaten Forschung auf diesem Gebiet betreiben – unverkennbar auch, daß sich hinter der Klärung des wissenschaftlichen Problems das Interesse an den Vorteilen solcher Verbesserungen nicht verbirgt.

Hoch- und Tiefdruckgebiete, Fronten

Lokale Winde sind fast immer Konvektionswinde: der Seewind, der Landwind, der Bergwind, der Talwind. Sie wehen von einem Gebiet höheren Druckes in ein Gebiet niederen Druckes, werden weniger von der Erdrotation beeinflußt, aber stärker geprägt von der Geländeform.

Ein Tiefdruckgebiet entsteht in der Regel als eine flache Welle, wenn es in der Höhe zur Ausbuchtung einer Warmluftmasse gegen eine kühlere Luftmasse kommt. Der Druck sinkt, es entwikkelt sich zunächst eine Warmfront, und auf der Rückseite des Warmluftsektors bildet sich eine Kalt- oder Böenfront aus. Abb. 30 erläutert dies. Die Luft, die in ein solches Tief einströmt, wird von der Coriolis-Kraft abgelenkt, so daß sie um das Zentrum zu kreisen beginnt (Abb. 31). Der Drehsinn auf der Nordhalbkugel ist wegen der Coriolis-Kraft dem auf der Südhalbkugel naturgemäß entgegengesetzt. Im Norden dreht sich ein solcher Wirbel, eine Zyklone, im Gegenuhrzeigersinn. Zyklonen können

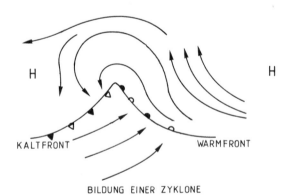

BILDUNG EINER ZYKLONE

Abbildung 30 *Bildung eines Tiefdruckgebietes*

100

Horizontaldurchmesser von Tausenden von Kilometern erreichen. Ihre Lebensdauer ist begrenzt, sie können Stunden oder
auch Tage existieren; dabei sind größere Wirbel beständiger als
kleinere. Ein kleiner Wirbel bildet sich um ein Zentrum niedrigen Luftdrucks herum. Sehr kleine zeitlich und örtlich begrenzte
Wirbel bilden Staub- oder Wasserhosen.

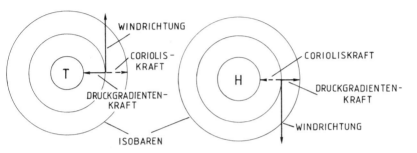

Abbildung 31 *Drehsinn bewegter Luft unter der Wirkung von Coriolis-
Kraft und Druck-Gradienten-Kraft auf der Nordhalbkugel*

Zyklonale Systeme haben wir nun schon kennengelernt. Ihr Ge-
genstück sind die antizyklonalen Systeme, die wir als Hochdruckgebiete kennen. Auch sie entstehen aus Luftströmungen: Wenn
Luft aus Gebieten, die höheren Druck als die Umgebung haben,
ausströmt, wird diese von der Coriolis-Kraft in eine Richtung
nahezu parallel zu den Isobaren abgelenkt (Abb. 31), wodurch
das Strömungsbild der Antizyklone entsteht. Beide Systeme bedecken Flächen von Hunderttausenden von Quadratkilometern.
   In Bodennähe bewegt sich kältere Luft ständig in ein warmes
Gebiet hinein. Diese Wirbelsysteme nennt man Zyklone oder
Tiefdruckgebiete. Getrieben wird das Ganze vom Temperaturunterschied zwischen Subtropen und Polargebiet (darum ist diese
Aktivität im Winter speziell auf der Nordhalbkugel besonders
stark ausgeprägt). Ich komme darauf gleich zurück.
   Die Rotation der Luftmassen führt schließlich zu unterschied-
lichen Geschwindigkeiten der Luftmassengrenzen.
   Die Berührungslinie zwischen Luftmassen verschiedener Tem-

peratur nennen wir eine Front. Fronten sind Unstetigkeitsflächen mit stark unterschiedlichen Verhältnissen auf beiden Seiten (Temperatur, Feuchte, Luftdichte). Eine Kaltfront transportiert eine kalte Luftmasse, die leichtere, wärmere Luft verdrängt; an einer Warmfront gleitet warme Luft auf kältere auf und verdrängt diese allmählich. In beiden Fällen kühlt sich die wärmere Luft beim Aufsteigen an den Fronten ab und verursacht Bewölkung und Niederschlag. Das ist an einer Kaltfront ausgeprägter als an einer Warmfront (vgl. unten), weshalb vor kalten Fronten heftigere Wetterbewegungen zu beobachten sind als vor Warmfronten. An der Vorderflanke der Kaltluft kommt es häufig zu turbulenten Prozessen. In der aufsteigenden verdrängten Warmluft bilden sich hochragende Wolken aus – Kumulus und Kumulonimbus, im Sommerhalbjahr mit Gewittern verbunden.

Eine Warmfront wird zum Beispiel durch Zirruswolken angezeigt, die hoch am Himmel stehen: Die kondensierende Feuchtigkeit am vorderen Rand der Front stellt sich so dar. Weil die warme Luft in die Höhe aufsteigt, verzögert der Reibungseinfluß am Boden das Vorrücken der Warmfront gegenüber deren Position in der Höhe – es kommt zu einer Schrägstellung der Warmfront, die sich kontinuierlich verstärkt. Vor der Warmfront strömt ständig wärmere (leichtere) Luft über kältere (schwerere). Der Vertikalaustausch wird weitgehend unterbunden. Später bedecken Zirrostratuswolken den Himmel, und innerhalb von Stunden erscheinen die grauen Altostratuswolken, die eigentlichen Regenwolken. Wenn die warme Luft die kalte vollständig verdrängt hat, beginnt sich die Temperatur zu stabilisieren, der Regen hört auf. Meist folgt dann bis zum Herannahen der Kaltfront mehr oder weniger unbeständiges Wetter (Abb. 32).

Die Kaltfront ist wesentlich stabiler, bleibt länger aktiv. Sie rückt im ganzen Höhenbereich gleichmäßig voran: die am Boden durch Reibung zurückbleibende Luft wird von der Höhenluft überholt. Da die Kaltluft aber dichter, also schwerer ist, fällt ständig kalte Höhenluft vor die zurückbleibende Bodenluft und verdrängt die dort liegende leichtere warme Luft, so daß die Front steiler wird und als Ganzes vorrückt – und zwar schneller

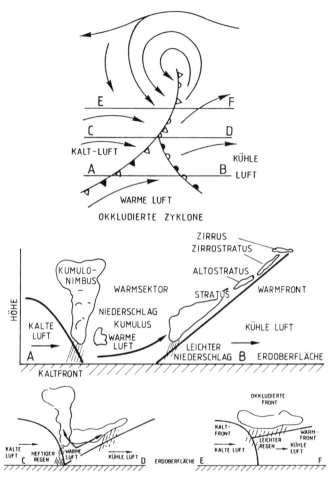

Abbildung 32 *Zyklone (Tiefdruckgebiet). Im oberen Teil der Figur ist die Horizontalprojektion der Zyklone gezeigt. Die unteren Bilder stellen Vertikalschnitte längs den im oberen Teil eingezeichneten Linien A-B, C-D, E-F dar.*

als die Warmfront, weil der bremsende Reibungseffekt durch das Herabstürzen kalter Luft kompensiert wird. Der Meteorologe spricht von einer Kaltluftwalze (Abb. 32). Die Warmfront wird wegen des schnelleren Voranschreitens der Kaltfront von der

103

letzteren eingekeilt, zuerst in der Nähe des Kerns, später auch an den Rändern der Zyklone. Danach wird die Warmluft vom Boden abgehoben; das Ergebnis nennt man eine Okklusion (E–F in Abb. 32). Dies geschieht zunächst in der Nähe des Tiefkerns und schreitet dann nach außen fort.

Im Idealfall erscheint eine Kaltfront als eine Böenlinie wie mit dem Lineal gezogener, von Horizont zu Horizont reichender dunkler Wolken. Erreicht die Front den Beobachter, springt die Windrichtung schlagartig um, die Temperatur fällt, von mächtigen Windböen gepeitschter heftiger Regen, oft mit Gewittern gepaart, setzt ein. Schon nach einer halben Stunde kann die Böenlinie weitergezogen sein – im Westen erscheint plötzlich klarer Himmel. Dann weht der Wind meist aus Nordwesten, und trockenes, kühleres Wetter beherrscht die folgende Zeit. Die aufsteigende Warmluft kühlt sich allmählich ab, so daß die Temperaturgegensätze verschwinden. Damit verringert sich die treibende Energie, die Zyklone löst sich nach einer mittleren Lebensdauer von fünf bis sechs Tagen allmählich auf.

Die Zyklone hat am Ende polare Kaltluft in niedere Breiten verfrachtet. Der nächste Vorstoß warmer Luft in Richtung Polargebiet leitet die Entwicklung der folgenden Zyklone ein.

Für den Praktiker ist die Bjerknes-Regel hilfreich. Sie wurde nach dem norwegischen Meteorologen Vilhelm Bjerknes (1862 bis 1951), einem Schüler von Heinrich Hertz, benannt und besagt:

1. Wenn sich Wolken schneller als der Wind an der Oberfläche bewegen und man sich in Richtung Wolkenbewegung stellt, dann hat man höhere Temperatur zur Rechten, die niedrigere zur Linken.

2. Wenn die Wolken sich langsamer als der Wind an der Oberfläche bewegen, und wenn man sich gegen die Richtung des Windes stellt, dann hat man die höhere Temperatur zur Rechten und umgekehrt.

3. Wenn sich die Wolken schneller als der Wind an der Erdoberfläche bewegen, so haben die Zyklonen kalte Zentren und die Antizyklonen warme Zentren (und umgekehrt).

4. Wenn sich die Wolken schneller als die Winde an der Erdoberfläche bewegen, so findet in Zyklonen ein dynamisches Emporsaugen, in Antizyklonen ein dynamisches Herunterpressen der Luft statt und umgekehrt.
5. Blickt man auf der Nordhemisphäre in Richtung der Winde, so hat man das Zyklonenzentrum zur Linken, das Antizyklonenzentrum zur Rechten.

Wenn in einem begrenzten Gebiet der Boden stark erwärmt wird, daher die Luft aufzusteigen beginnt, wölben sich die Flächen gleichen Drucks nach oben auf. Auf diese Weise wird in großen Höhen ein Höhenhoch ausgebildet. Entsprechend kann durch massive Abkühlung ein Höhentief entstehen, wenn die Luft sehr schnell nach unten absinkt. Über der Polkalotte haben wir generell ein zirkumpolares Tiefdruckgebiet, die Polarzyklone. Im Gegensatz dazu hat man über dem Äquator stets ein relatives Hochdruckgebiet.

Aus einem Höhenhoch strömt die Luft nach allen Seiten aus, es tritt also Massenverlust ein; das führt in tiefen Schichten zum Luftdruckfall. Daher hat man in Gebieten mit starker Erwärmung am Boden unter einem Höhenhoch ein thermisches Tief am Boden: das Hitzetief. Beispielsweise bildet sich ein solches im Sommer regelmäßig über Teilen von Asien aus.

Wenn es zur Ausbildung eines Höhentiefs kommt, findet Luftzufuhr in der Höhe statt. Das wiederum führt zu Druckanstieg am Boden – es bildet sich am Boden ein Kaltluftloch.

Strahlströme und Windsysteme

Wo sich polare und tropische Luftmassen berühren, längs der sogenannten polaren Front, kann Stabilität nicht von Dauer sein. Diese Front tendiert ständig dazu, sich mal in der einen, mal in der anderen Richtung auszubeulen – wir sprechen dann im einen Fall von einem Vorstoß tropischer Warmluft polwärts oder von einem Kaltlufteinbruch in Richtung Äquator. In der Nähe der polaren Front bilden sich Strahlstromsysteme aus, die in ihrem Kern in der Höhe etwas unterhalb der Tropopause Windgeschwindigkeiten von bis zu 400 km/h erreichen. Die von Westen nach Osten gerichteten Strahlströme werden gelegentlich von Flugzeugen aufgesucht, weil sich in ihnen erhebliche Verkürzungen der Reisezeiten erreichen lassen – der Flug von USA nach Europa kann in günstigen Fällen um zwei Stunden weniger dauern. Da jedoch die Luftbewegungen innerhalb eines solchen Strahlstromes oft sehr böig sind, ist ein solcher Flug wegen der höheren Belastungen auch mit einem gewissen Risiko verbunden. Umgekehrt weichen die Piloten bei Flügen nach Nordamerika den Gegenwinden der Strahlströme aus. Diese Strahlstromsysteme mäandrieren wie die polare Front um die ganze Erde herum.

Die Westströmung in der unteren Atmosphäre kann sehr lange (bis zu einer Woche) von West nach Ost gerichtet sein. Dann kann es in sehr kurzer Zeit geschehen, daß die Höhenströmung stark zu mäandrieren anfängt, es entstehen große Amplituden, fast Nordsüdströmungen. Dann fließen plötzlich kalte Luftmassen äquatorwärts – dadurch wird der Temperaturgradient verstärkt: Zyklonen können sich bilden.

Die neutralen Winde der oberen Stratosphäre und Mesosphäre wehen in der Sommerhemisphäre von Ost nach West, in der Winterhemisphäre entgegengesetzt mit einer mittleren Geschwindigkeit von 10 m/s. Solare Energie treibt dieses Windsystem zusammen mit atmosphärischen Wellen an.

Natürlich werden die Windsysteme auch von den Oberflächenbeschaffenheiten der Erde beeinflußt. So wie es den thermischen Äquator gibt (der sich jedoch jahreszeitlich verschiebt), gibt es neben den geographischen Polen auch noch die Kältepole der Erde. Auf der Nordhalbkugel ist es das Gebiet um die beiden Städte Werchojansk und Oimjakon in Sibirien, wo schon Temperaturen von − 67 °C gemessen worden sind. Auch in der Stadt Snag in Nordwest-Kanada sowie in Grönland wurden schon ähnliche Temperaturen erreicht. In der Antarktis liegt der Kältepol in der Nähe der sowjetischen Station Wostok, wo das Thermometer schon auf − 88 °C gefallen ist. Solche Temperaturtiefs treiben die polaren Ostwinde.

Das veränderliche Wetter der gemäßigten Zonen entsteht entlang der Wellenlinie, die vom Zusammentreffen der polaren Ostwinde mit den Westwinden erzeugt wird. Die Luftmassen unterscheiden sich in Temperatur und Feuchtigkeitsgehalt sehr stark, so daß die Strömung leicht aufbrechen kann. Die sich bildenden Wirbelsysteme sind jedoch nicht persistent, sondern episodisch.

Neben den unser Wetter bestimmenden zyklonischen Gebilden gibt es aber auch noch jene Winde, die uns wegen der damit verbundenen Energieumsetzungen als Katastrophen erscheinen. Als ein extrem starkes Tiefdruckgebiet kann sich in den Tropen ein Taifun (auch Hurrican genannt) entwickeln. Ein solcher Sturm entsteht, wenn Luft mit Feuchtigkeit schwer beladen ist, sich also viel latente Wärme im System befindet. Wir begegnen Taifunen darum vor allem im Indischen Ozean, im Chinesischen und im Arabischen Meer. Als Hurrican (von »hurakán«, dem westindischen Gott der Stürme) kennen wir sie in den Sommermonaten im Westatlantik, wo sie hauptsächlich über den Golf von Mexiko ziehen.

Tornados dagegen sind wandernde Wirbelstürme von unglaublicher Gewalt; sie treten in besonders großer Häufigkeit in den USA auf. Ein Tornado hat einen Kern von einigen hundert Metern Durchmesser und kann über Entfernungen von einigen hundert Kilometern hin wandern. Er sieht aus wie ein riesiger Trichter; die Windgeschwindigkeiten im Tornado wurden nie gemessen, man schätzt aber, daß sie bis zu 1000 km/h betragen können, also nahezu Schallgeschwindigkeit erreichen.

Neben den gewaltigen Stürmen gibt es viele andere Formen von »Wind« – denen die Menschen wegen ihrer Besonderheiten auch besondere Namen gegeben haben. Aristoteles klassifizierte die Winde in acht verschiedene Arten. Zunächst unterschied er polare und äquatoriale Winde und beschrieb jeweils das Wetter, das diese Winde hervorzubringen imstande sei: Boreas, der Nordwind; Kaikos, der Nordost; oder Notos, der Südwind; Euros, der Südost; Lipos, der Südwest; Zephyros, der Westwind;

Apeliotes, der Ostwind; schließlich Skoros, der Nordwestwind. Im Tempel des Aiolos, des Gottes der Stürme, in Athen, steht ein achteckiger Turm, dessen acht Seiten diesen klassischen acht Winden gewidmet sind.

Tabelle 7 *Fallwinde*

Bora	Fallwind an der dalmatinischen Küste, kalt
Mistral	Südfrankreich, Rhonetal, kalt
Cierco	Ebrotal
Maestral	Katalonien
Zephyr	In Lee der Sierra, warm
Chinook	Präriewind in USA
Habub	Sudan
Fumara	Bezeichnung für Bora in Italien
Föhn	Fallwind auf beiden Seiten der Alpen, warm
Zonda	Anden

Seewinde und Landwinde werden von der unterschiedlichen Temperaturentwicklung über See oder über Land hervorgerufen. Weil sich von der Sonne beschienenes Land am Tage stärker erwärmt als die See, steigt die Luft über Land auf und wird von See her ersetzt – jeder schätzt die angenehme Brise, die, von See her wehend, das Leben an der Küste an heißen Tagen so angenehm macht. Bei Nacht ist es umgekehrt – die See behält ihre Wärme länger als das Land, weshalb der Wind bei Nacht vom Land aufs Meer bläst. In subtropischen Regionen erscheint der Seewind so pünktlich, daß man ihm Namen gegeben hat: Virazòn in Chile, Datoo in Gibraltar, Imbat in Marokko, Ponente in Italien, Kapalilua auf Hawaii. Die Windgeschwindigkeiten dieser lokalen Thermikwinde liegen in den Tropen am höchsten und erreichen Werte von etwa 20 km/h.

In Gebirgen und im Hügelland treten oft Hangwinde auf. Sie entstehen, weil sich Luft im Tal an den Felswänden oder den waldbestandenen Hängen sehr rasch erwärmt und aufsteigt. Die darüberliegende Luft ist kühler, fällt daher in der Talmitte »herunter« und drückt die Talluft noch schneller an den Hängen nach oben. Bei Nacht dreht sich das Spiel um: Die Wände der Talflanken kühlen schnell ab, die Luft sinkt nahe den Wänden zu Tal und steigt in der Talmitte nach oben. In langen tiefen Tälern gibt es außerdem noch eine Windbewegung längs des Tals. Solche Talwinde wehen häufig heiß und stetig, wirbeln Staub auf. Die Bäume wachsen sogar nach diesem Wind. Solche Talwinde legen sich nach Sonnenuntergang; dann gibt es nur noch die bereits beschriebenen Hangwinde.

Man nennt die den landschaftlichen Gegebenheiten angepaßten Winde »orographische« Winde. Von ihnen gibt es einige, die ganz besondere Bedeutung haben. Dazu rechnen die Transgebirgswinde – von denen wir den Föhn am ehesten kennen. Über den Föhn wird ausführlich in Anh. 1 berichtet. Transgebirgswinde verlieren ihre Feuchtigkeit durch Ausregnen, wenn sie an den Gebirgswänden aufsteigen, und wehen dann warm und trokken auf der anderen Seite hangabwärts. Der Chinook oder der Zonda sind andere solcher warmen, trockenen Gebirgswinde. Es gibt aber auch kalte Gebirgswinde: Die Bora (Tab. 7) rechnet dazu, ein Wind, der aus den Steppen Rußlands, durch die ungarische Ebene, über Kämme der flachen Julischen Alpen und des Dinarischen Gebirges weht und an den seeseitigen Hängen entlang auf die dalmatinische Ebene herab und danach über die Adria; dort frischt er die Wellen auf und wird von den Seeleuten Fumara genannt. Auch der Mistral ist ein solcher Bora-artiger Wind, der vom Zentralplateau in Frankreich nach Burgund und durchs Rhonetal bläst. Es ist ein ungestümer und schrecklicher Wind: Er kann einen Mann vom Pferd wehen, Heuwagen umwerfen oder Scheiben eindrücken.

Die Klassifizierung der Windgeschwindigkeiten nach der Beaufort-Skala zeigt Tab. 8.

Der wichtigste der regionalen Winde ist der Monsun (arabisch: »mausim«, Jahreszeit). So heißen die jahreszeitlichen Winde im Arabischen Meer und im nördlichen Indischen Ozean, die sechs Monate lang aus Nordosten wehen, dann umdrehen und ebenso stetig sechs Monate lang aus Südwesten blasen. Im Mittleren und

Tabelle 8 *Die Beaufort-Skala (nach dem englischen Admiral Beaufort, 1806)*

Wert	Beobachtung	Windgeschwindig-keit [km/h]	Wirkung
0	still	0–1	Windstille, Rauch steigt senkrecht empor
1	leiser Zug	1–5	Windr. durch Rauch angezeigt
2	leichte Brise	5–12	Blätter säuseln, Zweige bewegen sich
3	schwache Brise	12–20	Blätter, Zweige bewegen sich
4	mäßige Brise	20–28	Hebt Staub auf, Papier
5	frische Brise	28–38	Kleine Bäume schwanken
6	starker Wind	38–49	Schaumköpfe auf See Starke Äste in Bewegung
7	steifer Wind	49–61	Ganze Bäume in Bewegung
8	stürmischer Wind	61–74	Zweige brechen
9	Sturm	74–88	Kleinere Schäden an Häusern
10	schwerer Sturm	88–102	Schaden an Häusern, entwurzelt Bäume
11	okanartiger Sturm	102–117	Verbreitet Sturmschäden
12	Orkan	>117	Schwere Verwüstungen

Fernen Osten hat der Monsun in Altertum und Mittelalter eine wichtige Rolle gespielt. Auch der Monsun ist ein See- und Landwind. Er ist jedoch nicht auf Küstenstriche beschränkt, sondern überstreicht weite Teile Südostasiens. Er folgt dem Sommer-Winter-Rhythmus. Im Sommer steigt die Luft über Land auf, feuchte Luft weht von See her auf das Land. Im Winter sind die Kontinente kühler als die Ozeane, so weht im Winter der trockene Wintermonsun vom Land aufs Meer.

Schließlich erwähne ich noch die Passate – großräumige Windsysteme zwischen den Wendekreisen, die, wie bereits erklärt, eine Folge der generellen thermischen Zirkulation der Erdatmosphäre sind.

Wolken und Nebel

Wolken sind Ansammlungen von in Luft schwebenden Wassertröpfchen und/oder Eisteilchen verschiedener Größe. Weil sie alle Wellenlängen des Lichts gleichermaßen reflektieren, erscheinen sie uns weiß. Graue Töne sind Folge von Schatten, rötliche Färbung nehmen sie an, wenn sie von Sonnenlicht angestrahlt werden, das lange Wege in der Atmosphäre zurückgelegt hat und durch diffuse Reflexion und Absorption beeinflußt worden ist, so bei Sonnenaufgang und Sonnenuntergang. Der Schwebezustand der Wolkenteilchen wird durch Auftrieb in vertikalen Luftströmungen innerhalb der Wolke aufrechterhalten.

Wolken wurden schon früh klassifiziert, zuerst von J. B. Lamarck (1744–1829). Heute unterscheidet eine international verabredete Klassifikationsregel vier Wolkenfamilien:

• Hohe Wolken in 6–18 km Höhe in den Tropen, in 5–13 km Höhe in mittleren Breiten und in 3–8 km Höhe im Polargebiet.

• Mittelhohe Wolken nennt man die oberhalb von 2 km Höhe und unterhalb der hohen Wolken liegenden Formationen.

• Tiefe Wolken nennt man die tiefer liegenden Wolken.

• Vom Boden sich bis zu wechselnden Gipfelhöhen erstreckende Wolken bilden eine vierte Gruppe.

Hohe Wolken (Abb. 33) nennt man auch Zirren, Schleier- oder Federwolken. Zirren bestehen aus Eiskristallen. Das Auftreten von Halo-Erscheinungen (vgl. dazu Kap. 5) ist an ihr Vorhandensein geknüpft. Zirrusbewölkung hellt den Himmel auf (der Himmel ist dann heller als an wolkenlosen Tagen). Man unterscheidet Zirrus, Zirrokumulus und Zirrostratuswolken. Sie treten häufig als Schlechtwetterboten in Erscheinung, ihr Auftreten deutet auf aufgleitende Warmluft oder auf Labilität in der oberen Troposphäre hin.

Mittelhohe Wolken charakterisiert man durch das Bestimmungswort »Alto« vor den Gattungsnamen: Altostratus, Altokumulus. Altostratuswolken sind erkennbar als graue dichte Bewölkung, die meist vor Beginn und am Anfang von anhaltenden Regenfällen auftritt. Die Schichtdicke ist oft gering, so daß bei niedrigem Sonnenstand die Wolken von unten beleuchtet sein können. Altokumuluswolken sind als Schäfchenwolken bekannt; sie sind Kennzeichen nahegelegener Aufgleitvorgänge, daher häufig Vorboten von Landregen.

Tiefe Wolken unterteilt man in Stratus, Kumulus und Stratokumulus. Es sind Wolken mit unterschiedlicher vertikaler Erstreckung, die das Kondensationsniveau gerade überschritten haben. Sie liefern manchmal keine besonders ergiebigen Niederschläge, allenfalls feinen Nieselregen, bei größerer Vertikalausdehnung jedoch heftigen Regen (dichter Stratus) oder Regenschauer (hochreichende Kumuluswolken).

Nimbostratus nennt man Stratuswolken, die sich über große Höhenbereiche erstrecken. Das sind die richtigen, meist gleichmäßig dunklen Regenwolken, aus denen speziell im Zusammenhang mit einer Warmfront ergiebiger Niederschlag über längere Zeit (Landregen) fallen kann. Kumulus (Haufenwolken) sind bei flacher Erstreckung Schönwetterwolken, sie und ihre mächtigen Schwestern, die Kumulonimbuswolken, sind Gewitterwolken. Sie sind unten meist flach (Kondensationsniveau). In ihrem Innern und unterhalb ihrer Basis treten mächtige Aufwinde auf, die der Segelflieger unterhalb der Wolke nutzt (innerhalb der Wolke wäre das Fliegen für Segelflieger zu gefährlich). Sie entstehen aus kleinen Warmluftblasen, die sich an warmen Tagen in Bodennähe ablösen und rasch aufsteigen. Abb. 21 erläutert dies. Kumulonimbuswolken reichen in so große Höhe, daß in ihren oberen Zonen bereits Vereisung einsetzt. Aus diesen sehr kalten Teilen fällt oft Graupel oder Hagel aus. Die Hagelkörner können um so größer werden, je mächtiger die Aufwinde in der Wolke sind – die Körner werden vom Aufwind getragen und können dann sehr lange in der Höhe bleiben und wachsen, in der die Wachstumsbedingungen günstig sind. Die Körner wachsen so lange, bis ihre Masse so groß geworden ist, daß der Aufwind die Schwerkraft nicht mehr kompensieren kann. Dann fallen die Körner – oft bis zum Boden. Die Vereisungskappe hoch oben in der Kumulonimbuswolke entsteht, wenn die Wolke bei ihrer Expansion nach oben an der Tropopause gestoppt wird und sich horizontal weiter ausbreitet – dies ergibt die spezielle Form dieser Eiskappe, die man auch Eisamboß nennt – wohl in Anlehnung an die Vorstellung einer »Hagelschmiede« –, aber auch weil die Wolke dort oft die Form eines Schmiedeambosses annimmt. Abb. 33 illustriert das.

Einzelheiten der Wolkenklassifizierung sind in einschlägigen Handbüchern zu finden und sollen hier nicht weiter besprochen werden. Diese Bücher sind auch reich bebildert (vgl. die Hinweise auf weiterführende Literatur zu Kap. 4). Eine Vorstellung über die globale Wolkenbedeckung im Januar und im Juli vermittelt Tafel 2.

Zur Wolkenbildung bedarf es geeigneter Kondensationskerne. Stark hygroskopische Kerne sammeln Wasserdampf und führen zur Dunstbildung. Als Kondensationskerne wirken häufig Salzteilchen aus den Ozeanen (Teilchendichten von $10^3 \ldots 10^6$ Teilchen/cm^3), die hygroskopisch sind, aber auch andere geeignete mikroskopisch kleine Staubteilchen. Die Dichte der Wolkentropfen beträgt zwischen 100 und 800 pro cm^3.

Bei der Tropfenbildung in Wolken dominiert bei kleinen Tropfen das Wachstum durch Kondensation, bei großen das durch Koaleszenz, das Zusammenfließen von Tropfen. Betrachtet man aber das Fallen von Tröpfchen, so wundert man sich eigentlich, warum, außer am Beginn von Gewittern, Regen aus so vielen kleinen Tröpfchen besteht. Dies ist darauf zurückzuführen, daß fallende Tropfen durch zwei Effekte daran gehindert werden, sehr schnell zu wachsen und groß zu werden. Der erste hat damit zu tun, daß bei kleinen Tröpfchen die Oberflächenspannung sehr groß sein kann, so daß die Tröpfchen einander wie Tennisbälle abstoßen. Der zweite hat damit zu tun, daß jeder fallende Körper ein Luftpolster vor sich herschiebt, das Tröpfchen, die im Wege stehen, zur Seite räumt (Fliegenklatscheneffekt – deshalb hat die Klatsche Löcher).

Eine besondere Wolkenart kennen wir als Nebel. Er besteht aus kleinen Wassertröpfchen mit 2–50 µm Durchmesser. In dichtem Nebel kann die Wassermenge durchaus 1 g/m^3 betragen, in lichtem Nebel ist sie eher 0,02 g/m^3. Die Nebeltröpfchen sinken langsam zu Boden (mit 0,3 cm/s fällt ein Tropfen von 10 µm Durchmesser, der doppelt so große Tropfen bereits mit der vierfachen Geschwindigkeit); dies wird aber oft durch aufsteigende Luft verhindert oder durch ständig neue Kondensation kompensiert. Nebel bildet sich oft auch bei einer relativen Feuchte von weniger als 100 % – wenn nämlich geeignete Kondensationskerne vorhanden sind.

Man unterscheidet nach ihrer Entstehung verschiedene Nebeltypen:

Der *Strahlungsnebel* entsteht durch nächtliche Abkühlung der Erde und der unteren Atmosphäre (Bodennebel), wenn die Feuchte der Luft groß genug ist, daher meist über feuchtem Grund, in engen Tälern, wo kalte Luft an den Berghängen herabgleitet. Wind behindert die Nebelbildung, weil er die mit Feuchtigkeit angereicherte Luft wegtransportiert. In ruhiger Luft entsteht eine dünne Nebelschicht über dem Erdboden. Wenn jedoch eine leichte Brise für Turbulenz sorgt, kann sehr dichter, oft 100 m mächtiger Nebel entstehen. Solche Situationen findet man häufig nach Sonnenaufgang vor. Steigende Erwärmung durch die Sonne löst diesen Nebel dann rasch auf.

Der *Advektionsnebel* bildet sich, wenn feuchte Luft über kalte Flächen zieht (z. B. Seenebel).

Der *Eisnebel* besteht aus Eiskristallen, die sich in Luft bei Temperaturen unter − 30 °C bilden (sehr selten in außerarktischen Gebieten).

Nebel kann aber auch entstehen durch Verdampfung von warmem Wasser (kühle Nacht nach warmem Tag an einem See). Auch warmer Regen, der durch kühle Luft fällt, erzeugt einen dampfartigen Nebel.

Nebel kann künstlich beseitigt werden. Eine Methode ist das

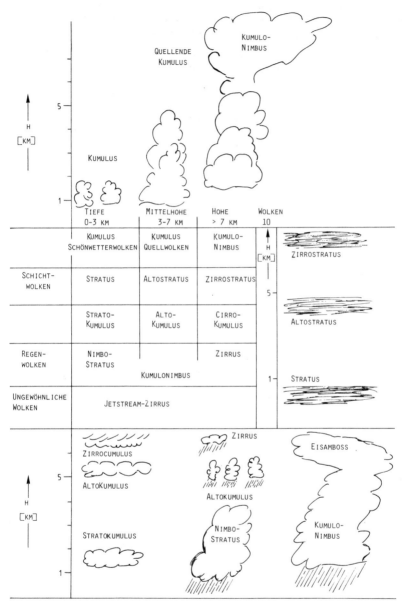

Abbildung 33 *Zur Klassifizierung von Wolkenformen*

Wegblasen (in der Arktis aussichtsreich). In subtropischen Gegenden oder auf Flugplätzen werden Ölfeuer benutzt, um die Luft zu erwärmen. Eine weitere gebräuchliche Methode besteht darin, die Koagulation der Nebeltröpfchen durch Aussäen geeigneter Katalysatoren (Stoffe, die die Oberflächenspannung herabsetzen) zu bewirken; die größeren Tröpfchen sinken dann schneller zu Boden. Gelegentlich hat man auch schon Trockeneispulver (festes CO_2) in den Nebel geblasen, um die Nebeltröpfchen in Eiskristalle zu verwandeln.

Kapitel 5   Vom Regenbogen zum Polarlicht: Optische Erscheinungen in der Atmosphäre

Wenn die Sonne sinkt, bildet sich zuweilen ein farbenprächtiges Schauspiel, bei dem der glühende Feuerball inmitten purpurn leuchtender Wolkentürme am Horizont verschwindet. Auch wenn sie aufgeht, wenn die »rosenfing'rige Morgenröte am Himmel erwacht«, glüht es am Horizont. An manchen Tagen sehen wir Halos am Himmel, Regenbögen viel häufiger; Nordlichter schließlich und dem bloßen Auge nicht sichtbares Himmelsleuchten (airglow) runden das Spektrum der optischen Erscheinungen in der Atmosphäre ab. Von Satelliten aus sieht man die schwach leuchtende Atmosphäre nach Sonnenuntergang wie in Tafel 1 unten gezeigt.

Warum ist der Himmel blau? Warum sind Sonnenuntergänge mitunter glühend rot? Das mag sich schon mancher gefragt haben, ohne gleich eine brauchbare Erklärung bei der Hand gehabt zu haben. Früher nahmen die Menschen für Unerklärliches den lieben Gott in Anspruch oder auch spezielle Götter oder einen Geist. In aller Irrationalität, die Menschen gelegentlich heimsucht, offenbart sich merkwürdigerweise immer wieder das Bestreben, Logik gelten zu lassen und beobachtete Wirkungen mit wie auch immer beschaffenen Ursachen in Verbindung zu bringen. Das ist so bei manchen Wetterregeln, für Kometen galt das (ich hoffe zuversichtlich, daß die Natürlichkeit der Erscheinung des Halleyschen Kometen durch die aus großer Nähe erhaltenen Photographien für jedermann glaubhaft bewiesen worden ist, vgl. z. B. [18]), und das gilt auch für die optischen Erscheinungen in der Atmosphäre.

Lichtstreuung

Der *Himmel ist blau*, weil das blaue Licht stärker gestreut wird als das rote. Das ist in Kap. 7 ausführlich erklärt. Ebenso beruht der rote Sonnenuntergang auf der geringeren Streuung der roten Anteile im Licht. Rauch, der aus mikroskopisch kleinen Asche- und Staubpartikeln besteht, erscheint bläulich, wenn das Sonnenlicht auf eine solche Rauchwolke fällt – aus demselben Grunde. Die Staubteilchen sind es, die die Streuung des Lichtes verursachen.

Aristoteles hatte eine erste Erklärung des Regenbogens versucht: Die Reflexion des Sonnenlichts an Wolken ergäbe, meint er, einen Kreiskegel von Regenbogenstrahlen. Damit konnte er die Kreisform erklären und deutlich machen, daß es sich um ein mit Hilfe von Geometrie erklärbares Phänomen handeln müsse. Alexander von Aphrodisias, ein Grieche, beschrieb um 200 v. Chr. zum ersten Mal den Doppelbogen: Von einem inneren Bogen, dessen innerer Rand blau, dessen äußerer Rand rot erscheint, ist ein äußerer Bogen, dessen Farben in umgekehrter Reihenfolge erscheinen (innen rot), durch einen dunklen Streifen – Alexanders dunkles Band genannt – getrennt.

Aristoteles (384–322 v. Chr.), der große griechische Philosoph, verfaßte ein Lehrbuch über »Meteorologie«, in dem er die atmosphärischen Phänomene beschrieb: Meteoritenfälle, Wolken, Regenbogen, Halo um Sonne und Mond, Blitz und Donner sowie die vielfältigen Lichterscheinungen am Himmel. Unter anderem erwähnt er eine Art Licht, das weit in die Atmosphäre hineinschieße und ihn an die Flammen brennender Gase erinnerte – damit konnte er, der Grieche (!), eigentlich nur das Polarlicht gemeint haben, auf das ich unten eingehen werde.

Der Regenbogen

Beschreibungen optischer Erscheinungen und Erklärungsversuche gibt es also seit langem. Der englische Naturforscher Roger

118

Bacon (1219–1292) wußte bereits, daß der innere Regenbogen unter einem Winkeldurchmesser von 42°, der äußere unter 50° erscheint. Im Jahr 1304 bemerkte der Mönch Dietrich von Freiberg (1250–1310), daß bereits ein Wassertropfen einen Regenbogen erzeugen kann. Aber erst René Descartes (1596–1650) war in der Lage, den Regenbogen mit Hilfe der Reflexionsgesetze der geometrischen Optik als Reflexion von Lichtstrahlen in Wassertropfen zu erklären (Abb. 34). Tritt nämlich ein Lichtstrahl in einen Wassertropfen nahe dessen Rand ein, so wird er im Innern total reflektiert. Jedesmal, wenn der reflektierte Lichtstrahl auf die Oberfläche trifft, tritt ein Teil des Lichts nach außen, der Rest wird erneut reflektiert (vgl. Abb. 35).

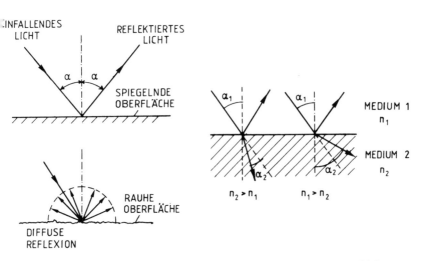

Abbildung 34 *Zur Erläuterung von Reflexion und Brechung von Licht. Die Skizze links unten erläutert die diffuse Streuung.*

Ein Lichtstrahl wird beim Eintritt in das optisch dichtere Medium (das ist das mit dem größeren Brechungsindex) zum Einfallslot hin gebrochen, beim Eintritt in das optisch dünnere Medium aber vom Einfallslot weggebrochen. Mathematisch wird dieser Sachverhalt durch das Brechungsgesetz

119

$$\frac{\sin \alpha_1}{\sin \alpha_2} = \frac{n_2}{n_1} \qquad (5)$$

beschrieben (vgl. Abb. 34). Ist der Einfallswinkel α größer als α_0, dann kann das Licht nicht mehr in das angrenzende Medium eintreten – es erfolgt Totalreflexion. Die Bedingung dafür ist also

$$\sin \alpha_0 = \frac{1}{n} \qquad (6)$$

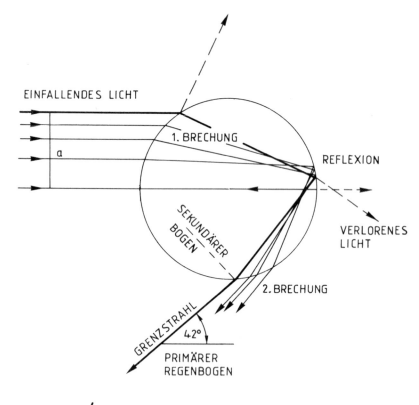

Abbildung 35 *Zur Entstehung des Regenbogens (Näheres im Text)*

Man nennt den Winkel α_0 den Brewsterschen Grenzwinkel. Zur Totalreflexion kommt es also nur, wenn das Licht die Grenzfläche vom optisch dichteren Medium her trifft ($n_2 < n_1$). An der Grenzfläche Wasser–Luft ist dieser Grenzwinkel etwa $48,5^0$. Auch der Taucher kennt das, wenn er aus der Tiefe zur Wasseroberfläche nach oben blickt: Von einem bestimmten Winkel an erscheint ihm die Wasseroberfläche als Spiegel.

Brechung ist auch abhängig von der Wellenlänge des Lichts: Violettes Licht wird stärker gebrochen als rotes Licht, erfährt daher auch die stärkste Ablenkung. Der innere Rand des inneren Regenbogens ist darum violett, der äußere rot. Die Brechungswinkel, unter denen das Licht überwiegend aus dem Tropfen austritt, häufen sich um $41-42^o$.

Betrachten wir parallel einfallende Lichtstrahlen, die in verschiedenen Abständen a von dem durch den Tropfenmittelpunkt gehenden Strahl eintreffen (Abb. 35). Ein Teil des durch den Mittelpunkt gehenden Lichtes wird in sich selbst reflektiert ($\alpha = 180^o$). Mit wachsendem Abstand a nimmt der Ablenkwinkel zunächst ab, erreicht, wenn a = $\frac{7}{8}$ r erreicht, ein Minimum (ca. 138°), um bei größeren Abständen wieder zuzunehmen. Wir sehen daher mehr Licht aus der Richtung kommen, die den kleinsten Ablenkwinkeln entspricht (die dadurch und natürlich auch durch den Sonnenstand – was ihre Höhe anlangt – bestimmt werden).

Die Intensität des reflektierten Lichts ist daher dort am größten, wo sich der Winkel nur langsam mit a ändert, also um 138° und um 130° herum. Darum »sieht« man den Regenbogen so. In den Bereich zwischen den beiden Bögen wird kein Licht gestreut, darum ist dieses Band (Alexanders Dunkelband) in der Tat dunkel, sogar dunkler als die Umgebung, weil diese ja tatsächlich durch reflektiertes Licht mit kleinen a-Werten etwas aufgehellt wird.

Wenn Licht durch eine Wolke von vielen kleinen Tröpfchen fällt, gelten für jedes Tröpfchen dieselben geometrischen Bedingungen. Der Himmel wird also insgesamt etwas aufgehellt, und in der Umgebung des Regenbogenwinkels erscheint ein heller Bogen, der zur hellen Seite hin langsam schwächer wird, an der dunklen Seite (rot) aber rasch abnimmt.

Der sekundäre Bogen ist in der Regel schwächer als der primäre, auch nicht so oft zu sehen. Die Farben des Regenbogens erklärte Isaac Newton bereits 1666 mit seinem Prismenexperiment. Allerdings muß eine strenge Theorie die Wellennatur des Lichts mitberücksichtigen, ebenso seine Polarisation – dann kann das Phänomen Regenbogen exakt beschrieben werden [18]. Ich möchte das an dieser Stelle aber nicht vertiefen. Eine Bemerkung scheint jedoch angebracht: Verfolgt man nahe beieinander liegende Lichtstrahlen, so sieht man, daß deren optische Wege im Wassertropfen etwas verschieden sind, daß, mit anderen Worten, Interferenz eine bestimmte Rolle spielen muß. Eine solche verfeinerte Betrachtungsweise ergibt eine Abhängigkeit der Erscheinung vom Tropfendurchmesser. In größeren Tropfen ändern sich die Wellenlängenunterschiede sehr viel schneller mit dem Parameter a, darum wird dann der Winkelabstand der verschiedenen Wellenlängen kleiner – der Bogen wird milchig weiß oder verschwindet ganz. Da Regentropfen im Fallen wachsen, versteht man, warum primärer und sekundärer Bogen am höchsten Punkt der Bögen (wo die Tropfen am kleinsten sind) am besten auszumachen sind.

Wer fliegt, sieht oft den Schatten des Flugzeugs auf tiefer liegenden Wolkenschichten, umgeben von farbigen Ringen – blau am inneren, rot am äußeren Rand. Diese Lichterscheinung nennt man *Glorie*. Der innere Ring hat einen Durchmesser von 2–3°. Ein auf eine Nebelwand geworfener Schatten ergibt dasselbe Phänomen. Ein so beleuchteter Kopf scheint von einem Ring umgeben, einem »Heiligenschein«. Vermutlich entstand die Darstellungsweise »heiliger« Personen in der Malerei mit Heiligenschein aus solchen Beobachtungen. Die Erklärung des Phänomens knüpft unmittelbar an die des Regenbogens an. Das auf kleine Tröpfchen fallende Licht kann unter speziellen Bedingungen reflektiert werden. Dazu betrachten wir den Randstrahl in Abb. 35. Dessen Auftreffpunkt an der Tropfenrückseite liegt 82,8° vom Eintrittspunkt des Lichtstrahls entfernt, der zweite

Auftreffort liegt 14,4° hinter dem Durchmesser zum Auftreffpunkt des Einfallsrandstrahls. Um jedoch die Glorie zu erklären, muß man der geometrischen Betrachtungsweise etwas hinzufügen: In der Oberfläche des Tröpfchens selbst läuft noch ein Teil der Lichtintensität in Form einer Oberflächenwelle, deren optische Weglänge etwas größer ist als die des reflektierten Lichts. Sie vermag also mit dem mit ihr ursprünglich phasengleichen (kohärenten) Licht des reflektierten Strahlteils zur Interferenz zu kommen: Gewisse Richtungen werden ausgelöscht. Das hängt stark ab vom Tropfenradius, aber auch von der Wellenlänge. Die so entstehende optische Erscheinung ist daher konzentrisch-symmetrisch zum Beobachter und farbig. So entstehen Ringe, deren Durchmesser 1,2°, 3,0°, 4,9° und 8,3° betragen, abhängig im Prinzip von der Zahl der Umrundungen, die das Licht im Tropfen zurücklegte, ehe es aus dem Tropfen wieder austrat. Der Durchmesser der Ringe hängt außerdem auch noch etwas vom Tropfenradius ab.

Fata Morgana

Eine einfache Spiegelung dagegen führt zur *Fata Morgana*. Abb. 36 erläutert dies. Diese Erscheinung ist der Abhängigkeit des Brechungsindex der Luft von ihrer Dichte und ihrem Feuchtigkeitsgehalt zuzuschreiben. Da die Dichte abhängig ist von der Temperatur, ist einsehbar, daß solche Erscheinungen vom Temperaturgradienten in der Luft abhängen, also von der Änderung der Temperatur mit der Höhe über Grund. Ändert sich nämlich der Brechungsindex der Luft mit der Höhe, dann breitet sich das Licht nicht mehr gradlinig, sondern auf gekrümmten Wegen aus. Nimmt die Temperatur mit der Höhe ab, beschreiben die Lichtwege zur Erdoberfläche hin gekrümmte Parabeln. Die Krümmung ist immer so, daß die kalte, dichtere Luft auf der Innenseite des gekrümmten Lichtweges liegt. Das Umgekehrte gilt für eine Temperaturverteilung, bei der die Temperatur mit der Höhe zunimmt. Das Bild eines Objekts erscheint daher gegenüber dem

Objekt selbst verschoben, und zwar so, daß das Bild immer in Richtung zur wärmeren, weniger dichten Luft hin verschoben erscheint. Je nachdem wie die Temperaturschichtung der Luft zwischen Objekt und Beobachter ausgebildet ist, kann es zu mehr oder weniger komplizierten Erscheinungen kommen. Flächen gleicher Temperatur können über einem besonders stark geheizten (z. B. schwarzen) Körper erheblich verzerrt sein, so daß Lichtstrahlen nicht nur einfach, sondern auch mehrfach gekrümmt sein können. Der Abbildungsmaßstab kann überdies für verschiedene Teile eines Gegenstandes verschieden sein, so daß das Bild vom Objekt stark abweicht. Ist die Temperaturverteilung nicht stabil, verändern sich die Luftwege sehr schnell: Unser Auge beobachtet Flimmern. Das kann jeder sehen, der an heißen Tagen flach über den Asphalt einer Straße blickt.

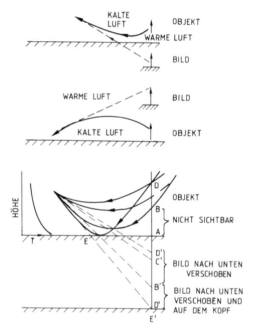

Abbildung 36 *Krümmung der Lichtstrahlen durch kontinuierliche Änderung des Brechungsindexes der Luft mit der Höhe*

Halos

Wenn Wassertröpfchen Anlaß zu optischen Erscheinungen geben, ist zu erwarten, daß mit Eiskristallen gewisse andere optische Erscheinungen in Zusammenhang stehen. Eiskristalle kommen natürlich auch in der Atmosphäre vor: Sie bilden sich in größeren Höhen bei Übersättigung der Atmosphäre mit Wasserdampf und gleichzeitig niedriger Umgebungstemperatur unter 0°C. Welcher spezielle Kristall sich dabei ausbildet, hängt von der Temperatur ab. Ist der Sättigungsgrad kleiner als 110%, bilden sich nur Plättchen oder Stäbchen. Andere Formen entstehen, wenn die Übersättigung bis 140% reicht und die Temperatur zwischen −5°C und −25°C liegt. Bei noch höherer Übersättigung bildet sich Eis so rasch, daß amorphes Material entsteht: irreguläre Nadeln bei −3°C, reguläre Nadeln um −7°C, bei −9°C sind es kurze Säulen, bei −12°C entstehen eher Plättchen, bei noch tieferen Temperaturen irreguläre Formen. Bei den säulenförmigen Kristallen sind gelegentlich an den Enden Pyramiden aufgewachsen oder Kappen.

Wenn Sonnenlicht auf ein Eisplättchen trifft, wird ein Teil des Lichts reflektiert, ein anderer gelangt in das Innere des Plättchens und verändert wegen der Brechung seine Richtung. Diese ist wie beim Prisma von der Wellenlänge abhängig; wir erwarten daher auch hier Farbeffekte.

Eis kommt in der Atmosphäre in Gewitterwolken vor – dann sind die Eisteilchen sehr groß und, weil im Wolkeninneren entstanden, unsichtbar. In größeren Höhen entstehende Eiskristalle sind sehr viel kleiner – zum Beispiel in Zirruswolken. Diese Wolken sind außerdem sehr dünn, so daß man durch sie hindurchsehen kann. Wir betrachten nun Lichtstrahlen, die in einer solchen Eiswolke an Eisteilchen reflektiert werden, und überlegen, welche Effekte dabei zustande kommen können. Wir nennen Lichterscheinungen, die im Zusammenhang mit Eisteilchen in der Atmosphäre entstehen, *Halo-Erscheinungen*. Kristalle in Zirruswolken haben typisch 20 μm Durchmesser. Ein hexagonaler Eiskristall ist also als eine sechseckige Säule vorzustellen; ist sie von geringer Höhe, sprechen wir von einem Plättchen. Beide Endflächen sind eben und 90° gegen die Symmetrieachse des Kristalls geneigt. In Abb. 37 erkennen wir, daß es zwei prinzipiell verschiedene Lichteintrittsmöglichkeiten geben kann, nämlich eine in einer Ebene, die die Symmetrieachse des Kristalls enthält, und eine senkrecht zu dieser Symmetrieachse, Im ersten Fall wird ein Lichtstrahl um 22°, im zweiten Fall um 46° aus seiner ursprünglichen Richtung abgelenkt.

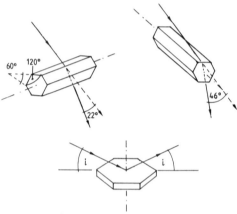

Abbildung 37 *Eiskristalle, die zur Entstehung von Halo-Erscheinungen führen*

Aerodynamische Kräfte sorgen in den Wolken dafür, daß Eisteilchen nicht völlig regellos orientiert bleiben, sondern um Vorzugsmittellagen hin- und herpendeln.

Nun möge Licht auf solche Kristalle treffen. Das wird bei verschiedenen Kristallen unter verschiedenen (wechselnden) Einfallswinkeln geschehen. Licht tritt daher auch in einem Bereich von Austrittswinkeln aus: zwischen größeren Winkeln und 22°. Zu dem Grenzwinkel von 22° tragen aber Lichtstrahlen bei, die aus einem größeren Einfallswinkelbereich stammen. Der kumulative Effekt für den Beobachter ist daher eine Kreisstruktur um die Lichtquelle herum, deren Winkeldurchmesser 22° beträgt, die eine scharfe innere Kante und eine diffuse äußere Begrenzung hat. Rotes Licht wird weniger stark gebrochen – deshalb ist der innere Rand rot. Da zu dem Halo Lichtstrahlen aus vielen Kristallen beitragen, verwischen sich die Farben nach außen hin; der Ring erscheint weißlich, nur der innere Rand bleibt rot.

Die oben beschriebene 46°-Ablenkung ist ebenso wie die 22°-Ablenkung ein Minimalwert. Entsprechend zeigt auch der 46°-Halo einen scharfen roten inneren Rand und eine diffuse Grenze nach außen. Eine genauere Analyse lehrt, daß der 46°-Halo wegen der aerodynamischen Eigenschaften fallender Eisprismen nur von Prismen im Durchmesserbereich zwischen 15 und 25 μm entstehen kann. Weder Plättchen noch prismatische Säulen, die etwa als Folge zu schnellen Wachstums nicht gut gebaut sind, vermögen den 46°-Halo zu erzeugen. Wegen dieser Einschränkungen sollte dieser Halo seltener beobachtbar sein als andere – was auch der Fall ist. Generell kann man festhalten, daß kreisförmige Halos von statistisch beliebig orientierten Eiskristallen hervorgerufen werden, wogegen nach einer Vorzugsrichtung orientierte eher Bögen und Flecken erzeugen.

Häufig sind *Nebensonnen* zu beobachten – das sind helle Flecken im 22°-Abstand zu beiden Seiten der Sonne. Für ihr Zustandekommen sind ebenfalls hexagonale Kristalle verantwortlich, die jedoch zu großen Plättchen gewachsen sein müssen, so daß sich ihre Orientierung durch aerodynamische Kräfte vorwiegend mit vertikaler Symmetrieachse einstellt. Wegen dieser Vorzugsorientierung im Raum liegen Nebensonnen etwas außerhalb des 22°-Halos. Entsprechend gibt es Nebensonnen zum 46°-Halo, die jedoch äußerst selten zu beobachten sind. Überhaupt sind Halos im Mittel nur an etwa hundert Tagen im Jahr zu sehen. Es gibt noch einen 8°-Halo, der von eher kugelförmigen Eiskristallen hervorgerufen wird. Diese Kristallform ist in der Lage, auch einen 17°- und 90°-Halo-Bogen zu erzeugen, beide sind aber sehr, sehr selten zu sehen.

Dieselben Kristalle können auch einen Kreis um den Zenit erzeugen: den *Zirkumzenitalbogen*, der aber nicht gesehen werden kann, wenn der Erhebungswinkel der Sonne weniger als 32° beträgt. Bei 32° Elevation wird das Licht senkrecht nach unten gelenkt – der Zirkumzenitalbogen schrumpft zum hellen Fleck im Zenit. Andere Formen sind der *Horizontalbogen*, die häufig zu sehende Lichtsäule, die bis zu 30° über und unter der Sonne zu sehen sein kann. Man kennt *Gegensonnen* und *Nebengegensonnen*, die in gleicher Höhe wie die Sonne entstehen, jedoch in einem Azimut-Winkelabstand von 180° beziehungsweise 120°. Abb. 38 gibt einen Überblick über die am häufigsten zu beobachtenden Halo-Erscheinungen. Den interessierten Leser möchte ich wegen näherer und sehr viel ausführlicherer Erklärungen auf [18] und das Buch von Perntner-Exner über »Meteorologische Optik« verweisen. In Tab. 9 sind die wichtigsten Merkmale der Halo-Erscheinungen noch einmal zusammengestellt.

Der *Grüne Strahl* (green flash): Wenn die Sonne versinkt, taucht für Bruchteile einer Sekunde ein grünes Band am oberen

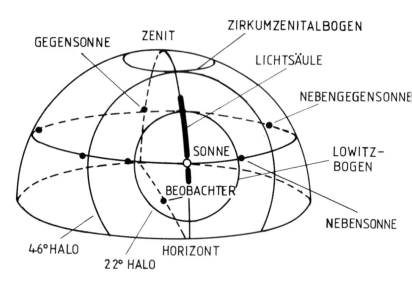

HALO-ERSCHEINUNGEN

Abbildung 38 *Zusammenstellung der häufigsten Halo-Formen. Der Beobachter ist im Mittelpunkt der Kugel zu denken, die Erscheinungen sind auf die Kugelfläche projiziert.*

128

Tabelle 9 *Die häufigsten Halo-Formen*

Bezeich-nung	Erschei-nungsform	Kristallart	Orientierung der Kristalle im Raum	Bemerkun-gen
8°- und 17°-Halo	Kreise um Sonne oder Mond	kugelförmig	statistisch	sehr selten
22°-Halo	Kreisbogen um Sonne oder Mond	kleine Stäb-chen oder Plättchen	statistisch	relativ oft zu sehen
46°-Halo	Kreisbogen um Sonne oder Mond	kleine Stäb-chen	statistisch	selten
Neben-sonne zum 22°-Halo	helle Flecken in gleicher Höhe wie Sonne oder Mond	kugelige Kri-stallstäbchen mit aufge-wachsenen Kappen	vertikal	nur bei Son-nenstand un-ter 60° Ele-vation, 22°-Halo häufi-ger sichtbar
Horizontal-bogen	horizontaler Kreisbogen durch Sonne oder Mond	mittlere Plättchen oder Stäb-chen	vertikal	weiß, häufig
Zirkum-zenital-bogen	horizontaler Bogen um Zenit	mittlere Plättchen oder Stäb-chen	vertikal	nur sichtbar bei Elevation von Sonne oder Mond über 60°
Zirkum-horizontal-bogen	horizontaler Bogen unter-halb von Sonne oder Mond	mittlere Plättchen oder Stäb-chen	vertikal	nur sichtbar bei Elevation von Sonne od. Mond über 60°
Lichtsäule	senkrechter Bogen durch Sonne oder Mond	große Plätt-chen	vertikal	weiß, oft zu sehen, wenn Sonne oder Mond nahe am Horizont

Rand der Sonne auf. Durch Dispersion und Streuung des Lichts in der Erdatmosphäre werden die Orange- und Gelbanteile stark absorbiert, Blau und Violettanteile dagegen stark gestreut – nur der mittlere Spektralbereich Grün, weniger absorbiert und weniger gestreut, bleibt übrig. In hohen Breiten ist der Grüne Strahl im Mitsommer zuweilen eine Viertelstunde lang zu beobachten (die Sonne muß dazu gerade unter den Horizont gehen).

Leuchtende Nachtwolken

Leuchtende Nachtwolken sind Staubschichten in großer Höhe, die von der bereits unter dem Horizont stehenden Sonne beleuchtet werden und daher schwach leuchten [19]. 1883, als der Vulkan Krakatau in der Sundastraße ausgebrochen war, wurden riesige Mengen Staub in die Stratosphäre geschleudert, so daß überall auf der Erde außerordentlich farbenprächtige Sonnenuntergänge zu sehen waren. Dieses Phänomen hat – wiederum – Benjamin Franklin zuerst mit der Existenz von feinem Staub in der Hochatmosphäre in Verbindung gebracht. Danach begannen Wissenschaftler sich systematisch der Erforschung der hohen Atmosphäre zuzuwenden.

So kommt es, daß man erst 1885 auf das weniger augenfällige Phänomen der *leuchtenden Nachtwolken* stieß. Der Berliner Astronom Otto Jesse wies erstmals darauf hin, sammelte Beobachtungen, faßte das vorliegende Material 1886 zum ersten Mal zusammen. Er konnte die Höhe der Wolken bestimmen: etwa 80 km. Nach seinem Tode ging das Interesse an den Wolken zurück und erwachte erst im Internationalen Geophysikalischen Jahr 1957 wieder zu neuem Leben. Damals setzte sich der große amerikanische Geophysiker Sidney Chapman (1888–1970) sehr nachdrücklich für eine systematische Untersuchung des Phänomens ein.

Was wissen wir heute? Vorweg: nicht alles. Dazu mangelt es insbesondere noch an Kenntnissen über physikalische und chemische Prozesse in der Mesosphäre. Raketenmessungen, bei denen Staubteilchen aus der Höhenschicht der Wolken gesammelt worden waren, wiesen darauf hin, daß sich an die Teilchen Wassereis angelagert hatte. Die Herkunft des Staubes wird Mikrometeoriten zugeschrieben, die beim Eintritt in die Erdatmosphäre zum Teil verdampfen. Der verbleibende Rest kann dann in dem angegebenen Höhenbereich relativ lange verweilen. Die Nachtwolken treten verstärkt bei großen Kometen- und Meteoritenfällen auf. Bei Raketenmessungen konnte der Heidelberger Hugo Fechtig nach 1970 mit neuartiger Meßtechnik definitiv nachweisen, daß tatsächlich im Höhenbereich 85–90 km 3–5mal mehr Teilchen als in den Schichten darüber und darunter vorliegen. Gemessene Geschwindigkeitsprofile dieser Staubteilchen ließen auf Mikrometeoriten als Quellen schließen, denen sich Wasser als Eishülle angelagert hatte (die Temperaturen liegen in diesem Höhenbereich nahe $-90\,°C$). Wassercluster-Ionen scheinen also eine Voraussetzung für die Bildung leuchtender Nachtwolken zu sein. Weil Metallionen (Na^+, Mg^+, Fe^+) vorkommen, ist die Bildung von Metall-Wassercluster-Komplexen wahrscheinlich.

Luftleuchten

In mittleren Breiten kann man mit optischen Geräten eine weitere Leuchterscheinung beobachten: das *Airglow* (Luftleuchten). Bei 557,7 nm trägt dazu hauptsächlich die Emissionslinie des Sauerstoffatoms bei. Auch andere Linien sind zu sehen (vgl. Tab. 9): Stickstoff, Helium, Hydroxyl, Wasserstoff. Dieses Leuchten entsteht in Höhen zwischen 50 und 600 km. Etliche Linien, die am Airglow beobachtet werden können, lassen sich im Labor nicht erzeugen – es handelt sich um sogenannte verbotene Linien, die nach der Quantentheorie unter normalen Bedingungen von Atomen nicht emittiert werden dürften, die aber in der Natur vorkommen. Ihre Emission ist nur möglich, wenn »Hilfestellung« durch Dritte gewährt wird, das heißt wenn beim Stoß von Molekülen untereinander diese Bedingungen vorübergehend so verändert werden, daß metastabile Zustände entstehen.

Da Airglow auch des Nachts zu sehen ist, müssen unter den Anregungsmechanismen solche sein, die nicht auf Sonnenstrahlung zurückzuführen sind. Damit muß man unter den photochemischen Prozessen forschen, welche im Laufe der Nacht am Tag eingefangene Energie wieder freisetzen (Chemolumineszenz). Energie wird in den Photodissoziationsprodukten der Atmosphäre gespeichert. Daran beteiligt sind H, He, O, O_2, N_2^+, N, Na, OH. Zusätzlich treten im Erdmagnetfeld gespeicherte Elektronen (aus den Strahlungsgürteln) in Erscheinung. In mittleren Breiten tauchen deren Spiegelpunkte tief in die Atmosphäre ein, so daß die Teilchen dabei Anregung und/oder Ionisation verursachen können.

Das *Dämmerungsleuchten* unterscheidet sich spektral vom Tagesleuchten der Atmosphäre – als Folge veränderter Beleuchtungsverhältnisse in den hohen Schichten der Atmosphäre. Dabei treten zusätzlich Emissionen von Natrium, Kalium und Lithium auf, die auf Häufigkeitsverhältnisse wie 1000:5:1 schließen lassen. Das Verhältnis Na zu K beträgt in der Sonnenatmosphäre, in der Erdkruste wie in Meteoriten aber nur 47:1. Warum bei dem in Höhen von 90–100 km beobachteten Dämmerungsleuchten so ungewöhnliche Häufigkeitsverhältnisse vorliegen, ist nicht bekannt.

Das Polarlicht

Die wohl spektakulärste Himmelserscheinung ist das *Polarlicht*, dessen majestätische Schönheit sich mit Worten nur schwer beschreiben läßt. Aristoteles erwähnt in seinem Buch über »Meteorologie« [17], in dem er atmosphärische Phänomene (Meteoritenfälle, Wolken, Regenbogen, Halo um Sonne und Mond, Blitz und Donner) und die vielfältigen Lichterscheinungen am Himmel beschrieb, unter anderem ein Licht, das weit in die Atmosphäre hineinschieße und an die Flammen brennender Gase erinnert; er nennt es »chasmata«, das heißt »Spalte« (Seneca schreibt später über das Nordlicht, es seien »Spalten, als ob ein Teil des Himmels sich öffne« – in diesem Sinne ist »chasmata« wohl gemeint). Der amerikanische Astronom John Eddy konnte sich bei seinem Versuch, die Beobachtungsreihe der Sonnenfleckenrelativzahl in die Vergangenheit hinein fortzusetzen [20], auf die Berichte vieler Beobachter von Polarlichtern beziehen (diese sind in besonderer Weise mit von der Sonne ausgehenden Ereignissen verknüpft), auf Schiffstagebücher und vielfältige Aufzeichnungen von Gelehrten und von Laien. Eine ausgezeichnete moderne Schilderung der Geschichte unserer Kenntnis vom Polarlicht mit zahlreichen eindrucksvollen Bildern findet man in dem Buch von Brekke und Egeland.

Dem Betrachter gibt das Polarlicht Anlaß zu Staunen, Schauen und immer wieder Schauen. Da wird man nicht müde, kann sich ob des Formenreichtums, der bizarren raschen Veränderungen, der wechselnden Farben dem Zauber der Erscheinung einfach nicht entziehen, auch wenn man Nordlichter schon hundertmal gesehen hat. Da gibt es den ruhigen Bogen, ein leuchtendes Band, das sich von Horizont zu Horizont spannt, manchmal begleitet von mehreren parallelen Bögen. Um die lokale Mitternacht herum, wenn also der Meridian durch die Antisonnenrichtung geht, brechen die ruhigen Strukturen auf und machen aktiven Formen Platz: Strahlen, die weit herunterschießen, Bänder, wie von geheimen Winden bewegt, hin- und herflatternd, leuchtende grüne Draperien, an deren unterem Rand gelegentlich ein roter Saum auftaucht; blaue Formen, manchmal ins Weißliche spielend, zuweilen begleitet von einem merkwürdigen Geräusch – das ist die faszinierende Erscheinung des Polarlichts, das übrigens auf der Nord- und Südhemisphäre oft symmetrisch auftritt.

Diese Leuchterscheinungen treten überwiegend im Höhenbereich um 100 km auf. Sie beschränken sich auf die Polarlichtzone: ein den Pol umschließendes Oval, das man sich begrenzt denken kann von Linien gleicher geomagnetischer Breite. Polarlicht entsteht durch die Anregung von Atomen und Molekülen der oberen Atmosphäre durch Stoß mit Elektronen, die längs der in diesen Regionen fast senkrecht auf der Erdoberfläche stehenden magnetischen Feldlinien in die Atmosphäre vorstoßen können, wo sie dann auf Sauerstoffatome und Stickstoffmoleküle treffen (die dort am häufigsten vorkommen), sie anregen und zum Teil sogar ionisieren können. Die übertragene Energie wird als Licht wieder emittiert (vgl. Tab. 10).

Tabelle 10 *Polarlicht und Airglow-Linien*

Emittierte Linie (nm)	Farbe	Ursprung	
388,9	violett	Helium	(nur Airglow)
423,6	blau	Stickstoff	(N_2^+)
427,8		Stickstoff	(N_2^+)
465,2		Stickstoff	(N_2^+)
470,9		Stickstoff	(N_2^+)
486,1		Wasserstoff	(H_α)
500,1	grün	Stickstoff	(NII)
520,0		Stickstoff	(NI)
557,7		Sauerstoff	(OI)
630,0	rot	Sauerstoff	(OI)
636,4		Sauerstoff	(OI)
656,3		Wasserstoff	(H_β)
1083,0		Helium	(nur Airglow)
2,8 μm	infrarot	Hydroxyl	OH
4,0 μm	infrarot	Hydroxyl	OH

Diese Elektronen werden im Schweif der Magnetosphäre beschleunigt und längs der magnetischen Feldlinien bis in die Atmosphäre heruntergeführt, wo sie ihre Energie verlieren, sie umsetzen in optische Anregung und Ionisation und uns das Leuchten bescheren. Elektronen höherer Energie emittieren bei der Abbremsung Röntgenstrahlung, die sich sogar noch tief in der Atmosphäre (in 30 km Höhe) nachweisen läßt, während die meisten Elektronen schon in 100 km Höhe steckenbleiben.

Die erwähnten Beschleunigungsprozesse, auf die wir hier nicht eingehen können, sind Teil magnetosphärischer Teilstürme, bei denen sich im Schweif der Magnetosphäre gespeicherte Energie entlädt. Diese Energie wird vom Sonnenwind in die Magnetosphäre hineingetragen, stammt also letztlich auch von der Sonne. In meinem Buch »Sonne, Monde und Planeten« bin ich darauf näher eingegangen.

Kapitel 6   Donner, Blitz und Radiowellen: Elektrische Eigenschaften der Atmosphäre

Die Ionosphäre

Oberhalb der Stratosphäre wird die ultraviolette Strahlung der Sonne bereits so wenig geschwächt, daß sich am Tage dort höhere Dichten freier Elektronen ausbilden können. Deswegen spricht man auch von der Ionosphäre – weil die Ionisation des Mediums diesem zu besonders charakteristischen Eigenschaften verhilft. Abb. 39 zeigt den Verlauf der freien Elektronendichte mit der Höhe. In 60–90 km Höhe finden wir die D-Schicht.

In der E-Schicht (zwischen 90 und 150 km Höhe) dominieren die Molekülionen O_2^+ und NO^+ – Ionen des Stickstoffmoleküls

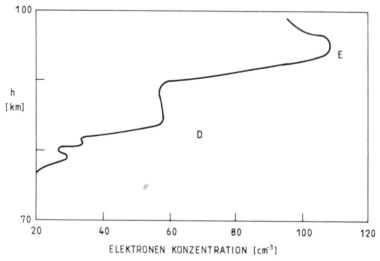

Abbildung 39 *Variation der freien Elektronendichte mit der Höhe*

spielen keine Rolle, weil diese sehr schnell mit Sauerstoff rekombinieren.

In der F-Schicht (oberhalb von 150 km Höhe), wo die Lichtverhältnisse unter 250 nm wichtig werden, wird das Sauerstoffmolekül O_2 zu atomarem Sauerstoff dissoziiert (gerade deshalb wird das extrem kurzwellige Licht in dieser Höhe absorbiert!):

$$O_2 + h\nu \rightarrow O + O; \quad \lambda < 250 \text{ nm}$$

Die wichtigsten Ionen, die durch Photoionisation in der oberen Ionosphäre entstehen, sind N_2^+, O_2^+ und O^+ sowie in geringen Höhen NO^+.

O^+ rekombiniert nicht sehr schnell mit freien Elektronen; häufiger vollzieht sich der Ladungstausch mit einem neutralen Atom oder Molekül, das dann bei unveränderter Energie die Ladung des anderen mitnimmt; das zuvor geladene bleibt neutral zurück und bewegt sich mit seiner Geschwindigkeit weiter. So etwas kann sich vollziehen, wenn sich die Reaktionspartner in nicht zu großem Abstand begegnen:

$$O^+ + N_2 \rightarrow NO^+ + N$$
$$O^+ + O_2 \rightarrow O + O_2^+$$

Jeweils die langsamste dieser Reaktionen in der Kette bestimmt das sich einstellende Gleichgewicht. Natürlich ist wegen der elektrischen Neutralität der Ionosphäre im ganzen die Zahl der freien Elektronen und der negativen Ionen genauso groß wie die der positiven Ionen. Für die freigesetzten Elektronen gibt es also auch Verlustprozesse. Jede der Ionosphärenschichten hat einen dominierenden charakteristischen Elektronenverlustprozeß. In der D-Schicht sind die Bildung negativer Ionen und die 3-Körper-Stoßreaktion die wichtigsten. In der E-Schicht ist es die dissoziative Rekombination wie beispielsweise

$$NO^+ + e = N + O,$$

die als Verlustprozeß für Elektronen hervortritt. In der F-Schicht spielt neben der chemischen Rekombination die Diffusion bereits eine Rolle.

Die elektrische Leitfähigkeit der Ionosphäre rührt von der zeitweiligen Existenz freier Elektronen her. Deren mittlere Lebensdauern liegen bei einigen 10^3 s in der D-Schicht, einigen hundert Sekunden in der E-Schicht. Nur in der F-Schicht ist sie deutlich größer. Ein solches Elektron entsteht mit einer gewissen Energie, die durch Stöße mit anderen rasch abgebaut wird. Den größten Teil seiner Lebenszeit bewegt sich ein Elektron mit thermischer Energie.

Die Elektronendichte stellt sich am Tage als Gleichgewicht zwischen durch Ionisation neu erzeugten Elektronen und Ionen und durch Rekombination verschwindenden Ladungsträgerpaaren ein, wobei chemische Reaktionen und Ladungstausch als Komplikation zu beachten sind. Bei Nacht nimmt die freie Elektronendichte (also der Ionisationsgrad) als Folge von Rekombination langsam wieder ab.

Negative Ionen spielen in der E- und F-Schicht der Ionosphäre keine große Rolle, weil Elektronen und positive Ionen so schnell rekombinieren, daß sich wegen der langsameren Bildung negativer Ionen keine vergleichbare Konzentration aufbauen kann. In der D-Schicht, die man zwischen 60 und 90 km Höhe findet, bilden sich jedoch auch negative Ionen durch Elektronenanlagerung an atomaren und molekularen Sauerstoff:

$$O + e^- \rightarrow O^- + h\nu$$
$$M + O_2 + e^- \rightarrow O_2^- + M$$
$$O_2^- + O \rightarrow O_3 + e$$

Die letztere Reaktion sorgt für höhere Elektronenkonzentrationen, als allein durch Photoionisation erzeugt werden könnten. Stickstoff bildet keine negativen Ionen, wohl aber Ozon und Stickstoffdioxyd (O_3^-, NO_2^-). Die Chemie der D-Schicht ist darum außerordentlich komplex, weil die Zahl der beteiligten Molekülarten groß ist; außerdem spielen Wassercluster-Moleküle und deren Ionen eine Rolle.

Tiefer in der Atmosphäre findet man in etwa 15 km Höhe das Übergangsmaximum der kosmischen Strahlung. Das ist der Bereich, wo Sekundär- und Tertiärteilchen (Ionen, Elektronen, Mesonen, Gammastrahlung), durch energiereiche Atomkerne der kosmischen Strahlung in zahllosen ionisierenden und Kernstößen mit Luftatomen erzeugt, in größerer Zahl auftreten. Der Ionisationsgrad der Luft erreicht dort leicht das Hundertfache dessen, was am Erdboden möglich ist (Abb. 40). Diese Teilchen werden alle in der Luft (oder am Boden) irgendwann wieder absorbiert. Die Atmosphäre ist also elektrisch nicht völlig neutral. Tatsächlich gibt es auch ein luftelektrisches Feld.

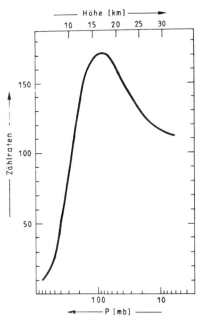

Abbildung 40 *Änderung der Zählrate eines Geiger-Müller-Zählrohrs mit der Höhe (Ballonaufstieg). Das Übergangsmaximum der durch die kosmische Strahlung hervorgerufenen Ionisierung zwischen 15 und 20 km Höhe ist als Pfotzer-Maximum bekannt (nach seinem Entdecker G. Pfotzer, vgl. Kap. 3) (nach [21]).*

139

In der Troposphäre ist das prominenteste elektrische Phänomen das Gewitter. Benjamin Franklin (1706–1790), eine der faszinierendsten Persönlichkeiten der Geschichte, entdeckte 1750, daß Blitze elektrische Eigenschaften haben. Seitdem werden Gewitter, im weiteren Sinn die elektrischen Eigenschaften des »schwach ionisierten Plasmas« Atmosphäre, intensiv untersucht. Doch die Messungen sind schwierig und verlangen vom Experimentator viel Geschick und große Sorgfalt. Weil die Einflußmöglichkeiten auf die Messungen vielfältig sind, ist auch die Interpretation problematisch. Die praktisch neutrale, nichtleitende Atmosphäre muß man sich für eine solche Betrachtungsweise eingeschlossen denken in den Raum zwischen der gut leitenden Ionosphäre und der gut leitenden Erdoberfläche. Dieses System läßt sich als ein riesiger Kugelkondensator auffassen, zwischen dessen Elektrodenflächen die Atmosphäre das schlecht isolierende Dielektrikum darstellt. Die Erdoberfläche ist negativ geladen, die Ionosphäre positiv. Bei sonnigem Wetter fließt ein »Leckstrom« mit einer Stromdichte von $3 \cdot 10^{-15}$ A/cm². Der Gesamtstrom, der zwischen der Erdoberfläche und der Ionosphäre fließt, schwankt zwischen 1500 und 1800 A. Regentropfen sind oft elektrisch geladen; typische Landregentropfen sind zu 75 % positiv geladen.

Die elektrische Leitfähigkeit der Luft liegt am Boden typisch im Bereich $0,5$–$2 \cdot 10^{-14}$ (Ohm $\cdot$ m)$^{-1}$, sie wird von 100–400 Kleinionen/m³ aufrechterhalten, nimmt zu mit der Höhe, beträgt in 3 km Höhe bereits das Fünffache, in 10 km Höhe das 30fache der Bodenleitfähigkeit. Das entspricht etwa der Zunahme der Ionisierung durch die kosmische Strahlung. In etwa 60 km Höhe (D-Schicht) wird die Leitfähigkeit so groß, daß ein elektrisches Feld in der Lage ist, ausgleichende Ströme zu treiben. Abb. 40 zeigt den typischen Verlauf der Ionisierung der Luft, gemessen mit einem Geiger-Müller-Zählrohr während eines Ballonaufstiegs. Übrigens hat Coulomb 1795 zum erstenmal die Leitfähigkeit von Luft bemerkt.

Diese »kleinen Ionen« sind verschieden von denen in größeren Höhen: Es handelt sich um geladene Molekülkomplexe oder auch um mit Ladungen versehene Staubkörner. Unter den ersteren spielen sogenannte Wassercluster, also Anlagerungen vieler Wassermoleküle an ein Ion (ein O_2^+ oder ein NO^+), eine wichtige Rolle. Die Ladungen können beliebiges Vorzeichen haben. Der Ionenstrom wird fast vollständig von kleinen Ionen getragen. Positive Ionen bewegen sich abwärts, negative aufwärts, mit Geschwindigkeiten von wenigen cm/s. Der Ionenstrom i folgt bei geringem Potentialunterschied $\triangle U$ dem Ohmschen Gesetz: i = $\triangle U/R$ (R: ohmscher Widerstand). Bei wachsendem $\triangle U$ wird der Strom aber durch die verfügbaren Ionen beschränkt – es tritt Sättigungsverhalten ein. Die D-Schicht der Ionosphäre in 50 km Höhe leitet hinreichend gut, um als obere Begrenzung für das luftelektrische Feld angesehen werden zu können (Elektrosphäre). Die Nettoladung der Atmosphäre ist im Mittel Null, fluktuiert aber mit der Tages- und Jahreszeit. Dorthin gebrachte elektrische Ladungen (Elektronen im Polarlicht, solare Protonen) beeinflussen das luftelektrische Feld.

Da es immer Teile der Erde gibt, die wolkenfrei sind, und weil Erdoberfläche und Ionosphäre beide gut leiten, so daß sich Ladungsansammlungen durch horizontale Ströme leicht ausgleichen können, wird die Ionosphäre gegen die Erdoberfläche immer positives Potential haben, dessen Wert zwar lokal und zeitlich variieren kann, doch im Mittel bei $2,9 \cdot 10^5$ V liegt.

In dem zwischen Ionosphäre und Erde existierenden Feld bewegen sich die schon genannten Ionen als Raumladungen. Ein mit Ladung versehener leitender Körper wird im luftelektrischen Feld seine Ladung verlieren. Dies geschieht in Bodennähe in der Relaxationszeit, die zwischen fünf und einigen zehn Minuten liegt. Alle Gewitterwolken haben positiven Ladungsüberschuß im oberen Teil der Wolke. Auch normale Regenwolken oder Wolken ohne Niederschläge zeigen freie Ladungen am oberen und am unteren Rand; typisch haben sie auch vergleichbare Potentialgradienten im Innern.

Aerosol in der Atmosphäre vermag deren Leitfähigkeit deutlich herabzusetzen, Variationen in der Leitfähigkeit der Luft sind ein Indiz für Luftverschmutzung: Die Kleinionen lagern sich an Staubteilchen an und sinken mit diesen langsam zu Boden, wodurch die Leitfähigkeit herabgesetzt wird (die Ionen verschwinden). Seit der ersten Hälfte dieses Jahrhunderts nimmt die Luftleitfähigkeit ab; das wird auf die kontinuierlich wachsende Luftverschmutzung zurückgeführt.

Wodurch wird das luftelektrische Feld aufrechterhalten? Denn ein solches Potential würde ja durch Leckströme sehr rasch ausgeglichen. Für typische Bedingungen bei klarem Himmel über Land würde der Strom positiver Ladungen auf die Erde deren negative Ladung in höchstens 40 Minuten kompensiert haben, über See sogar in fünf Minuten. Dennoch bleibt aber die negative Ladung der Erde global erhalten. Daraus ziehen wir zwei Schlußfolgerungen:

1. Die Erdoberfläche muß sehr gut leiten.
2. Es muß ferner einen Generator geben, der diese Potentialdifferenz, und damit die negative Ladung der Erdoberfläche – mit kleineren Schwankungen natürlich –, aufrechterhält.

Das können nur die Gewitter sein. Die Stromdichte des Luft-Erde-Stroms beträgt über dem Ozean $3,5 \cdot 10^{-12}$ A/m^2; das entspricht einem Gesamtstrom von 1800 A. Da pro Gewitter etwa 1 A Strom fließt, müssen auf der ganzen Erde ständig etwa 2000 Gewitter im Gang sein.

Die elektrische Leitfähigkeit der Luft wird durch kleine Ionen aufrechterhalten. Wären diese kleinen Ionen Molekülionen mit angelagerten oder fehlenden Elektronen (M^+ oder M^-), dann würde man keine signifikante Abhängigkeit von Luftfeuchte oder Verunreinigung erwarten; außerdem sollten beide etwa gleiche Beweglichkeit aufweisen. Abhängigkeiten der genannten Arten sind aber tatsächlich vorhanden, daher müssen die Ionen komplexer sein, größer. Ein typisches Modell für solche Ionen sind Moleküle mit angelagerten Molekülclustern, zusammengehalten durch elektrische Kräfte. Den Beobachtungen würden Ionen, die einige zehn Wassermoleküle angelagert hätten, gerecht.

Paul Langevin hat 1905 »große Ionen« entdeckt – Ionen, deren Masse wiederum größer sein muß als die der eben erwähnten kleinen Ionen. Diese sind vermutlich mit Aerosolteilchen verknüpft. Sie entsprechen dem, was 1880 Aitken als für die Kondensation von Wasser in der Atmosphäre verantwortlich identifizierte (Aitken-Kerne). Solche großen Ionen findet man besonders in Städten (Rauchteilchen, Seesalz). Ihre Dimensionen liegen bei 10^{-6} cm. Andererseits nimmt die Gesamtzahl der Kerne in der Atmosphäre nicht zu – also muß es Mechanismen geben, die die Ionen wieder entfernen (Koagulation, Sedimentation).

Der ohmsche Widerstand der Atmosphäre beträgt etwa 200 Ohm; daraus ergibt sich ein Potential zwischen Erde und Ionosphäre von 300 bis 360 kV. Entsprechend hat das von diesem Potential aufrechterhaltene elektrische Feld der Luft eine Stärke von rund 130 V/m bei sonnigem Wetter in Seehöhe (einer Feldstärke von 100 V/m entspricht eine Dichte elektrischer Ladungen auf der Erdoberfläche von $-8{,}9 \cdot 10^{-10}$ Cb/m^2). Die Feldstärke variiert mit der Höhe entsprechend der Änderung der elektrischen Leitfähigkeit der Luft. Letztere wird durch die Ionisierung bestimmt und ist in verschiedenen Höhen verschieden: Nahe am Erdboden spielt die Radioaktivität des Erdbodens die entscheidende Rolle, dem Erdkörper entweichende radioaktive Gase, wie Radon, tragen zur Ionisation in der Troposphäre bei, die den Boden noch erreichende ultraviolette Strahlung der Sonne tut etwas dazu und ebenso die kosmische Strahlung.

Die elektrische Leitfähigkeit der Luft ist von der Produktionsrate von Ionen abhängig; der zeitlich am stärksten variierende Teil stammt von der Sonne. Die Sonnenaktivität beeinflußt daher die elektrische Leitfähigkeit der Atmosphäre. Andererseits ist die Zahl der auf der Erde gleichzeitig existierenden Gewitter vom Potentialgradienten abhängig, der ebenfalls mit dem Solarzyklus verknüpft ist, wie wir heute wissen. Darum ist klar, daß es wenigstens zwei Einflußwege gibt, auf denen sich Änderungen der Aktivität der Sonne auf die Erdatmosphäre äußern können. Die Korrelation des Auftretens von Gewittern mit dem Auftreten von Flares (das sind chromosphärische Eruptionen der Sonne von ganz besonderer Heftigkeit) ist aus Beobachtungen statistisch signifikant belegt: Die Zunahme der Gewitterhäufigkeit beginnt typisch einen Tag nach dem Flare [22].

Hochreichende Cumuluswolken sind oftmals ein Zeichen für ein nahendes Gewitter. Die Luft muß, damit ein Gewitter ausgelöst werden kann, hohe Feuchte haben und labil geschichtet sein, das heißt die Temperaturabnahme muß mit der Höhe über 1 °C/100 m betragen. Wird bodennahe, feuchte Luft stark erwärmt, steigt sie auf und erhält durch die bei der Kondensation des Wassers frei werdende Energie zusätzlichen starken Auftrieb (Wärmegewitter). Gewitter sind allerdings häufiger an Kaltfronten gebunden (vgl. Kap. 4), wo die an der Front herabstürzende Kaltluft die vor der Front liegende wärmere Luft in die Höhe treibt.

Direkt unter einer Gewitterwolke ändert das elektrische Feld sein Vorzeichen: Die Unterseite der Gewitterwolke ist negativ geladen, influenziert daher am Erdboden einen Überschuß an positiven Ladungen. In der Gewitterwolke sorgt die Konvektion für Ladungstrennung (über das Wie gibt es noch keine einhellige Meinung), so daß eine Gewitterwolke (Abb. 41) als ein Dipol anzusehen ist, dessen oberes Ende positiv, dessen unteres negativ ist. Allerdings fluktuiert das elektrische Feld unter einer Gewitterwolke stark.

In Gewitterwolken entstehen gewaltige Potentialunterschiede, daher kann es in ihnen auch zur Beschleunigung von Elektronen kommen, die ihre Energie dann wieder als Röntgenbremsstrahlung verlieren. Solche Röntgenstrahlung im Energiebereich 3 bis 100 keV ist kürzlich nachgewiesen worden.

Wie funktioniert ein Gewitter? Dazu gibt es, wie der amerikanische Gewitterforscher R. D. Hill [23] kürzlich berichtete, inzwischen 27 verschiedene Theorien. Das hat einen Grund: In einem Gewitter kann man nicht ordentlich messen; man ist da sehr auf die Verknüpfung nicht unmittelbar zusammenhängender Erscheinungen durch theoretische Vorstellungen angewiesen. Beschreibt man nämlich ein Gewitter, so muß man von einer Auftriebssäule von etwa 2 km Durchmesser ausgehen. Im Ver-

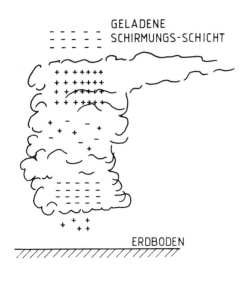

GELADENE
SCHIRMUNGS-SCHICHT

ERDBODEN

LADUNGSVERTEILUNG IN EINER
GEWITTERWOLKE

Abbildung 41 *Verteilung der elektrischen Ladungen in einer Gewitterwolke*

lauf des Aufwärtstransports der Luftmassen beginnt von einer bestimmten Höhe an eine sehr effiziente Ladungstrennung. Der Prozeß funktioniert zwischen $0\,°C$ und $-40\,°C$. Weiter müssen wir davon ausgehen, daß die Ladungstrennung durch die Konvektion getrieben wird, daß ferner der Prozeß sehr effizient ist: In einer Gewitterzelle können bis zu 100 Cb/s freie Ladungen entstehen. Am wirkungsvollsten geschieht dies offenbar in Stößen von Eisteilchen untereinander, die in 6–7 km Höhe im aufsteigenden Luftstrom gebildet werden. Allerdings gibt es zur Frage der Ladungstrennung, wie schon erwähnt, auch heute noch keine allgemein akzeptierte Theorie. Man sagt, es gäbe dazu ebenso viele Theorien wie Gewitter. Ich muß diese Frage daher offen lassen.

Eine Faustformel sagt, daß die pro Teilchen erzeugte Ladung etwa proportional zu dessen Radius ist. In der Gewitterwolke

145

bleibt der untere Rand negativ geladen. Das negative Ladungszentrum muß man sich scheibenförmig vorstellen, etwa 2 km
dick, mit vielleicht 10 km Durchmesser. Es liegt stets im Niveau
der $-10\,°C$-Isotherme (Ladungstrennung ist an den Gefriervor-
gang gebunden). Die positiven Ladungen steigen in der Wolke
zunächst langsam nach oben. In Luft beträgt die Durchschlags-
feldstärke 3000 V/cm. Solange diese nicht überschritten wird,
kommt es nicht zu Entladungen. Offenbar ist der Luftwiderstand
D, den Tropfen oder Eisteilchen bei Bewegung erfahren würden,
gleich der elektrostatischen Kraft, die auf ihre Ladung Q im elektrischen Feld E wirkt, und der Schwerkraft G: Es gilt also:

$$D = G \pm EQ$$

($-$ bei negativ geladenen, $+$ bei positiv geladenen). Das elektrische Feld versucht, die positiven Ladungen nach unten zu ziehen,
die negativen nach oben (d. h. die Trennung aufzuheben, die
durch Konvektion aufrechterhalten wird). Der Gipfel der Wolke
liegt vermutlich 2 km über dem positven Ladungszentrum. Bei
einer Luftsteiggeschwindigkeit von 7–8 m/s müssen die beteiligten Körner größer als 1,3 mm sein. In einer voll entwickelten
Gewitterzelle steigt das positive Ladungszentrum dann plötzlich,
in drei bis vier Minuten, von 8–10 km Höhe bis zur Tropopausenhöhe (bis 14 km Höhe) auf; in derselben Zeit folgt das negative Ladungszentrum von etwa 6 nur auf 7 km Höhe. Zu diesem
Zeitpunkt kommt es zu den ersten Blitzen, die hoch oben in der
Gewitterwolke aufzucken, wenn dort Feldstärken von 10^5 V/m
erreicht werden. Teilchen der kosmischen Strahlung, die in der
Feldregion ionisieren, können dabei Triggerfunktion ausüben.

Der Blitz

Ein Blitz dauert bis zu 500 µs, im Mittel jedoch nur 30 µs. Eine
Blitzentladung kann 200 Coulomb transportieren, der Potentialunterschied kann einige 10^9 Volt betragen, der gesamte Strom
kurzzeitig bis 500000 A erreichen; in einzelnen Blitzschlägen

werden Ströme bis zu 20 000 A getrieben. Wegen der kurzen Dauer der Entladungen liegt die Energie einer Entladung nur bei einigen hundert Millionen Joule, entsprechend maximal 200 kWh. 10^5 Blitze pro Stunde sorgen für die Entladung; ein Gewitter trägt mithin im Mittel etwa 1 A zum globalen Ladungsausgleich bei; die Blitzentladungen begrenzen also die durch Konvektion in den Gewitterwolken getriebene Ladungstrennung. Tafel 1 oben zeigt eine Gewittersituation in Tuscon/USA.

Wenn die Feldstärke groß genug geworden ist, beginnt die Bildung eines Ionisationspfades von der Basis einer Wolke aus (in etwa 5 km Höhe, bei $-10\,^0C$, wo Tröpfchen gefrieren) zum Boden, wobei viele »Versuche« stattfinden. Freie Elektronen, die durch Ionisation entstanden sind, werden in den starken elektrischen Feldern der entwickelten Gewitterzelle beschleunigt, können 50–100 m vorankommen und weitere Elektronen erzeugen (eine Art Lawinenprozeß), so daß in einem Kanal schließlich eine hohe Raumladung und, entsprechend an seinen Rändern, besonders aber an seiner Spitze, extrem hohe Feldstärken entstehen. Man nennt diese Vorläufer *Streamers*. Solche Streamer entwickeln viele Verzweigungen, die sich mit Geschwindigkeiten von $2 \cdot 10^7$ cm/s (720 000 km/h) aus Bereichen hoher Feldstärke in solche niederer Feldstärke ausbreiten. Die Ladung der Wolke wird immer tiefer heruntergezogen, bis schließlich vom Boden aus Entladungen nach oben sprühen. Erreichen diese den Streamer, dann ist der Kanal für die Hauptentladung aufgebaut, und es beginnt im »return stroke« sofort kräftiger Strom zu fließen; das Erdpotential wird im Kanal nach oben »gezogen«. Wo sich Streamer-Potential und Erdpotential annähern, muß man die Wellenfront dieser nun nach oben rollenden Potentialwelle vermuten. Sie wird begleitet von den nach unten durchbrechenden Elektronen, die zum Boden abfließen und während der Dauer der Entladung (solange Vorrat reicht) von oben nachgeliefert werden. Ist der Vorrat erschöpft, bricht die Entladung ab. Dieser typisch 5 km lange Kanal hat vielleicht einige bis einige zehn Zentimeter Durchmesser. Es kann zu wiederholten Entladungen durch diesen Kanal kommen (26 Entladungen durch ei-

147

nen Kanal sind beobachtet worden). Die Temperatur im Kanal steigt nach der Entladung auf 30 000 °C an, der Druck kann 10–100 Atm erreichen. Dann explodiert der Kanal und löst eine akustische Stoßwelle (Knall) aus, die schon in wenigen Metern Abstand vom Blitzkanal in eine akustische Welle übergeht (aber nur noch 1 % der Energie im Kanal besitzt). Die Hauptenergie des Kanals geht in Wärme über. Das Donnergrollen entsteht durch die von den vielen Streamern ausgehenden akustischen Wellen, die vielleicht 20 ms dauern und aus etwa 50 m langen Streamern stammen.

Eine spezielle Erscheinung, die lange Zeit immer wieder in Frage gestellt worden ist, ist der *Kugelblitz*. Heute gilt seine Existenz als gesichert: Der Kugelblitz ist eine leuchtende Kugel, die bis zu 1 m Durchmesser haben kann. Sie wurde meist nach einem Blitzschlag beobachtet, in verschiedenen Farben, zum Teil pulsierend; einige explodieren, andere verschwinden einfach. In einem Fall endete ein Kugelblitz in einem Wasserbassin; aus der Erwärmung des Wassers ließ sich die Energie des Kugelblitzes errechnen: 10^7 J.

Man nimmt heute an, daß es sich um eine Plasmakugel mit einer Energiedichte von rund 100 J/cm^3 handelt. Erklärungsversuche gibt es zahlreiche, allgemein akzeptiert ist keiner. Während der russische Physiker Peter Kapitza stehende elektromagnetische Wellen im 300-MHz-Bereich als Existenzbedingung vermutet (Wellenlänge gleich 3mal Kugeldurchmesser), nimmt Hill eine Mischung aus Gasmolekülen und Staub an, in der durch Blitzschlag Ladungen induziert wurden, also eine Art Mini-Gewitterwolke. Andere vermuten, daß chemische Energie das Phänomen speisen könne.

Globale elektrische Felder

Bleibt die Frage, wie sich die atmosphärischen elektrischen Erscheinungen in die globalen elektrischen Phänomene einordnen lassen. Die Erde ist ein Hindernis im Plasmastrom Sonnenwind, der von der Sonne ausgeht und Energiedichten von 0,05 J/cm^2 am Fuß der Korona der Sonne erreicht. Eine solche Plasmaströmung verursacht quer zur Erdmagnetosphäre einen Potentialunterschied von 40 kV, der einer magnetosphärischen Stärke des elektrischen Feldes von etwa 10 mV/m entspricht.

Darüber hinaus dreht sich die elektrisch leitende Ionosphäre mit dem Erdmagnetfeld aus der unbeleuchteten Nachtseite bis in die hohen Beleuchtungsstärken der Tagseite hinein. Die geladenen Teilchen in der Magnetosphäre werden gezwungen, sich auf Kreisbahnen um das Magnetfeld herumzubewegen. Wegen der Krümmung der Dipolfeldlinien und ihrer Verengung zum Pol hin, treiben dadurch hervorgerufene elektrische Kräfte die im Magnetfeld gefangenen, unterschiedliche Ladung tragenden Teilchen auseinander, so daß sich weitere elektrische Felder aufbauen, die Ströme treiben. In sechs Erdradien Abstand umfließt der äquatoriale Ringstrom die Erde, der eine Folge solcher Effekte ist.

Der Gesamtleitfähigkeit entsprechend treiben die elektrischen Felder Ströme verschiedener Ausprägung. Da gibt es Stromwirbel zu beiden Seiten des Äquators auf der Tagseite, hervorgerufen durch Atmosphärenwinde (in der Thermosphäre), die ionisiertes Gas quer zum Magnetfeld treiben, wodurch ein Strom entsteht. Diese Dynamoströme entsprechen einem System von zwei Hoch- und zwei Tiefdruckgebieten, die um die Erde kreisen, der scheinbaren Bewegung der Sonne folgend. Auf der Nordhalbkugel fließt ein Strom von 182 000 A, auf der Südhalbkugel erreicht der Strom nur eine Stärke von 155 000 A.

Leitfähige Gase in Magnetfeldern haben eine ganze Reihe von überraschenden Eigenschaften. Elektrische Felder bewirken Driften solcher Teilchen – teils quer, teils längs zum Magnetfeld. Dadurch entstehen solche Effekte wie der äquatoriale Elektrojet oder der polare Elektrojet, der in etwa 100 km Höhe fließt.

Vertikale Ströme lassen die Unterseite der Ionosphäre positiv zurück. So können die Ladungsträger bis in die Stratosphäre vordringen. Andererseits senden Blitze elektromagnetische Wellen aus. *Atmospherics*, kurz Sferics genannt, findet man von einigen

Hertz bis zu Frequenzen um Gigahertz (10^9 Hz), die offenbar von den Streamern ausgehen, deren Dimensionen die Wellenlängen bestimmen. Blitze zwischen Wolke und Erde sind für die *Whistler* (so genannt, weil sie in einem Rundfunkempfänger ein charakteristisches Pfeifen verursachen) verantwortlich, die sich längs der Magnetfeldlinien ausbreiten können, dort durch Wechselwirkung mit geladenen Teilchen verstärkt werden können und auf diese Weise über eine Reihe von Effekten wieder zu Rückwirkungen der Magnetosphäre auf die Atmosphäre beispielsweise über solche Ströme führen. Interessant ist, daß die typische Dauer eines magnetosphärischen Teilsturmes ebenso etwa eine Stunde dauert wie ein großes Gewitter.

Kapitel 7   Eine Kugel im Weltraum:
Der Energiehaushalt der Erde

Die eingestrahlte Sonnenenergie ist für alle Betrachtungen des Energiebudgets unseres Planeten die relevante Bezugsgröße. Von ihr glauben wir zu wissen, daß sie sich seit Bildung der Erde um etwa 20% erhöht hat, jedoch für die Frage des heutigen irdischen Energiebudgets konstant ist, von gewissen kleineren Schwankungen – etwa beim Auftreten von Sonnenflecken – abgesehen. Änderungen der Energieeinstrahlung auf die Erdoberfläche haben also hauptsächlich mit Veränderungen in der Erdatmosphäre und auf der Erdoberfläche zu tun.

Eine Analogie

Wir können die Erdatmosphäre mit einem See vergleichen, in den auf der einen Seite Wasser einströmt und auf der anderen wieder ausströmt. Die Atmosphäre wird ständig mit Energie versorgt und verliert Energie wieder durch Abstrahlung nach außen und innen. Insgesamt enthält die Atmosphäre also in jedem Augenblick eine bestimmte Energiemenge.

Auch ein See besitzt eine gewisse Energiemenge; das äußert sich in der Temperatur des Wassers, das der See enthält. Jeder weiß, daß man eine Kalorie Energie aufwenden muß, um einen Kubikzentimeter Wasser um ein Grad zu erwärmen. Um das Seewasser von der Frühjahrstemperatur von wenig über Null auf sommerliche zwanzig Grad zu erwärmen, ist also eine ganz ansehnliche Energiemenge aufzuwenden. Diese Energie gibt der See im Winter wieder an seine Umgebung ab, wenn diese kühler geworden ist. Deswegen erfrieren Pflanzen am Seeufer nicht so schnell. Ein Ruderboot auf einem See verändert den See ein bißchen: Der Ruderer wendet Energie auf, um sein Boot voranzutreiben. Damit erzeugt er Wellen an der Oberfläche, die vom Boot weg in die Umgebung hineinlaufen. Diese Wellen werden mit zunehmendem Abstand vom Boot immer kleiner, bis sie als Kräuselwellen von der Umgebung kaum mehr unterschieden werden können. Auf diese Weise wird ein Teil der Energie, die der Ruderer aufwendet, im Wasser verteilt. Jedermann wird sofort zustimmen, wenn wir vermuten, daß die dem See auf diese Weise zugeführte Energie gewiß nicht sehr groß gewesen, vielmehr das Verhältnis dieser zur Energie des Sees eine sehr kleine Zahl ist. Hundert Ruderboote würden da auch nicht allzuviel ändern. Die größere Wirkung eines größeren Schiffes können wir schon daran ermessen, daß sich die Wellen bis ans Ufer ausbreiten, daß dort Sand und Steine in Bewegung geraten – kurz, daß der Effekt auf den See schon eher merklich gewesen ist. Ein Kraftwerk gar, das Seewasser zur Kühlung benötigt, würde das Seewasser vielleicht um einige Grade erwärmen können – damit hätten wir aber bereits die Größenordnung der Energie des Sees erreicht. Wenn der Temperaturunterschied zur Umgebung steigt, wachsen die Energieverluste des Sees an seine Umgebung; es wird mehr Wasser verdunsten, die Ufer werden etwas wärmer sein. Die Luftfeuchtigkeit in der Umgebung des Sees wird etwas größer sein als vorher, bei kühler Witterung werden sich Nebelbänke ausbilden. In größerer Entfernung vom See würde man von alledem nichts mehr bemerken, denn die abgeführte Energie wird von der größeren Region aufgenommen und auf ein größeres Volumen verteilt. Wiederum würde die Verhältniszahl der Energie des Sees zu der der Region eine sehr kleine Zahl werden. In bezug auf die größere Region würden wir wieder ähnliche Verhältnisse haben wie jene, die Ruderboot und See betrafen.

So muß man sich die Verhältnisse auf der Erde vorstellen: Man muß die lokal umgesetzte Energie jeweils ins Verhältnis setzen zur eingestrahlten Sonnenenergie. Solange wir dabei nur von Millionsteln der Sonnenenergie reden, haben wir gewiß kein Problem zu gewärtigen. Derlei geringfügige Störungen eines Systems werden im allgemeinen leicht verkraftet. Wenn jedoch Energieumsätze erreicht werden, welche lokal die Größenordnung der eingestrahlten Energie erreichen, fangen wir an, für das System kritische Verhältnisse zu schaffen – denn das betrachtete System wird versuchen, sich des Energieüberschusses wieder zu entledigen; die Reaktion wird heftiger ausfallen, wenn der Energieüberschuß größer war. Luftströmungen können sich auf diese Weise ausbilden, die den Energietransport bewerkstelligen. Ein einprägsames Beispiel für eine solche Verhaltensweise des Systems Erde ist das globale Energiebudget des Planeten, das in Kap. 2 beschrieben wurde. Abb. 42 erläutert noch einmal, wie der Ausgleich zwischen Energieüberschuß am Äquator und Energiedefizit am Pol zustande kommt. Strenggenommen muß man präzisieren: Die Erde befindet sich mit dem Rest der Welt im Strahlungsgleichgewicht (nur ein kleiner Anteil, etwa 1 %, wird daraus abgeleitet für Photosynthese und in fossilen Brennstoffen sowie der Biosphäre gespeichert). Thermodynamisch befindet sich das System Sonne–Erde im Ungleichgewicht: Deshalb kann die Erde Sonnenenergie nutzen, die Existenz von Leben ist nur unter dieser Prämisse möglich. Wir haben also unser System immer unter zwei Gesichtspunkten zu prüfen:

- auf Störungen des Strahlungsgleichgewichts hin, und
- auf Veränderungen des thermodynamischen Ungleichgewichts (d. i. der Energiefluß im Gesamtsystem).

Wo sich ein System fern vom thermodynamischen Gleichgewicht befindet, können sehr kleine Störungen dieses Zustands zu sehr großen Veränderungen führen.

Regionale Unterschiede in der Energieabsorption führen also zu Temperaturunterschieden, die die für den ganzen Planeten außerordentlich wichtigen Luftströmungen treiben. Dies sind die Regulatorien, mit deren Hilfe sich innerhalb des Systems Ungleichgewichte auszugleichen versuchen. Lokal müssen wir mit ähnlichen Phänomenen rechnen. Wo immer sich Temperaturunterschiede einstellen, wird die Natur solche Unterschiede nivellierende Ausgleichsprozesse in Gang setzen. In großen Städten

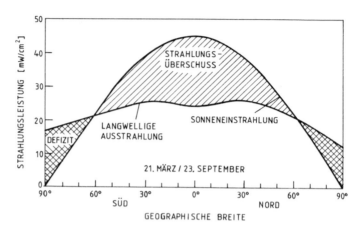

Abbildung 42 *Die Abnahme der Einstrahlung von Sonnenenergie pro Flächeneinheit mit der geographischen Breite. Die Ausstrahlung im langwelligen Bereich ist mit eingezeichnet. Die Differenz beider Kurven ergibt einen Energieüberschuß in niederen Breiten und ein Energiedefizit in hohen Breiten. Die Temperaturunterschiede in der Atmosphäre resultieren aus diesem Ungleichgewicht, das die globale Zirkulation treibt.*

beispielsweise kann die lokale Energieproduktion durchaus 100 W/m² und mehr erreichen. Die Temperatur in Städten kann daher ohne weiteres mehrere Grade über der mittleren Temperatur der eine solche Stadt umgebenden Region liegen. Luftströmungen setzen dann ein, um die Unterschiede auszugleichen. Die Monsune haben solche Ursachen oder die milde, von See her wehende Brise am Abend in küstennahen Gegenden.

Für das Energiebudget des Planeten ist aber auch die Veränderung der Menge an energiebilanzmäßig aktiven Gasen in der Atmosphäre von Bedeutung (Abb. 43). Dazu rechnen wir alle jene Moleküle, die im infraroten Teil des elektromagnetischen Spektrums absorbieren, wie Kohlendioxyd oder Ozon oder Wasserdampf.

Man macht sich das leicht klar: 0,034 Volumenprozent der Atmosphäre sind Kohlendioxyd. Enthielte die Atmosphäre kein Wasser und kein Kohlendioxyd, würde die mittlere Temperatur der Erdoberfläche etwa − 15 °C betragen. Der von Wasserdampf

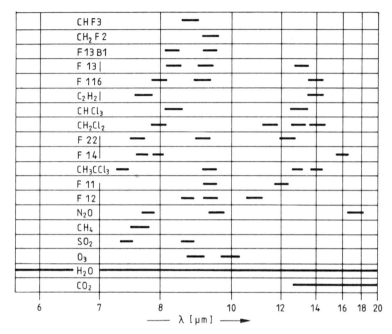

Abbildung 43 *Absorptionsbanden verschiedener Spurengase im Bereich des thermischen Emissionsspektrums der Erde*

und Kohlendioxyd herrührende Treibhauseffekt der Atmosphäre (vgl. Anh. 3) beträgt zur Zeit rund 33 °C. Dazu tragen der Wasserdampf 62 %, das Kohlendioxyd 22 % bei. Das Kohlendioxyd als Spurenstoff in der Atmosphäre bewirkt also in ihr eine gewaltige Temperaturerhöhung, die den Planeten erst wohnlich macht. 80 % Stickstoff bewirken in dieser Hinsicht überhaupt nichts. Noch geringere Konzentrationen von Ozon in der Stratosphäre, wo ein Ozonmolekül auf Millionen Luftmoleküle kommt, verhindern in 30 km Höhe das Eindringen ultravioletter Sonnenstrahlung in tiefere Atmosphärenschichten. Die Spurenstoffe in der Atmosphäre bestimmen daher ganz nachhaltig wichtige Eigenschaften der Atmosphäre – wie eben ihre Temperaturstruktur, aber auch die Temperaturverteilung, und damit zu einem guten Teil auch die Dynamik der Atmosphäre.

Weil das so ist, ist es nicht gleichgültig, was in die Atmosphäre gelangt. Wir müssen ganz schnell lernen, daß die Atmosphäre der wahrscheinlich gegen Veränderungen empfindlichste Teil des Planeten Erde ist – auch derjenige, dessen Reaktionen auf solche Veränderungen wir ihrer Komplexität wegen nur sehr ungenau vorhersagen können.

Dieses ist aber eine unser Verständnis des Heimatplaneten generell betreffende Schwierigkeit. Da wissen wir auf fast allen Gebieten einfach viel zuwenig.

Die Strahlungsbilanz

Im Energiebudget der Erde spielen die Strahlungsverhältnisse die wichtigste Rolle. Die Energieströme aus dem Erdinneren sind klein im Vergleich zu der Energie, die der Erde von der Sonne zugestrahlt wird. (Jene stammen aus der Ableitung von Wärme aus dem noch flüssigen Kern in die kühleren äußeren Regionen, vom radioaktiven Zerfall schwerer Atomkerne im Erdinneren durch säkulare Zirkulation von Erdmantelmaterial sowie von Reibungsprozessen, hervorgerufen durch Gezeiten.) An der Erdoberfläche beträgt dieser Energiestrom aus dem Erdinneren 63 mW/m^2; dagegen liegt der solare Energiefluß am Rande der Atmosphäre bei 1360 W/m^2. Zwar kann die Erde nicht die gesamte von der Sonne eingestrahlte Energie nutzen, weil ein Teil davon wieder in den Weltraum zurückgestreut wird (vgl. Abb. 8). Der Rest reicht aber aus, um die Temperatur in dem Bereich zu halten, in dem sich schließlich Leben auf dem Planeten entwickeln und erhalten konnte.

Die die Erde treffende Strahlung ist im Bereich ± 23° geographischer Breite am größten, nahe den Polen um einen Faktor 2,4 kleiner. Das ist in Abb. 42 erläutert. Die Wärmekraftmaschine Erde lebt von dem dadurch hervorgerufenen Temperaturunterschied zwischen Pol und Äquator – wenn auch nur mit einem Wirkungsgrad von 2%. Das heißt aber, daß ganze 2% ausreichen, um die globalen Strömungssysteme zu treiben.

156

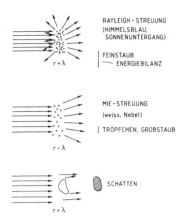

RAYLEIGH – STREUUNG
(HIMMELSBLAU,
SONNENUNTERGANG)

FEINSTAUB
⌢ ENERGIEBILANZ
r < λ

MIE – STREUUNG
(weiss, Nebel)

| TRÖPFCHEN, GROBSTAUB
r ~ λ

SCHATTEN
r > λ

Abbildung 44 *Streuung elektromagnetischer Strahlung (zum Beispiel von Licht) an kleinen Körpern, deren Abmessungen klein, vergleichbar und groß gegenüber der Wellenlänge der Strahlung sind*

Ein Teil der Energie erreicht die Erdoberfläche und kann dort absorbiert werden. Abb. 8 zeigt die Verhältnisse im einzelnen; ihr entnimmt man, wieviel Strahlung in der Atmosphäre, wieviel in den Wolken bleibt. Das kann quantitativ abgeschätzt werden. Tatsächlich begegnen die Lichtwellen auf ihrem Weg durch die Atmosphäre den Molekülen des Luftgases, dem Aerosol, Wassertröpfchen. Je nach Abmessung vermögen diese Teilchen das Licht zu streuen, also aus seiner Bahn zu lenken. Teilchen, deren Abmessungen kleiner sind als die Lichtwellenlänge, sind für die sogenannte Rayleigh-Streuung verantwortlich (vgl. Abb. 44). Diese beschrieb zum erstenmal J. W. Strutt, Lord Rayleigh (1842–1919), ein berühmter englischer Physiker, durch seine ebenso berühmte Streuformel:

$$P = K(1 + \cos^2 \delta)/\lambda^4 \tag{7}$$

(λ ist die Wellenlänge, δ der Winkel gegen die Richtung des Lichtstrahls). Die Formel zeigt, daß das meiste Licht dennoch nur wenig aus der Ausbreitungsrichtung des Strahls herausgestreut wird und senkrecht dazu die geringste Intensität zu erwarten ist ($\delta = 90°$), daß dies aber sehr stark von der Wellenlänge

157

abhängt. Kürzerwelliges Licht (kleineres λ) wird in eine vorgegebene Richtung sehr viel stärker gestreut als längerwelliges; darum ist der Himmel blau, weil unter großen Winkeln zum Strahl mehr blaues als rotes Licht erscheint; darum leuchtet der Horizont bei Sonnenuntergang und Sonnenaufgang rötlich (der blaue Lichtanteil wird aus der Sehrichtung stark herausgestreut).

Sind die Abmessungen der Streuzentren mit der Wellenlänge des Lichts vergleichbar (z. B. Nebeltröpfchen), liegt *Mie-Streuung* vor, so genannt nach dem deutschen Physiker Gustav Mie (1868–1957), der diese Theorie 1908 entwickelte. Er berechnete die Intensität einer an einer Kugel gestreuten elektromagnetischen Welle, und zwar unter jedem beliebigen Winkel relativ zur Richtung der einfallenden Welle.

Mit wachsender Teilchengröße wird die Streuung, ausgehend vom Mie-Bereich zunehmend isotrop, das heißt, die Intensität wird in alle Richtungen gleichmäßig gestreut. In dichtem Nebel erscheint deshalb eine Lichtquelle diffus; die Richtung zur Sonne läßt sich unter dichten Wolken nicht mehr feststellen – es gibt nur noch allgemeine Aufhellung.

Trifft Strahlung auf Teilchen, deren Abmessungen sehr viel größer sind als die Wellenlänge, dann werfen sie Schatten (an den Rändern spielt Beugung noch eine Rolle). Innerhalb der Atmosphäre spielen drei verschiedene Transportarten für Energie eine Rolle: Strahlung, Wärmeleitung und Konvektion. Durch Wärmeleitung wird Energie praktisch von Molekül zu Molekül übertragen, sickert gewissermaßen durch ein Medium durch. Konvektion beschreibt Energietransport durch Massenströmung. Als Folge lokaler Erwärmung von Luft steigt sie in kühlerer Umgebung nach oben, weil wärmere Luft geringere Dichte hat: Konvektionsströmung entsteht.

Rückstreuung der Sonnenstrahlung geschieht hauptsächlich an Wolken. Obgleich der Bewölkungsgrad lokal variiert, ist er doch über der sonnenbeschienenen Hemisphäre im Mittel konstant. Die in Abb. 8 dargestellten Bilanzen sind deshalb auch nur als Mittelwerte über Zeit und Erdoberfläche zu verstehen.

Bilanzen bestehen aus zwei Teilen: aus Gewinnen und aus Verlusten. Die Erde, die wie ein Ball, nur durch die Gravitationskraft an die Sonne gebunden, im (fast) leeren Raum schwebt, kann sich nur durch Strahlung an den Rest der Welt ankoppeln. Sicher gibt es einige Prozesse, in denen die Erde zum Beispiel Atome nach außen verliert (Jeans-Escape, Anh. 3) oder aus dem Sonnenwind zum Beispiel Protonen aufnimmt. In der Bilanz schlagen diese kleineren Posten aber nicht sehr zu Buche. Die planetare Balance wird praktisch ausschließlich durch die thermische Ausstrahlung hergestellt (Strahlungsbilanz). So wie die Sonne uns Energie zustrahlt – als 5700 Grad heißer Körper (vgl. Abb. 45) –, so strahlt auch die Erde – aber eben nur als effektiv 254 °K (– 17 °C) warmer Körper. Das ist die Temperatur der Atmosphäre in 5–6 km Höhe (vgl. Anh. 3).

Zur Strahlungsbilanz tragen bei: die Erdoberfläche, die Eigenstrahlung der Atmosphäre (Ausstrahlung in den Weltraum und nach unten gerichtete Gegenstrahlung) und die in der Atmosphäre an Wolken, Aerosol und Molekülen gestreute kurzwellige Sonnenstrahlung (Abb. 8). Die Temperaturstrahlung der Erde liegt im Infrarotbereich bei Wellenlängen zwischen 3 und 50 μm. In Abb. 45 ist im linken Teil die thermische Sonnenstrahlung dargestellt, die Sonne ist hier als schwarzer Strahler gedacht, für den die Stefan-Boltzmann-Beziehung (vgl. Anh. 3) gilt. Der Vergleich mit der wirklichen Strahlung bestätigt die Erwartung völlig: Die Sonne ähnelt im langwelligen Spektrum einem schwarzen Strahler. Am kurzwelligen Ende indessen gibt es Abweichungen, die teils auf die Reabsorption der Strahlung in der Atmosphäre der Sonne zurückzuführen, teils im Zusammenhang mit der Sonnenaktivität zu sehen sind.

In *Flares* werden auf der Sonne gewaltige Energiemengen umgesetzt. Während des großen Flare vom August 1972 nahm die Intensität der solaren Röntgenstrahlung um einen Faktor 100 zu! Während kleinerer Flares, die sehr viel häufiger (täglich) auftreten, kann der Energiefluß im fernen UV (also bei sehr kurzen Wellenlängen) bereits mehrere Stunden lang um über 10 % höher sein als in ruhigen Zeiten (Abb. 46). Es gibt daneben aber

159

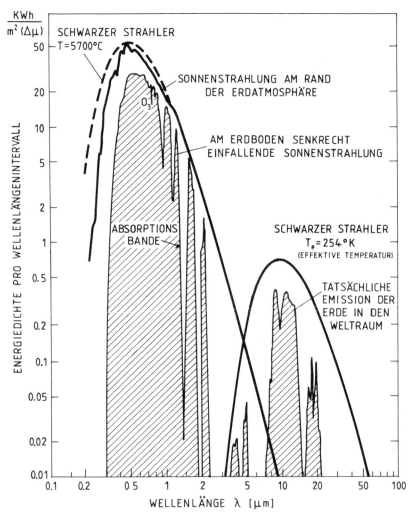

Abbildung 45 *Spektrum der Sonne und das eines äquivalenten schwarzen Strahlers der Temperatur 5700 °C. Unter der Hüllkurve ist die von der Atmosphäre durchgelassene Strahlung gezeichnet. Im rechten Teil des Bildes ist die Strahlung eines schwarzen Körpers von 254 K gezeichnet (ausgezogene Kurve). Schraffiert ist der tatsächlich von der Atmosphäre durchgelassene Teil der Strahlung.*

noch viel langsamer ablaufende Schwankungen der Sonnenaktivität, die bis zu einer Größenordnung (Röntgenstrahlung, Radiostrahlung) betragen können. Gelegentlich werden geladene Teilchen (Protonen, Heliumkerne, Elektronen) auf hohe Energien (bis zu GeV) beschleunigt. Diese Teilchen können die Erde treffen, in der Erdatmosphäre abgebremst werden und deponieren dort ihre Energie. Dabei erzeugen sie in Stratosphäre und Mesosphäre Stickoxyd NO.

Die ausgezogene Kurve (Abb. 45) beschreibt schließlich die Intensität, die am Rand der Erdatmosphäre ankommt. Deren Absorption ist schraffiert gezeichnet. Nur der verbliebene weiße

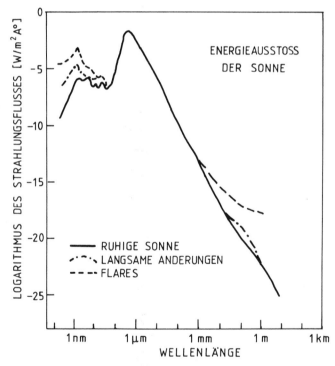

Abbildung 46 *Typisches Emissionsspektrum der Sonne. Bei kurzen Wellenlängen erkennt man die Zunahme der Intensität bei chromosphärischen Eruptionen (Flares) der Sonne.*

Zwischenbereich entspricht der den Erdboden erreichenden Intensität. Im rechten Teil von Abb. 45 ist die Emission der Erde gezeigt. Die Strahlungstemperatur entspricht der in Anh. 3 abgeleiteten effektiven Temperatur der Erdoberfläche.

Die thermische Ausstrahlung der Erde

Der schraffierte Bereich entspricht der von der abgestrahlten Energie der Erdoberfläche tatsächlich in den Weltraum hinausgelangenden Intensität. Der weiße Raum zwischen den Kurven entspricht dem von der Atmosphäre zurückgehaltenen Teil der abgestrahlten Energie. Dieser Teil ist für den Treibhauseffekt der Erde verantwortlich. Die Strahlung liegt im Infrarotbereich, ist für unser Auge also nicht sichtbar.

Im kurzwelligen Bereich rührt die scharfe Absorptionskante hauptsächlich vom Ozon in der Atmosphäre her. Am langwelligen Ende kann Abstrahlung in den Weltraum nur durch die schraffierten schmalen Fenster erfolgen. Eine Veränderung in den Emissionsverhältnissen hat daher tiefgreifende Rückwirkungen auf das Energiebudget der Erde.

Vermindert sich die Ausstrahlung, steigt bei unverminderter Einstrahlung die Temperatur. Besonderes Interesse muß also all jenen Gasen gelten, die in den schraffiert gezeichneten Bereichen des langwelligen Spektrums Absorptionsbanden zeigen, die also von der Energie, die ausgestrahlt werden soll, einen Teil zurückhalten. In diesem Bereich absorbieren Gase wie NH_3, CH_4, N_2O, O_3, die in der Atmosphäre in Konzentrationen im ppm-Bereich vorkommen, sowie CO_2, das im Promillebereich liegt, und Wasser, das im Prozentbereich vorhanden ist. Abb. 47 zeigt die relativen Beiträge zur Absorption der heute in der Erdatmosphäre vorhandenen Spurengase in den relevanten Spektralbereichen. Der obere Teil der Figur zeigt schematisch die Auswirkung der Streuung in Tropopausenhöhe und am Erdboden. Am unteren Bildrand ist die Summe der Absorptionen der einzelnen Gase dargestellt, wiederum für die Tropopause und für den bodenna-

162

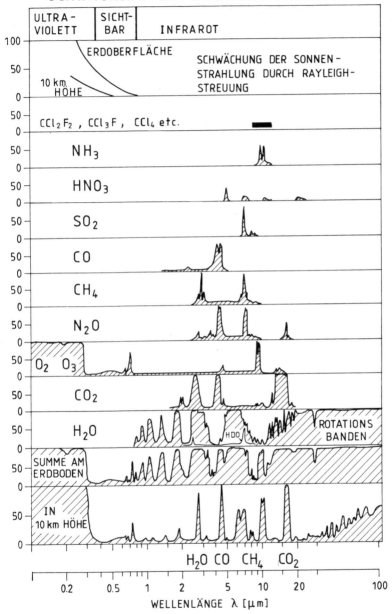

Abbildung 47 *Absorptionseigenschaften der Spurengase in der Atmosphäre*

hen Bereich. Daraus wird schon deutlich, daß die Absorption am kurzwelligen Ende des Spektrums hauptsächlich vom stratosphärischen Ozon herrührt, der Energieeintrag also bereits in der Stratosphäre erfolgt. Die langwellige Reabsorption dagegen überwiegt in der Troposphäre, wird dort besonders durch Wasser und CO_2 bewirkt. Für Wellenlängen oberhalb von etwa 12 μm ist die Atmosphäre dicht, praktisch undurchlässig für Infrarotstrahlung. In den offenen Fenstern tauchen in neuerer Zeit immer mehr von den im mittleren Teil gezeigten Spurengasen in wachsenden Konzentrationen auf. Bei fortdauerndem Eintrag wird sogar die Bedeutung der halogenierten Kohlenwasserstoffe für den Strahlungshaushalt beachtlich werden. Ihre Verweilzeit in der Atmosphäre liegt bei Hunderten von Jahren. Gegenwärtig bereiten sie hauptsächlich als Lieferanten von Halogenen in der Stratosphäre Sorge (vgl. Kap. 8). Abb. 48 zeigt die Ausstrahlungsverhältnisse, jedoch vergrößert in linearem Maßstab. (Vgl. dazu auch Abb. 45.)

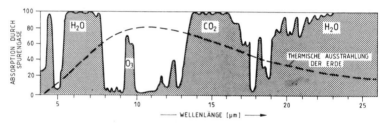

Abbildung 48 *Absorption der Spurengase in linearem Maßstab (nach [50])*

Aber nicht nur die Strahlungsbilanz der Erde ist zu betrachten; die räumlichen und zeitlichen Veränderungen in der Verteilung der Energieströme im Inneren des Systems sind nicht minder wichtig. Nahe der Oberfläche finden sich viele temperaturgetriebene Windsysteme. Durch Winde wird sehr viel Staub (Winderosion) in die Atmosphäre getragen, auch Vulkanausbrüche tragen zur Erhöhung des Staubgehalts der Luft bei. Staubteilchen haben sehr unterschiedliche Größe, beeinflussen deshalb den

164

Strahlungshaushalt der Erde in unterschiedlicher Weise. Tatsächlich kann die Größenverteilung der in die Stratosphäre geschleuderten Teilchen wesentliche Auswirkungen auf das Klimasystem haben, weil sie darüber entscheidet, ob etwa ein erhöhter Treibhauseffekt durch verminderte Einstrahlung wegen erhöhter Streuung kompensiert oder verstärkt wird.

Aerosol

Enthält ein Gas Flüssigkeitströpfchen, spricht man von einem Nebel; enthält es feste Stoffe, von Rauch. *Aerosol* nennt man ein Gas, das feste und flüssige Teilchen enthält. Die Aerosoldichte in Luft beträgt 10–50 µg/m^3. Das ist sehr wenig und entspricht einem Volumenmischungsverhältnis im ppm-Bereich. Wegen ihrer variablen Abmessungen und Form sind Aerosolteilchen theoretisch viel schwieriger zu behandeln als Gase; ihre Wirkung ist daher auch nicht leicht abzuschätzen. Aerosolteilchen absorbieren einerseits recht kräftig; sie sind neben Ozon die stärksten Absorber im sichtbaren Spektralgebiet. Die Absorption stammt hauptsächlich vom Ruß, der durch Verbrennungsprozesse in die Atmosphäre gelangt. Die optischen Eigenschaften der Aerosolteilchen hängen andererseits sehr stark von ihrem Wassergehalt ab. Vermutlich umgeben sich Aerosolteilchen in der Atmosphäre relativ schnell mit einer Wasserhaut, nach längerem Verweilen sogar mit einer aus organischem Material bestehenden Haut. Schließlich sind Aerosolteilchen wegen ihrer beschränkten Verweilzeit in der Atmosphäre nicht gleichmäßig über den Globus verteilt; ihre Konzentration schwankt regional sehr stark. Über Gegenden mit geringer Reflexion der Oberfläche (geringer Albedo) erhöhen Aerosolteilchen die Albedo. Wo diese schon hoch ist, wird sie durch Aerosole nicht wesentlich verändert. Auch auf die Wolkenbildung haben Aerosole Einfluß: In stark verschmutzter Luft bilden sich besonders viele kleine Wolkentröpfchen, die bei gleichem Wassergehalt die Wolken heller erscheinen lassen als die aus größeren Tröpfchen bestehenden [25]. Auf die langwellige Ausstrahlung ist der Einfluß des Aerosols dagegen von geringem Einfluß.

Aerosole haben sehr verschiedene Verweilzeiten in der Atmosphäre: In der Troposphäre können sich große Teilchen (≥ 10 μm) nur wenige Stunden halten, sie sedimentieren rasch. Dies gilt auch für sehr kleine Teilchen, weil diese an der Brownschen Bewegung teilnehmen und rasch koagulieren, zusammenklumpen. Im Größenbereich von 0,1–1 μm leben Teilchen am längsten: etwa acht Tage in der unteren, drei Wochen in der oberen Troposphäre, 200 Tage und länger in der Stratosphäre. Daraus kann man schon sehen, daß auch die lokale Auswirkung der Aerosole von ihrer Größe abhängt – nur die mit der größeren Lebensdauer vermögen globale Effekte auszulösen. Es sind aber zugleich jene, die auch optisch am wirksamsten sind, weil ihre Größe im Bereich der Wellenlänge des Sonnenlichts liegt.

Demgemäß sind vulkanische Aerosole besonders zu beachten, weil sie sich in der Stratosphäre mitunter jahrelang aufhalten.

Für alle Spurenstoffe in der Atmosphäre gilt die Aussage, daß ihre Konzentrationen um so weniger schwanken, je größer ihre Lebensdauern sind.

Aerosole haben sich im letzten Jahrzehnt auch in ihrer chemischen Natur deutlich verändert. Während vordem die wichtigsten im Zusammenhang mit den Ionen SO_4^{--} und NH_4^+ standen, taucht neuerdings neben dem Sulfation vermehrt das Nitration NO_3^- auf. Bleioxyd ist durch die Verminderung des Benzinbleigehalts zurückgegangen.

Die elektrische Leitfähigkeit der Luft wird vom Aerosol beeinflußt. Die die Leitfähigkeit tragenden Kleinionen rekombinieren nämlich nach und nach und lagern sich schließlich an Aerosole an. Das vermindert ihre Beweglichkeit, die elektrische Leitfähigkeit der Luft sinkt. Diese wird hauptsächlich durch die sehr häufig vorkommenden Teilchen im Größenbereich um 1 μm beeinflußt. Seit Anfang dieses Jahrhunderts ist sie über dem Atlantik auf die Hälfte gesunken. Das ist gleichbedeutend mit einer Verdopplung der Teilchenzahl – die Aerosoldichte in der Atmosphäre hat sich stark erhöht.

Industrieprozesse, Steppen- und Waldbrände, Winderosion landwirtschaftlich genutzter Flächen, Vulkanausbrüche, Staub aus Wüsten: das sind die wichtigsten Quellen für Staub, der in die Atmosphäre gelangt. Tab. 11 gibt für einige Aerosole Quellstärken an.

Tabelle 11 *Aerosol*

Quelle	Ursache	[t/a]	%
Natürlich:			
Meersalz	Gischt	$5 \cdot 10^8$	46
Sulfate	Zersetzung von Biomasse	$3,35 \cdot 10^8$	31
Staub	Wind	$1,2 \cdot 10^8$	11
Kohlen-wasserstoffe	Exhalation	$7,5 \cdot 10^7$	7
	Zerfall von Biomasse	$6 \cdot 10^7$	5
Aerosol u. Staub	Waldbrände durch Blitzschlag	$3 \cdot 10^6$	
Meteoritenstaub		$4 \cdot 10^4$	
Summe:		$1,1 \cdot 10^9$	
Vulkane:			
Sulfate		$0,42 \ldots 2,55 \cdot 10^8$	63
Aerosol u. Staub		$0,25 \ldots 1,5 \cdot 10^8$	37
Summe:		$0,67–4,05 \cdot 10^8$	
Anthropogen:			
Gase	fossile Brennstoffe (Aerosolbildung in Atmosphäre)	$3,11 \cdot 10^8$	45
Aerosol u. Staub	Menschl. Betätig.	$5,4 \cdot 10^7$	8
Staub	Landwirtschaft	$1,8 \cdot 10^8$	26
Gase, die Aerosol bilden, u. Brände in der Landwirtschaft		$7,9 \cdot 10^7$	11
Aerosol u. Staub	Holzfeuer, Waldbrände	$6,8 \cdot 10^7$	10
Summe:		$6,92 \cdot 10^8$	
Summe insgesamt:		$1,85–2,2 \cdot 10^9$	

Nach bisheriger Kenntnis haben anthropogene Aerosole noch keine Klimaeffekte bewirkt – weder das von den Überschallflugzeugen (wie Concorde) noch das von Spaceshuttle stammende. Doch könnten die Graphitemissionen von in der Stratosphäre operierenden Flugzeugen in Zukunft Probleme aufwerfen. Ebenso können Wasserdampf, Kondensations- und Gefrierkerne aus Düsentriebwerken den Bedeckungsgrad mit hohen (Zirrus-) Wolken erhöhen. Da diese strahlungswirksam sind, ist mit Auswirkungen zu rechnen.

Die Bedeutung des Aerosols für die Atmosphäre wurde in den sechziger Jahren durch die Arbeiten des deutschen Atmosphärenphysiker C. E. Junge [26] vom Max-Planck-Institut für Chemie in Mainz klarer. Junge entdeckte nämlich eine stratosphärische Aerosolschicht, die hauptsächlich aus Carbonylsulfid (COS) und Sulfat besteht und zwischen 20 und 24 km Höhe zu finden ist. In der Physik der Aerosolbildung spielt, wie Junge herausfand, die *Nukleation* eine wesentliche Rolle. Damit ist Aerosolbildung gemeint, die aus der Gasphase in die kondensierte Phase führt. Zum Beispiel kann sich SO_2 in einem Wassertröpfchen lösen, das sich um ein Kochsalzkörnchen aus dem Ozean gebildet hatte. Dadurch entsteht Natriumsulfat. Ein anderes Beispiel ist die stufenweise Clusterbildung durch fortgesetzte Anlagerung von Molekülen oder durch Wechselwirkungen zwischen kleineren Clustern.

In solchen Prozessen wandeln sich Gase in der Atmosphäre in feste Teilchen um – heterogen durch Anlagerung an existierende feste Oberflächen oder Ionen, homogen durch Kondensation und Koagulation. Wasserdampf allerdings kondensiert nur an Kondensations- oder Gefrierkernen. In der Tropopause beträgt die Konzentration von SO_2 noch 0,05 ppb_v, die von Carbonylsulfid (COS) in der Stratosphäre maximal 0,2 ppb_v. Es gibt – das ist sicher – einen klaren Zusammenhang zwischen der Sulfatkonzentration in der Stratosphäre und der vulkanischen Aktivität. Schon die Isotopenverhältnisse bestätigen dies (sie wären, stammte das Aerosol aus einer anthropogenen Quelle, anders). Die Sulfatschicht der Stratosphäre wird also durch vulkanische

Aktivität immer wieder aufgeladen, die Teilchendichte steigt nach Vulkanausbrüchen um einen Faktor 10–100 an. Vor allem der Ausbruch des El-Chichòn 1982 hat dazu erheblich beigetragen. Nicht alle Vulkanausbrüche sind klimawirksam. Die gasarmen Lava-Ausbrüche des Kilauea (Hawaii) oder der wasserdampfreiche Ausbruch des Mt. St. Helen in den USA trugen wenig zu solchen Effekten bei. Die Junge-Schicht wird hauptsächlich durch sulfatische Gase aufgeladen, und diese erzeugen das klimarelevante Aerosol (wie z. B. El-Chichòn).

Aerosol aus einzelnen Vulkaneruptionen kann das den Boden erreichende Sonnenlicht über weite Teile der Erde um bis zu 25 % für ein bis zwei Monate, und um 10 % für Zeiträume von über einem Jahr schwächen. Vulkanische Eruptionen können durch das in die Atmosphäre geschleuderte Aerosol die optische Tiefe der Atmosphäre verdoppeln.

Seit dem Ausbruch des Mt. St. Helen in den USA weiß man auch im Detail mehr, weil damals eine ganze Reihe von Messungen durchgeführt werden konnte, die es vordem nicht gegeben hat (Messungen des Silikat-Sulfat-Verhältnisses, des Schwefelgehaltes der Gasphase u. a.). Während die Silikatanteile nach dem Ausbruch rasch wieder abnahmen (Gesteinsstaub fiel aus der Troposphäre innerhalb einer Woche wieder zu Boden), nahm die Sulfatmasse nach dem Ausbruch wegen der chemischen Umwandlung von SO_2 in Sulfat rasch zu. Diese Umwandlungen (Nukleation, vgl. unten) können sehr lange dauern, wenn die Eruption besonders viel Schwefel in die Stratosphäre gefördert hatte.

Aerosol findet man in ländlichen Gegenden in Konzentrationen von bis zu 10 000 Teilchen/cm^3, über Kleinstädten erreicht sie 30 000, über Großstädten gar über 100 000 Teilchen/cm^3. Man unterscheidet Grobaerosol mit Abmessungen der Partikel von größer als 10 µm, Riesenkerne mit Abmessungen im Bereich 1–10 µm, große Kerne im Bereich 0,1–1 µm und Aitken-Kerne, die eine spezielle Bedeutung bei der Kondensation von Wasser und Eis haben, im Bereich unter 0,1 µm. In Stratosphäre und oberer Troposphäre überwiegen in diesem Größenbereich die Sulfate, die in der Troposphäre in den Riesenkernen stecken.

Eine wichtige Quelle für diese sind übrigens die Ozeane (Konzentration bei 2,7 g/kg). Das Verhältnis SO_4^{--}/Cl^- im Ozean beträgt 0,14. Trotzdem trägt maritimes Sulfat nur wenig zur Konzentration der Teilchen unter 1 µm bei. Das bedeutet aber, daß es eine dauernde Produktion kleiner Sulfatteilchen in der Atmosphäre geben muß – wie Junge vermutet und später gezeigt hat.

Als feste Körper werden beispielsweise Seesalzaerosole, Rauchteilchen, Staub (von Gesteinen, Vulkanen, Meteoriten, Sand) in die Atmosphäre gebracht. In der Atmosphäre bilden sich aus SO_2 und H_2S mit NH_3 und NO_2 Ammoniumsulfat $(NH_4)_2SO_4$, mit Seesalz Na_2SO_4 und durch photochemische Oxydation von SO_2 in Gegenwart von NO_2 ebenfalls Ammoniumsulfat.

Der Einfluß von Aerosol im kurzwelligen Spektralbereich kann zu einer Albedoerhöhung der Wolken führen, so daß damit eine Abnahme des kurzwelligen (solaren) Nettostrahlungsflusses am Rand der Atmosphäre möglich ist [25].

Die Wirkung der Aerosolteilchen auf den Strahlungshaushalt ist also nicht vernachlässigbar (doch hängt der Effekt ganz entscheidend von der Größenverteilung des Aerosols ab). Nach Einschätzung von H. Graßl [25] könnte die von ihnen ausgehende Wirkung den Treibhauseffekt der Spurengase kompensieren. Doch bleibt große Unsicherheit: Die Messung des Aerosols macht Schwierigkeiten; es gibt keine guten Meßverfahren, es gibt keine Zeitreihen, so daß auch die Vergleichbarkeit von existierenden Meßergebnissen fraglich ist. Eine Mehrheit der Fachleute neigt heute eher der Einschätzung zu, daß der Einfluß des Aerosols viel geringer ist als die Wirkung der Spurengase. Für den langwelligen Teil des Spektrums ist Aerosol weniger wichtig.

Mechanischer Energietransport

Den wohl wirkungsvollsten Beitrag zu den Energieströmen der Erde liefert der mechanische Transport von Energie in Form von latenter Wärme. Damit ist der Transport von Wasserdampf gemeint. Wenn Wasser aus der Oberfläche des Ozeans verdunstet, muß dafür die Verdampfungswärme aufgewendet werden. Diese Energie wird bei der Kondensation des Wassers in der Atmosphäre wieder frei und wird als Temperaturerhöhung fühlbare Wärme. Auf diese Weise transportiert die Luft Energie über recht große Strecken.

Eine gewisse Beeinflussung der Erdatmosphäre durch den Sonnenwind ist zu erwarten, die Korrelation bisher jedoch nicht nachgewiesen worden. Die auf der Tagseite der Erdmagnetosphäre angelieferte Energie setzt sich zusammen aus der kinetischen Energie der Teilchen des Sonnenwindes und der Energiedichte des mitgeschleppten Sonnenmagnetfeldes. Da die Geschwindigkeit des Windes zwischen 200 und über 1000 km/s variieren kann, ist die am Rand der Magnetosphäre angebotene Energie in hohem Maße variabel, schwankt zwischen 10^{12} und 10^{13} W. Ein Teil dieser Energie wird ständig durch Feldlinienverschmelzung und Diffusionsprozesse in die Magnetosphäre, vorwiegend längs deren sonnenabgewandtem Schweif, eingekoppelt. Im Verlauf von einigen 10^4 s ($\sim$ Tag) baut sich damit im Magnetosphärenschweif ein Energiereservoir von $10^{16} \ldots 10^{18}$ J auf. Diese Energie entlädt sich von Zeit zu Zeit (wie ein Gewitter) in sogenannten magnetischen Teilstürmen (im Zusammenhang damit entstehen Polarlichter), deren Dauer typisch von der Größenordnung etwa einer Stunde, also einigen 10^3 s ist. Die umgesetzte Leistung liegt im Mittel bei 10^{13}–10^{15} W. Von dieser verfügbaren Energie kann ein Teil ($< 1\%$) in die Atmopshäre der Polarlichtzone eingekoppelt werden. Andererseits deponiert die Wellenstrahlung der Sonne auf der Tagseite in Stratosphäre und Troposphäre etwa 10^{15} W. Die vom Sonnenwind höchstens eingekoppelte Energie kann daher nicht mehr als 1% der durch Lichtstrahlung übertragenen Energie betragen. Ein dominierender Effekt ist daher durch diese Energieübertragung nicht zu erwarten, doch können sich Spuren dieser Kopplung in klimarelevanten Daten finden lassen.

Da unser gegenwärtiges Klima durch die Temperaturdifferenz zwischen Pol und Äquator bestimmt wird, die die Luftströmungen treibt, kann man lokale Änderungen des Klimas bereits dadurch erwarten, daß sich beispielsweise die Druckverteilung ändert. Ein mittleres Gleichgewicht, das bei Energieeintrag in ein abgeschlossenes System besteht, kann sich schon verändern, wenn sich die Energieflüsse auf den verschiedenen Eintragspfaden relativ zueinander verschieben. Das nachzuweisen wäre in der Vergangenheit nicht möglich gewesen. Unsere technischen Möglichkeiten erlauben uns heute, solche Verschiebungen mit verschiedenen Klimaparametern zu vergleichen. Wir werden also in Zukunft mehr wissen und zu einem verbesserten Verständnis kommen können, als es uns bis heute möglich war.

Der Einfluß der Sonne

In den vergangenen Jahren haben viele Autoren versucht, einen Zusammenhang meteorologischer Meßgrößen mit der Sonnenfleckenrelativzahl R zu finden. R ist die gewichtete Zahl der Sonnenflecken auf der sichtbaren Scheibe der Sonne, geeignet normiert. Die so erhaltene Zahlenreihe ist die am weitesten in die Vergangenheit zurückreichende systematische Beobachtungszeitreihe, die wir haben. Es ist nicht auszuschließen, daß ein Zusammenhang gewisser Parameter mit dem elfjährigen Sonnenfleckenzyklus vorliegt – etwa ein Trend, wonach in äquatorialen Gegenden im solaren Maximum mehr Regen fiele, in mittleren Breiten (20–40°) weniger und wieder mehr in Breiten oberhalb von 40°. Der Vergleich mit den Lufttemperaturen liefert dagegen kein eindeutiges Ergebnis. Aus einer Analyse der Temperaturdaten aus 84 Jahren von 226 Stationen in Nordamerika ergab sich eine Periode von $10,6 \pm 0,3$ Jahren in guter Übereinstimmung mit dem Solarzyklus, mit einer Amplitude von 0,1 °C; solche Variationen können schon merkliche Klimaverschiebungen bewirken. Andere Untersuchungen haben dieser Aussage die statistische Signifikanz abgesprochen. Der amerikanische Astronom John Eddy hat mit seinen aufsehenerregenden Untersuchungen [20] nachzuweisen versucht, daß die klimatischen

Kaltperioden im Spätmittelalter und im 17./18. Jahrhundert zeitlich zusammenfielen mit Minima der Sonnenfleckenrelativzahl – im Spörer-(1460–1550) und im Maunder-(1645–1715)Minimum. Eddy fand Hinweise, die zu belegen scheinen, daß die Sonne im Maunder-Minimum tatsächlich 40 Jahre lang keine Sonnenflekken gehabt hat (Abb. 49). Inzwischen weiß man aus Radiokarbondaten zweifelsfrei, daß der elfjährige Solarzyklus in dieser Zeit verschwand, nur der 22jährige bestehen blieb (Abb. 50) und daß es in den vergangenen 10000 Jahren etwa zwanzig solcher Anomalien gegeben hat [27].

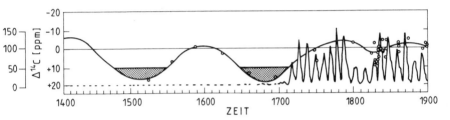

Abbildung 49 *Sonnenfleckenrelativzahlen in der Vergangenheit (nach [20])*

Die im Mittelmeer vorkommenden Etesienwinde, die aus Nord oder Nordwest wehen, zeigen zum Beispiel in Athen eine bemerkenswerte Korrelation mit der Sonnenfleckenrelativzahl. Das legt die Vermutung nahe, daß das Azorenhoch nahe dem Sonnenfleckenmaximum intensiver ist. Eine 22jährige Periodizität der Lufttemperatur ist an anderen Stellen gefunden worden, ebenso Korrelationen des Bodendrucks mit R. Es gibt noch andere Beispiele: Der Wasserstand des Viktoriasees, der indirekt die Ergiebigkeit tropischer Regenfälle belegt, zeigte zwischen 1880 und 1930 positive Korrelation mit R, war dann bis 1950 damit gar nicht korreliert und ist seitdem negativ korreliert. Es gibt viele solcher Beispiele und ebenso viele sorgfältige Abwägungen ihrer Signifikanz, Bedeutung oder Interpretation. Auch heute noch sind wir weit davon entfernt, eine abschließende Bewertung dieser Befunde vornehmen zu können.

173

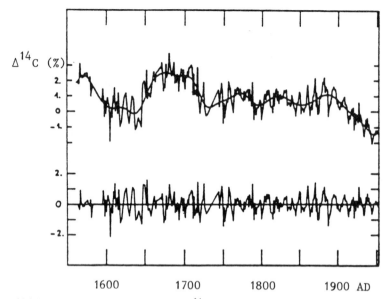

$\Delta^{14}C$ (%)

1600   1700   1800   1900 AD

Abbildung 50 *Konzentration von ^{14}C in Baumringen (obere Kurve). Messungen mit Auflösung 1 Jahr. Man erkennt das Maunder-Minimum. Daraus folgt, daß es sich um eine Modulation der kosmischen Strahlungen gehandelt haben muß, die ihre Ursache in der Aktivität der Sonne hatte. Deshalb ist vermutet worden, daß die gleichzeitig beobachtete Klimaverschlechterung ebenfalls auf solaren Einfluß zurückzuführen sei (nach [27]). Die untere Kurve stellt die Schwankungsbreite dar.*

Die Schwierigkeit der Datenanalyse

Ich will versuchen, diese Schwierigkeiten anschaulicher zu machen. Unser Tag-Nacht-Rhythmus ist ein gesichert periodisch ablaufender Prozeß, bei dem die Temperatur am Boden am frühen Nachmittag ihren höchsten, vor Beginn der Morgendämmerung ihren niedrigsten Wert hat. Die Verschiebung des Temperaturmaximums und des Minimums gegen die geometrische Symmetrie hat mit der Wärmekapazität des Erdbodens und mit den Strahlungseigenschaften der Atmosphäre zu tun. Diesem Zyklus ist eine etwa siebenprozentige Variation der Sonnenstrahlung überlagert, weil die Erde auf ihrer elliptischen Bahn verschieden weit von der Sonne entfernt ist. Dem ist ferner überlagert ein Effekt, der mit dem 22jährigen Solarzyklus verknüpft ist. Weitere Einflüsse kommen durch die drei Milankovicz-Parameter (vgl. Kap. 1) mit sehr viel längeren Perioden hinzu. Dazu treten noch schwankende Energieeinträge in die Atmosphäre, die von nichtperiodischen Ereignissen auf der Sonne (Abb. 16, 19), aber auch von Flares (Abb. 48), Schwankungen des Sonnenwindes und anderen stammen können. Innere Energiefreisetzungen durch Erdbeben oder Vulkanausbrüche fügen sich an. Kombinationen von Ereignissen, deren Auftreten in der Zeit statistischen Charakter hat, mit solchen von unterschiedlichen Periodizitäten können sehr wohl periodische Signale für einige Zeit verdecken oder vorhandene Korrelationen scheinbar umkehren, weil ja alle Messungen mit endlicher Genauigkeit ausgeführt werden und die meisten Zeitreihen (noch) nicht lang genug sind. Das erschwert die Beurteilung von Zusammenhängen für die Klimaforschung außerordentlich.

Die tropischen Ozeane sind die Gebiete, die den größten Strahlungsüberschuß empfangen. Entsprechend liegen dort die Hauptquellgebiete für Wasserdampf. Wüstengebiete haben wegen ihrer hohen Oberflächentemperatur so hohe Strahlungsverluste, daß dort die Nettoenergiezufuhr kleiner ist. Generell empfangen die Wasserflächen mehr Energie. Der Wasserdampftransport vom Meer aufs Land kompensiert das wieder.

Wegen der unterschiedlichen Landmassenverteilung hat mithin die Südhemisphäre den höheren Energieeintrag, daher auch das stärkere Temperaturgefälle zwischen Tropen und Polarregion. Das führt zu stärkeren Zirkulationen auf der Südhalbkugel im Südsommer. Auf der Nordhalbkugel vermindern überdies die offenen Wasserflächen im Polgebiet wegen deren geringerer Albedo (im Vergleich zum Eis der Antarktis) im Sommer das Temperaturgefälle. Im Winter kehrt sich das allerdings wegen der größeren Schneebedeckung der Kontinente in mittleren Breiten um.

Im Sommer führt daher die Strahlungsbilanz zu Hochdruckgebieten über der Polregion mit entsprechenden Ostwinden. Im Winter liegen über den Polregionen, mit Westwinden verbunden, permanente Tiefdruckgebiete.

Erhitzte Bodenoberflächen führen durch Wärmeleitung in die bodennahe Grenzschicht der Luft fühlbare Wäre ab. An diese grenzt die bodennahe Zwischenschicht, an die sich die einige Meter dicke bodennahe Oberschicht anschließt. Dort bilden sich Luftschlieren, denn dort ist der Wärmenachschub vom Boden her noch so groß, daß ständig überadiabatische Gradienten (vgl. Anh. 2) vorhanden sind ($>1\,°C/100$ m). Das kann zur Ablösung ganzer Luftblasen (Abb. 21) und zur Bildung von Kumulus-(Konvektions-)Wolken führen.

Der größte Teil der in der Atmosphäre gespeicherten Energie ist sogenannte latente Energie, das heißt, sie ist als Wasserdampf in der Atmosphäre gespeichert. Daher spielt bei diesen Betrachtungen auch die unterschiedliche Verdunstung von Wasser auf der Erdoberfläche eine Rolle. Landgebiete sind immer Gebiete mit Niederschlagsüberschuß, für Meeresflächen gilt das Umgekehrte. Ein Drittel des Niederschlagswassers verdunstet wieder, während der Rest in den Flüssen abfließt oder als Grundwasser gespeichert wird.

Die Rolle der Meere

Im Bereich der Ozeane bestehen erhebliche Verdampfungsüberschüsse. Auf der Nordhalbkugel zumal verdunstet jeweils auf den Westseiten der großen Ozeane warmes Wasser, ebenso an deren polseitigen Rändern; in den östlichen Teilen der großen Ozeane finden wir kälteres, weniger leicht verdunstbares Wasser. Daher werden auch im Wasser zyklische Strömungen (z. B. Golfstrom) getrieben, wodurch ein weiterer Beitrag zum Energietransport vom Äquator zum Pol gefunden ist. Dieser dürfte etwa 30 % des atmosphärischen Transportes betragen. Wasser ist übrigens wegen seiner niederen, außerdem fast unveränderlichen Albedo der große Energiespeicher der Erde. 70,8 % der Erdoberfläche sind

Die Erdatmosphäre – von einem Erdsatelliten aus nach Sonnenuntergang photographiert. Die Atmosphäre ist noch beleuchtet, während die Erdoberfläche schon im Schatten liegt. Die Strukturen im Blauen sind auf Aerosole zurückzuführen.

Blitze während eines Gewitters über Tucson/Arizona, USA.

Percent Cloud Cover

HIGH
MIDDLE
LOW

0   10   20   30   40   50+

AHINE   SUSSKIND
JPL   GSFC
    (1984)

JPL

Mittlere Wolkenbedeckung der Erde und grobe Klassifizierung der Wolkenhöhe
im Januar 1979 aus Satellitendaten der NASA gewonnen. Man erkennt die relativ wolkenarmen subtropischen Regionen und die wolkenarmen Bereiche über
den Wüsten. Die Wolkenbedeckung nahe dem Äquator zeigt die äquatoriale
Tiefdruckrinne an (intertropische Konvergenzzone). In höheren Breiten beherr-
schen die Strahlströme, die um den Globus mäandrieren, die großräumige Zirkulation. Man erkennt das besonders gut an den Wolkenstrukturen im nordame-
rikanischen Winter, wo die polare Kaltluft einen »Keil« weit nach Süden vorge-
trieben hat. Auf der Äquatorseite dieser Wellen liegen die »Tröge« (vgl. dazu
Kap. 4). Die untere Abbildung zeigt die Situation im Juli 1979.

MEAN CLOUD COVER AND ALTITUDE FOR JULY 1979
USING HIRS 2 AND MSU DATA

CHAHINE   SUSSKIND
JPL   GSFC
    (1984)

Percent Cloud Cover

HIGH
MIDDLE
LOW

JPL

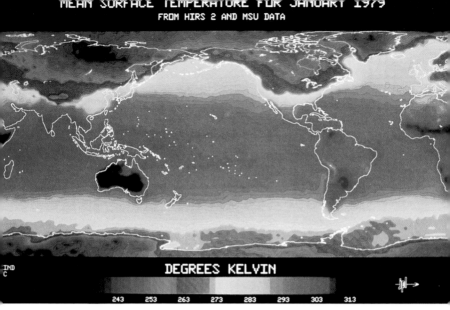

Mittlere Oberflächentemperatur der Erde.

...truktur des Meeresbodens, aus Echolotungen von Schiffen aus gewonnen und ...n Rechner zu einer Karte des Meeresbodens zusammengesetzt. Blau bedeutet ...efe, gelb flachere Regionen. Man erkennt die mittelozeanischen Rücken, in ...enen Material aus dem Erdmantel nach oben quillt und vorhandenes Krusten-...aterial seitlich wegschiebt. Der so von der Bruchzone weggeschobene Meeres-...oden verschwindet unter den kontinentalen Schollen (Subduktionszonen) nach ...nten.

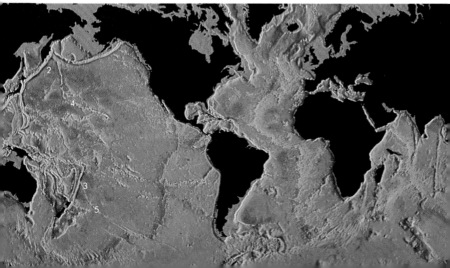

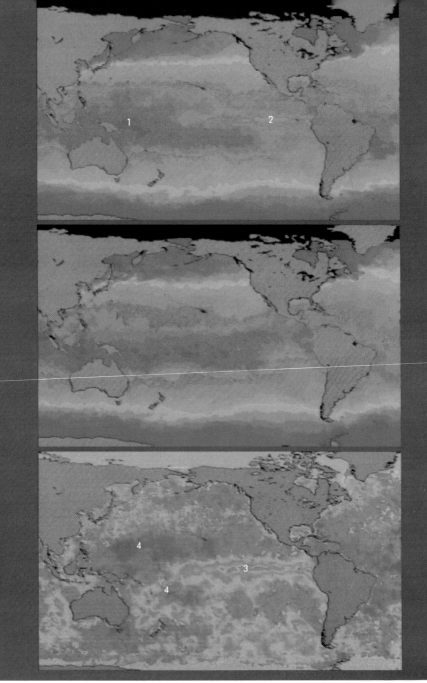

El Niño – Oben *(Normalzustand): (1) Warmwasser (rot) dominiert im westlich* *Pazifik am Äquator; (2) aufquellendes Kaltwasser (grün) wird vom Passat v der Küste Südamerikas weg nach Westen getrieben (20. 1. 1984).*
Mitte: *Am 20. 1. 1983, während des El Niño 1982/83, ist die Kaltwasserzun verschwunden, warmes Wasser flutet zum amerikanischen Kontinent zurück.*
Unten: *Die Differenz der Temperaturen des Oberflächenwassers zwischen 19 und 1984 zeigt die Ausdehnung der Anomalie. Im Osten lagen Temperatur 2–6 °C höher als 1984 (3). Im Westpazifik (4) war es 1–3 °C kühler als norm*

von Ozeanen bedeckt, über 80 % der gesamten auf der Erdoberfläche absorbierten Energie wird in den Ozeanen absorbiert. Weil Wasser transparent ist, sind es ungefähr die oberen 10 m Wasserschicht, die an der Absorption der Energie insgesamt teilhaben. 72 % der Energie werden allein in den oberen 2 m absorbiert. Konvektive Durchmischung (d. h. durch Temperaturunterschiede getriebene Strömung) sorgt für eine gleichmäßigere Verteilung der absorbierten Energie in die gut 100 m tiefe Mischungsschicht. Wegen der größeren spezifischen Wärme von Seewasser (3,9 J/g · °C) gibt der Ozean gespeicherte Energie viel langsamer ab als Landmassen, deren spezifische Wärmen zwischen 0,8 und 2,5 J/g · °C liegen.

Landflächen absorbieren nur an der Oberfläche; der Energietransport in tiefere Schichten hinein erfolgt ausschließlich durch Wärmeleitung. Diese ist aber ein außerordentlich langsamer Prozeß. Dagegen erfolgt die Übertragung von Energie in die Atmosphäre über Landflächen sehr viel rascher als über Meeresflächen. Neben der konvektiven Durchmischung der oberen Schichten der Meere gibt es eine fast vollständige Umwälzung der Meere in sehr viel größeren Zeitintervallen – typisch tausend Jahren. Diese Umwälzung der Tiefsee wird hauptsächlich dadurch bewirkt, daß Wasser am Rande der Poleiskappen in die Tiefe sinkt und sich am Meeresboden langsam äquatorwärts bewegt. Wegen dieser Besonderheit sind die Ozeane in der Tat besondere Energiespeicher der Erde, die vor allem wegen ihrer Fähigkeit, Energie wieder an die Atmosphäre abzugeben, gegenüber Klimaschwankungen eine erhebliche stabilisierende Funktion haben. Dennoch muß man berücksichtigen, daß nicht die gesamte eingestrahlte Energie im Wasser gespeichert wird. 88 % der absorbierten Energie werden nämlich wieder zur Verdunstung von Wasser aufgewendet; ein weiterer Teil der absorbierten Energie geht durch Erwärmung an die Luft verloren oder verschwindet durch Wärmeleitung, durch Konvektion und auch durch langwellige Abstrahlung. Übrigens ist nachzutragen, daß höhere Verdunstung in bestimmten Regionen der Meere die Salzkonzentration erhöht, so daß die in diesen Gebieten möglichen Lebensformen auch durch diese letztes Endes klimatischen Faktoren bestimmt werden.

Von der einfallenden Sonnenstrahlung, die unser irdisches Geschehen antreibt und erhält, gelangt nur etwa die Hälfte bis zum Erdboden. Die andere Hälfte wird, wie oben dargelegt, an der Atmosphäre, den Wolken, am Boden reflektiert, gestreut vom Staub, von den Atomen und Molekülen der Luft. Ein Teil der absorbierten Energie wird auch wieder reemittiert. Wegen dieser zahlreichen, zum Teil auch schwer quantifizierbaren Wechselwirkungsprozesse, gibt es heute noch kein repräsentatives mathematisch-physikalisches Modell der Erdatmosphäre, an Hand dessen man zum Beispiel die Auswirkungen von Veränderungen der Zusammensetzung der Atmosphäre untersuchen könnte. Deswegen gibt es auch noch keine detaillierten, dreidimensionalen, globalen Klimamodelle. Bereits um nur Teilmodelle behandeln zu können, werden die schnellsten und größten Rechenanlagen benötigt. Gerade dieses Gebiet, wo Forschung erheblich ausgeweitet werden müßte, war in unserem Lande lange unterrepräsentiert. Dies hatte zum Teil damit zu tun, daß an unseren Universitäten Geophysik selten ihrer Bedeutung gemäß eingeschätzt wird, in den Curricula kaum auftaucht.

Kapitel 8   Gase, Staub und Wassertröpfchen: Chemische Reaktionen in der Atmosphäre

In der Atmosphäre nimmt die Dichte mit der Höhe schnell ab. In 10 km Höhe beträgt der Luftdruck der darüberliegenden Luftmassen nur noch ein Viertel des Bodendrucks, die Dichte 35 % der am Boden vorhandenen. In 30 km Höhe sind diese Werte bereits auf 1 % der Bodenwerte gefallen. In Anh. 2 wird gezeigt, daß der Verlauf der Dichte mit der Höhe auch von der Temperatur abhängt – und diese hängt wieder von der Zusammensetzung der Atmosphäre ab. Mit der Gasdichte ist der Begriff der freien Weglänge verknüpft (vgl. Kap. 3). Damit chemische Reaktionen stattfinden können, müssen sich die Moleküle innerhalb eines bestimmten Abstands und für eine hinreichend lange Zeit nahe kommen, so daß sie aus ihren Elektronenschalen Elektronen miteinander austauschen können. Atome bestehen aus einem Kern und einer diesen umgebenden Elektronenwolke, Moleküle aus mehreren Atomen. Diese Elektronenwolke kann – je nach Energieinhalt (ihrem Anregungszustand) – verschiedene Formen annehmen. Die Zahl der negative Ladung tragenden Elektronen entspricht beim neutralen Atom der positiven Ladung des Kerns. In solchen Reaktionen in der Gasphase (Gaschemie) können dann Verbindungen zwischen Molekülen entstehen, die Moleküle können dissoziieren, in ihre Bestandteile zerbrechen, sie können ionisiert werden, also ein Elektron abgeben und selbst positiv geladen fortbestehen, oder sie können (einige, nicht alle) ein Elektron anlagern und ein negatives Ion bilden; wenn auf ein solches Gas überdies ultraviolettes Licht fällt, kann Dissoziation auch durch die Photonen des Lichts hervorgerufen werden. Dabei können auch freie Radikale entstehen, von denen der Chemiker weiß, daß sie besonders heftige chemische Reaktionen auslösen. Solche Aggressivität können manche Atome auch gewinnen, wenn sie angeregt worden sind, wenn also Energieübertragung auf das Atom stattgefunden hat. Das Sauerstoffatom ist ein Beispiel: Im Grundzustand ist es vergleichsweise reaktionsträge, im angeregten Zustand jedoch ausgesprochen aggressiv.

Es gibt Reaktionen, die nur dann ablaufen, wenn ein dritter Partner am Zusammenstoß beteiligt ist. Bei solchen Stößen bringt jeder Partner Energie und (gerichteten) Impuls mit. Diese Größen müssen bei allen Prozessen erhalten bleiben – beide Bedingungen lassen sich aber zuweilen beim Stoß von zwei Molekülen nicht gleichzeitig erfüllen. Ein dritter Stoßpartner wird dann erforderlich, damit die Energie übertragen, zugleich aber auch die Impulsbilanz erfüllt werden kann. Man nennt solche Reaktionen Dreierstöße (im Text wird der nur der Erfüllung dieser Bilanzen wegen benötigte dritte Partner mit »M« bezeichnet).

Die Forschung auf dem Gebiet der Gaschemie ist relativ spät in Gang gekommen – weil sie eine komplizierte Technik verlangt. Reaktionsabläufe, Zeitkonstanten und andere Parameter sind erst in den letzten Jahren systematisch untersucht worden. Sind die Reaktionspartner zudem elektrisch geladen, treten elektrische Kräfte noch hinzu, so werden die Reaktionsabläufe um so komplizierter. Die Plasmachemie, wie man sie nennt, ist darum die jüngste Disziplin, die sich in diesem Umfeld entwickelt hat. An vielen chemischen Reaktionen sind auch andere Phasen beteiligt (z. B. Aerosol); solche Reaktionen nennt man dann heterogene chemische Reaktionen.

Das dynamische Gleichgewicht

Der Zustand unserer Atmosphäre strebt nach dynamischen Gleichgewichten zwischen molekülbildenden und -zerstörenden Prozessen. Ein solcher Zustand läßt sich leicht verändern, wenn sich die Quellstärke für einen Reaktionspartner verändert, ohne daß sich zugleich auch die Verlustprozesse ändern. Als Folge einer solchen Maßnahme wird sich die Konzentration des einen

Partners ändern. Inwieweit so etwas Bedeutung für den ganzen Planeten hat, hängt von den Verweilzeiten der Gase in der Atmosphäre ab. Nennen wir diese τ, Q die Stärke der Quelle (Masse pro Sekunde), V die Größe der Verluste des Gasreservoirs, M die Masse des Gases in der Atmosphäre. Dann ist die mittlere Verweilzeit – wenn Q = V ist – gegeben durch

$$\tau = M/Q = M/V \; [s] \tag{8}$$

Es leuchtet ein, daß beispielsweise photochemisches Gleichgewicht nur möglich ist, wenn die chemischen Prozesse erheblich schneller ablaufen als die physikalischen Transporte. Die Verweilzeit ergibt also ein nützliches Beurteilungskriterium für Gase:

- Solche mit Verweilzeiten von Stunden können nur lokale Effekte bewirken, wenn die Quellen lokal begrenzt sind.
- Solche mit Verweilzeiten von Wochen werden durch Transportprozesse beeinflußt und verteilt. Bei Transportgeschwindigkeiten (Winde) von einigen zehn Stundenkilometern erfolgt die Verteilung bereits über Kontinente.
- Gase mit Verweilzeiten von Jahren sind global gleichmäßig durchmischt.
- Manche Gase haben Verweilzeiten von vielen tausend, ja Millionen Jahren. Diese sind die quasi permanenten Bestandteile der Atmosphäre.

Begrenzte Lebensdauer in der Atmosphäre wird häufig durch chemische Prozesse erzwungen, sehr kurze Verweilzeiten sind in der Regel chemisch begrenzt. Da vertikale Transportzeiten sehr viel größer sind als horizontale, einige zehn Jahre dauern, werden wir erwarten, daß nur Gase mit sehr langen Verweilzeiten in der Atmosphäre bis hinauf zur Turbopause gleichmäßig durchmischt vorliegen. Das ist in der Tat auch nur für die Hauptbestandteile der Fall. Übrigens haben erst 1770 C. W. Scheele (1742–1786) und 1774 J. Priestley (1733–1804) erkannt, daß Luft hauptsächlich aus Stickstoff und Sauerstoff besteht. Tab. 12 zeigt die Zusammensetzung trockener Luft. (Der Wasserdampfgehalt schwankt stark und kann in normaler Luft bis zu 4 % betragen.)

Tabelle 12 *Die Zusammensetzung trockener Luft (a: Jahre, d: Tage)*

Bestandteile		Volumen-Mischungs-verhältnis		Mittlere Verweilzeit
Stickstoff	N_2	78,08	%	$3,9 \cdot 10^6$ a
Sauerstoff	O_2	20,95	%	$5 \cdot 10^3$ a
Kohlendioxyd	CO_2	0,0338	%	5–6 a
Wasserstoff	H_2	0,5	ppm	6–8 a
Methan	CH_4	1,5	ppm	4–7 a
Lachgas	N_2O	0,5	ppm	25 a
Kohlenmonoxyd	CO	0,05	ppm	0,2–0,5 a
Ammoniak	NH_3	0,01	ppm	5 d
Schwefelwasserstoff	H_2S	0,1	ppb	1 d
Ozon	O_3	20–50	ppb	2 a
Edelgase		typisch		10^7 a
Argon	Ar	0,94	%	
Neon	Ne	18,2	ppm	
Helium	He	5,24	ppm	
Krypton	Kr	1,14	ppm	
Xenon	Xe	0,087	ppm	
Radon	Rn			

Jenseits der Turbopause werden die freien Weglängen bereits so groß, daß die Turbulenz sie nicht mehr sehr effizient transportieren kann; Diffusion wird wichtig. Schließlich verhält sich jede Gaskomponente so, als ob sie alleine vorhanden wäre (Exosphäre). Bis zur Turbopause ist darum auch das mittlere Molekulargewicht der Luft konstant – einfach weil die Mischungsverhältnisse sich nicht ändern (und einige Komponenten im ppm- und ppb-Bereich dazu nur vernachlässigbar beitragen). Oberhalb von 160 km Höhe wird der atomare Sauerstoff zur häufigsten Spezies, in der Exosphäre reduziert sich die Atmosphäre schließlich auf ein Gemisch aus atomarem Sauerstoff und Wasserstoff.

Die Luftdurchmischung ist in der Troposphäre, in der Stratosphäre und in der Mesosphäre so gut, daß der Anteil der einzelnen Gase gleich bleibt – nur der Wasserdampfgehalt der Luft ändert sich sehr schnell mit der Höhe sowie mit der Breite und der Jahreszeit (vgl. Abb. 51).

Aus Tab. 12 entnimmt man, daß es noch eine ganze Reihe von Gasen mit sehr viel geringerer Konzentration gibt; sie werden Spurengase genannt.

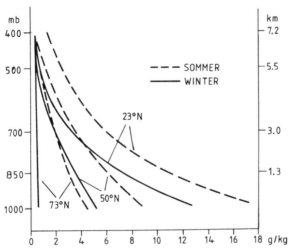

Abbildung 51 *Wasserdampfgehalt der Atmosphäre in Abhängigkeit von der Höhe. Er ist im Sommer wegen der im Mittel höheren Temperatur größer als im Winter.*

Die Edelgase

Dazu gehören natürlich auch die *Edelgase*; diese geben einige Rätsel auf. Sie reagieren chemisch nicht, sind daher mit Ausnahme von Argon (^{40}Ar; es gibt auch andere Argonisotope), das aus Kalium durch radioaktiven Zerfall entsteht, und von Helium (^{4}He), das ebenfalls durch radioaktive Zerfälle entsteht (Alphateilchen), primordial, das heißt sie waren so im präsolaren Nebel

183

enthalten. Man würde daher für das gesamte Sonnensystem durchgehend gleiche Häufigkeitsverhältnisse der Edelgase zu einem nichtflüchtigen Element (z. B. Silizium) erwarten. Die Erde ist jedoch im Vergleich zu anderen Materialproben, die wir aus dem Sonnensystem kennen, an Edelgasen verarmt: Helium um einen Faktor 10^9, Neon um 10^{11}, Argon (nicht ^{40}Ar) um 10^8, Krypton um 10^6, Xenon um 10^7. Die Verweilzeit der Edelgase in der Atmosphäre beträgt durchweg mehrere Millionen Jahre; jedoch können und konnten nur Heliumatome dem Schwerefeld der Erde entkommen. Die Bedeutung dieses Defizits ist im Zusammenhang mit der Erdentstehung zu sehen und wurde in Kap. 1 besprochen. In diesem Zusammenhang ist noch das radioaktive Edelgas Radon zu erwähnen, ebenfalls ein Zerfallsprodukt der Uranreihe. Im Grundwasser sorgt es für die Nullaktivität von 3–40 Bq, in Heilquellen beträgt die Radonaktivität oft einige tausend Becquerel.

Die Spurengase

Da die Edelgase aber chemisch inaktiv sind, spielen sie im Zusammenhang mit chemischen Reaktionen keine Rolle; auch ihre Absorptionseigenschaften für Licht sind nicht besonders wichtig. Jene Spurengase aber, deren Moleküle aus mehreren Atomen bestehen, sind von anderer Qualität. Sie sind einerseits in die chemischen Prozesse, von denen gleich noch ausführlicher die Rede sein wird, verwoben. Andererseits vermögen sie wegen ihres molekularen Aufbaus Lichtenergie aus dem Infrarotbereich zu absorbieren, woraufhin ihre Atome in gegenseitige Schwingungen geraten können; sie sind auch bei noch größeren Wellenlängen der Strahlung (Mikrowellengebiet) in der Lage, Energie zu absorbieren und geraten dabei in verschiedene Rotationszustände. Wenn solche Energieabsorptionsbereiche in eines der Fenster fallen, die vom Wasserdampf, vom Kohlendioxyd und vom Ozon im infraroten Teil des Spektrums offengelassen worden sind, in denen die Erde also bisher unbehindert ausstrahlen konnte (vgl. Abb. 47, 48), dann werden sie die Ausstrahlung der Erde behindern, tragen also zur Vergrößerung des Treibhauseffektes der Erde bei (vgl. dazu auch Kap. 7). Ich will die Spurengase dieser wichtigen Eigenschaft wegen im folgenden ausführlicher beschreiben. Tab. 12 faßt die wichtigsten Zahlenangaben über die Spurengase noch einmal zusammen.

Viele dieser Gase gelangen durch natürliche Prozesse in die Atmosphäre. Es gibt aber auch eine ganze Reihe signifikanter Emissionen, die mit menschlichen Aktivitäten verbunden sind, worunter auch Gase fallen, die kein natürliches Pendant haben.

Stickstoffverbindungen

Stickstoff gelangte – wie Sauerstoff – durch biologische Prozesse in die Atmosphäre. Daß Stickstoff als Folge vulkanischer Aktivität in die Atmosphäre gelangt sein könnte, ist nicht sehr wahrscheinlich. Die Marsatmosphäre enthält praktisch keinen Stickstoff; das legt die Vermutung nahe, der Stickstoff der Erde sei mit der Existenz der Biosphäre in Verbindung zu bringen. Ohne die Biosphäre würde Stickstoff vermutlich unter dem Einfluß von Strahlung und von Blitzentladungen schnell oxydiert werden und im Ozean verschwinden; dort sind tatsächlich ständig $1,8 \cdot 10^{12}$ t Stickstoff (N) enthalten. Der Stickstoffgehalt der Atmosphäre von $3,8 \cdot 10^{15}$ t N_2 wird durch eine Produktionsrate von knapp 10^9 t/a aus biologischen Prozessen aufrechterhalten (Denitrifikation von abgestorbenen Pflanzen und Tieren durch Bakterien im Boden und im Ozean; die darin enthaltene Masse Stickstoff [N] wird auf $6,5 \cdot 10^{11}$ t geschätzt; N_2 entweicht in die Atmosphäre). Mit der zu Anfang dieses Kapitels angegebenen Beziehung errechnet man für Stickstoff eine Verweilzeit in der Atmosphäre von 3,9 Mio. Jahren.

Die anaerobe Stickstofferzeugung durch denitrifizierende Bakterien, beispielsweise aus Glukose bei Energiegewinn durch Reduktion (z. B. Nitrosomonas denitrificans), verläuft wie folgt:

$$5 \cdot C_6H_{12}O_6 + 24 \cdot NO_3 \rightarrow 30 \cdot CO_2 + 18 \cdot H_2O +$$
$$24 \cdot OH^- + 12 \cdot N_2 + 2387 \text{ kJ/Mol (Glukose)} \quad (R1)$$

(das Nitration ergibt den Wasserstoffakzeptor für die Oxydation von Kohlehydraten). Analoge Prozesse gibt es für anaerobe Schwefelbakterien. Diese gewinnen über Nitratreduktion Energie für die Kohlenstoff-Fixierung bei der Chemosynthese; dabei werden ebenfalls CO_2 und N_2 frei.

Die Erde verliert keinen Stickstoff, wie sie zum Beispiel die leichteren Gase Wasserstoff oder Helium verliert (vgl. Anh. 2). Der Produktion müssen daher, soll die Konzentration konstant bleiben, Verlustprozesse gegenüberstehen.

Das Stickstoffmolekül (N_2) ist ebenso wie das Distickstoffoxyd (N_2O, Lachgas) sehr reaktionsträge; deswegen konnte es sich in der Atmosphäre sammeln. Der Stickstoffgehalt der Erde ist in drei Reservoirs fixiert: in der Luft, im Ozean, in der Erdkruste; sie alle stehen miteinander in Verbindung. In den Sedimenten der Erde sind etwa 10^{14} t festgelegt. Diese Mengen sind klein gegen die in der Atmosphäre enthaltene Menge – der größte Teil des irdischen Stickstoffs befindet sich also in der Atmosphäre. Stickstoff, der mit organischem Material in Sedimenten verschwindet, wird der Atmosphäre entzogen; Verwitterung von organischem Material setzt Stickstoff frei. Der Nitratgehalt des Ozeans wird durch Organismen niedrig gehalten; diese können offenbar im Meerwasser ein Nitrat-Phosphat-Verhältnis aufrechterhalten, das den biochemischen Bedarf deckt. Phosphor wird damit zum limitierenden Faktor, da Nitrat praktisch beliebig vermehrbar ist.

Gewisse Bakterien bauen aus atmosphärischem Stickstoff wieder Stickstoffverbindungen auf, die von der Biosphäre aufgenommen werden, zum Beispiel

$$N_2 + 3\,H_2 \rightarrow 2\,NH_3 \qquad (R2)$$

(stickstoff-fixierende Bakterien, blaugrüne Algen, auch Azetobacter, durch Reduktion); Ammoniak wird durch Nitritbakterien zu salpetriger Säure oxydiert, die beispielsweise durch Nitrobacter zu Salpetersäure weiteroxydiert werden kann (vgl. unten, R9). Die frei werdende Energie ermöglicht diesen Bakterien Chemosynthese.

Lachgas (N_2O, ein farbloses, süßlich riechendes Gas) entsteht durch mikrobiologische Denitrifikation im Boden. Bakterien reduzieren dabei Nitrat zu N_2 und N_2O:

$$\text{DENITRIFIKATION}$$
$$NO_3^- \rightleftharpoons NO_2^- \rightleftharpoons N_2O \rightleftharpoons N_2 \rightleftharpoons NH_4^+ \qquad (R3)$$
$$\text{NITRIFIKATION}$$

Mit etwa 10% ist die landwirtschaftliche Düngung am N_2O-Aufkommen beteiligt, unabhängig von Bodenart und meteorologischen Bedingungen, jedoch abhängig von der Temperatur. Wahrscheinlich sind es Ammonium enthaltende Stickstoffdünger, die ganz wesentlich zu der wachsenden atmosphärischen Konzentration von N_2O beitragen. Gegenwärtig rechnet man mit einer Zunahme dieser Emission um 6%/a. Weitere Quellen sind die Verbrennung fossiler Brennstoffe und von Biomasse, ferner die Ozeane und die Kultivierung natürlicher Böden.

In der Troposphäre gibt es keine Verlustprozesse für Lachgas; es kann daher in die Stratosphäre aufsteigen (ca. 10^7 t/a [N]; in der Stratosphäre kann N_2O überdies durch die Oxydation von N_2 durch OH entstehen ($\rightarrow N_2O$ + H). Es wird in der Stratosphäre entweder photolytisch abgebaut:

$$N_2O + h\nu \rightarrow N_2 + O \qquad (\lambda < 337 \text{ nm}) \qquad (R4)$$

oder über

$$N_2O + O^* \rightarrow N_2 + O_2 \qquad (R5)$$

oder

$$N_2O + O^* \rightarrow 2\,NO \qquad (R6)$$

oxydiert. Daher bleibt das Mischungsverhältnis von N_2O in der Troposphäre praktisch konstant und fällt erst in der Stratosphäre stark ab. In der Stratosphäre wird Lachgas zur wichtigsten Quelle für Stickoxyde (R7). Lachgas reagiert in der Stratosphäre aber auch mit Ozon zu NO_2:

$$N_2O + O_3 \rightarrow NO_2 + O_2 \qquad (R7)$$

NO_2 wird dann rasch zu NO (R10) beziehungsweise HNO_3 (R16) umgesetzt. Gegenwärtig nimmt die N_2O-Konzentration in der Stratosphäre im Höhenbereich zwischen 15 und 30 km mit der Höhe rasch zu.

Die Konzentration in der Luftsäule liegt in der Troposphäre bei $3,3 \cdot 10^{-4}$ g/cm^2, in der Stratosphäre bei $0,6 \cdot 10^{-4}$ g/cm^2. Daraus errechnet sich die Masse in der Troposphäre zu $1,7 \cdot 10^9$ t, die Gesamtmasse N_2O in der Atmosphäre zu 2 Mrd. t. Die Verweilzeit in der Stratosphäre liegt entsprechend zwischen 30 und 200 Jahren.

Wegen seiner Absorptionsbanden im infraroten Ausstrahlungsfenster der Erde rechnet N_2O zu den klimarelevanten Gasen der Atmosphäre. Da die Ionisationsgrenze bei 128,8 nm liegt, tritt unterhalb der Ozonschicht keine Photoionisation auf, erst in der Mesosphäre wird das wichtig.

Stickoxyde, kurz als NO_x angesprochen, sind in der Luftchemie wichtige Reaktionspartner. Sie entstehen in Verbrennungsprozessen bei hoher Temperatur, auch bei Blitzentladungen (NO). Erst 1938 wurden sie in der Luft nachgewiesen. Das farblose, giftige NO entsteht in sauren Böden durch chemische Zerstörung von Nitrit unter aeroben Bedingungen. Bewachsene Böden geben offenbar weniger NO_x an die Atmosphäre ab als unbewachsene (NO wird in der bodennahen Grenzschicht rasch zu NO_2 oxydiert, das durch Pflanzen leicht resorbiert wird). NO_2 ist übrigens für die braune Farbe des Smog (vgl. unten) verantwortlich. Es ist giftig; es entweicht beispielsweise aus rauchender Salpetersäure.

Die Konzentrationen der beiden Oxyde liegen in der Troposphäre bei 0,12 (NO) und 0,34 ppb$_v$ (NO_2). Die Lebensdauern betragen für beide nur wenige Tage, da die Stickoxyde sehr schnell durch Ozon und das Hydroxylradikal OH zu Nitrat aufoxydiert werden. Hohe Konzentration gibt es deswegen nur in der Nähe der Quellen. Ein Teil der Stickoxyde wird im Boden festgelegt (Nitrifizierung):

$$2\,NH_3 + 3\,O_2 \rightarrow 2\,HNO_2 + 2\,H_2O + 272\,kJ$$
$$\text{(Nitrosomonas)} \quad \text{(R8)}$$
$$2\,HNO_2 + O_2 \rightarrow 2\,HNO_3 + 72\,kJ \text{ (Nitrobacter)} \quad \text{(R9)}$$

Durch Verbrennungsprozesse wird NO_x derzeit mit der alarmierenden Rate von 16 Mio. t/a (N) freigesetzt. Diese ist vergleichbar mit den natürlichen Emissionen von 10–20 Mio. t/a aus der Verbrennung von Biomasse, etwa 10 Mio. t/a entstehen durch Blitze, ebensoviel stammt aus den Böden. Die Ozeane liefern nur einen kleinen Beitrag. NO_2 absorbiert im Ultraviolettbereich; das führt zur Dissoziation von NO_2 und zu Ozonbildung:

$$NO_2 + hv \rightarrow NO + O^* \quad (\lambda < 420\,nm) \quad (R10)$$
$$O^* + O_2 + M \rightarrow O_3 + M \quad (R11)$$

Die Stickoxyde bilden leicht *Salpetersäure* (HNO_3) (z. B. NO_2 + OH + $M \rightarrow HNO_3$ + M) in Gasphasenreaktionen oder im Zusammenhang mit Reaktionen an Aerosoloberflächen. Salpetersäure wird nach einer Verweildauer von drei Tagen mit dem Regen aus der Troposphäre ausgewaschen:

$$3\,NO_2 + H_2O \rightarrow 2\,HNO_3 + NO \quad (R12)$$

Die Transportentfernungen liegen entsprechend bei einigen tausend Kilometern. Die Gesamtmasse der Stickoxyde in der Troposphäre wird auf etwa 13 Mio. t (N) geschätzt, das Mischungsverhältnis in der Troposphäre schwankt zwischen 10 und 300 ppt_v. NO_x wird aus der Troposphäre kaum nach oben transportiert.

Die in der Atmosphäre im Mittel vorhandene Nitratmasse beträgt knapp 1 Mio. t. Ein großer Teil des ständig in die Atmosphäre verfrachteten Nitrats wird durch nasse Deposition ($4 \cdot 10^6$ t/a [N]) aus der Atmosphäre entfernt; die trockene Deposition ist noch größer und liegt bei $6 \cdot 10^6$ t/a.

Wo genügend Ozon oder angeregter atomarer Sauerstoff zur Verfügung steht, wird NO_2 zu NO_3 oxydiert:

$$NO_2 + O_3 \rightarrow NO_3 + O_2 + 105\,kJ \quad (R13)$$

189

Am Tage wird auch NO_3 photolytisch rasch wieder zu NO reduziert (λ: 500–700 nm). Bei Nacht entsteht bevorzugt

$$NO_3^- + NO_2 \rightarrow N_2O_5 \qquad (R14)$$

das dann mittels

$$N_2O_5 + H_2O_{aq} \rightarrow 2\,HNO_3 \qquad (R15)$$

in Salpetersäure überführt wird (N_2O_5, Stickstoffpentoxyd, ist das Anhydrid der Salpetersäure). Netto ergibt sich also aus (R13)–(R15) folgende Bilanz:

$$2\,NO_2 + O_3 + H_2O_{aq} \rightarrow 2\,HNO_3 + O_2 \qquad (R16)$$

In Stratosphäre und Mesosphäre entsteht NO_x auch durch gelegentlich die Erde treffende energiereiche solare Protonen insbesondere im Bereich der Polkappe; der Flare im August 1972 produzierte die bisher größte nachgewiesene Menge von 10^{10} Mol NO_x. Nach einem starken Flare nimmt daher der Gesamtozoninhalt in der Luftsäule ab, so nach den Flares im November 1960, im September 1966 oder im November 1969 [32]. Auch energiereiche Elektronen erzeugen, ebenso wie schnelle thermische Elektronen in der Polarlichtzone, in der Thermosphäre Stickoxyde [36]. In solchen Prozessen entsteht auch angeregter atomarer Sauerstoff ebenso wie durch Photolyse von Ozon:

$$O_3 + h\nu \rightarrow O^* + O_2 \qquad (\lambda < 310\ nm) \qquad (R17)$$

der zur Oxydation von N_2O (R7) führt. Dies ist vermutlich der wichtigste Quellprozeß für Stickoxyde in der Stratosphäre.

Die Stickoxydchemie ist komplex, aber auch sehr wichtig, weil das NO_x-Molekül in sehr vielen Reaktionen die Rolle des Katalysators spielt.

In der Troposphäre schützen Stickoxyde das Ozon bis zu einem gewissen Grade vor Zerstörung, weil sie über photolytische Erzeugung von angeregtem atomaren Sauerstoff die Ozonbildung ermöglichen:

190

$$NO + HO_2 \rightarrow OH + NO_2 \qquad \text{(R18)}$$
$$NO_2 + hv \rightarrow NO + O^* \ (\lambda < 420 \text{ nm}) \quad \text{(R10)}$$
$$O^* + O_2 + M \rightarrow O_3 + M \qquad \text{(R11)}$$

netto: $HO_2 + O_2 + hv + M \rightarrow OH + O_3 + M$ (R19)

Die Ozonnettoerzeugung ist aber an das Vorhandensein von Stickoxyd (NO) geknüpft. Bei zu kleinen NO-Konzentrationen ($< 0,01$ ppb$_v$) führt die Oxydation von CO (vgl. unten) zu Ozonverlusten. In der Stratosphäre dagegen bewirken die Stickoxyde das Gegenteil – die Hydroxylbildung (R18) führt zur Ozonzerstörung wegen:

$$OH + O_3 \rightarrow HO_2 + O_2 \qquad \text{(R20)}$$
$$HO_2 + O_3 \rightarrow OH + 2O_2 \qquad \text{(R21)}$$

netto: $2O_3 \rightarrow 3O_2$ (R22)

Diese Reaktionen stehen im Gleichgewicht mit der Ozonbildung. Stickoxyd (NO) reduziert bis zu einem gewissen Grad auch die Wirkung der halogenierten Kohlenwasserstoffe, weil das daraus entstehende Chloroxyd mit NO zu Cl reduziert und mit Methan rasch in Salzsäure (HCl) überführt wird, die mit Ozon photochemisch nicht mehr reagiert. Sie bildet Tröpfchen und verschwindet rasch nach unten. Dieser Pufferungseffekt ist wirksam, solange die Konzentration von ClO die von NO$_x$ nicht übertrifft. Die Rolle der Stickoxyde in der Stratosphäre wurde erst durch H. S. Johnston [29] und durch P. J. Crutzen [30] geklärt. Ich komme darauf bei der Besprechung des Ozon zurück.

Für Stickoxyde gibt es einige wichtige vertikale Transportprozesse. Der Massenfluß aus der Thermosphäre in die Mesophäre (also von oben) wird auf $2 \cdot 10^8$ Moleküle/cm^2 s (NO) geschätzt. Stickstoffpentoxyd und andere höhere Oxyde, die in einigen Prozessen entstehen, zerfallen sehr schnell wieder in NO und NO$_2$, spielen also nur lokal eine Rolle. NO$_2$-getragene Reaktionen sind vor allem bei Nacht wichtig, weil NO$_2$ am Tage rasch zu NO dissoziiert (R10).

Bleibt *Ammoniak* zu erwähnen (NH$_3$), das erst 1963 im Niederschlag nachgewiesen worden ist. Dessen Konzentration in der Oberflächenluft liegt bei 4–20 μg/m^3, über den Ozeanen eine Größenordnung niedriger. Ammoniak entsteht überwiegend biologisch, bei der Zersetzung (Ammonifikation), mit zum Beispiel folgender Reaktion:

$$CH_2NH_2COOH + 1\tfrac{1}{2}\,O_2 \rightarrow 2\,CO_2 + H_2O + NH_3 \qquad (R23)$$

Seine Konzentration nimmt bis in 2 km Höhe rasch ab, bleibt aber danach konstant; sie ist im Sommer höher als im Winter. Ammoniak reagiert sehr rasch mit OH zu NH$_2$, das sich leicht in Stickoxyd umwandelt und eine weitere wichtige Quelle für die Stickoxyderzeugung darstellt. Die NH$_3$-Quellstärke beträgt etwas über 100 Mio. t/a. Haustiere und wildlebende Tiere tragen 30 Mio. t/a, Agrarflächen ebensoviel zur Produktion bei. Bei der Kohleverbrennung entstehen 10 Mio. t/a, bis zu 60 Mio. t/a entstehen bei der Verbrennung von Biomasse. Die Verweildauer in der Atmosphäre beträgt sieben bis vierzehn Tage, entsprechend groß ist die regionale Variabilität. Absorptionsbanden im Ausstrahlungsfenster der Erde (10,5 μm) würden es klimarelevant machen; die kurze Verweilzeit reduziert diese Bedeutung. Ammoniak verschwindet aus der Atmosphäre durch Umwandlung in Ammoniumsulfat (Aerosol) mit dem Niederschlag sowie durch Gasreaktionen mit OH.

Die Rolle des Sauerstoffs

Dem *Sauerstoff* begegnen wir überall in der Atmosphäre: In der Thermosphäre ist atomarer Sauerstoff (O) häufiger als molekularer (O$_2$ und O$_3$). In der Mesosphäre ist dagegen die Konzentration von atomarem Sauerstoff kleiner als die von O$_2$. In der Stratosphäre kommt O$_3$ häufiger vor als O. Die drei Sauerstoffarten bestimmen wegen ihrer optischen Eigenschaften entsprechend ihrer relativen Dichte weitgehend den Temperaturverlauf in der Atmosphäre.

Der Sauerstoff ist für Chemie und Energiebilanz der Atmosphäre der wohl wichtigste Bestandteil. Als molekularer Sauerstoff absorbiert er Licht unter 200 nm, als Ozon unter 350 nm ganz massiv, begrenzt daher die kurzwellige Einstrahlung entscheidend, spielt damit auch für die Energiebilanz eine wichtige Rolle. Sauerstoff gelangt durch die Photosynthese, bei der aus CO_2 Kohlehydrate aufgebaut werden, in die Luft:

$$n \cdot H_2O + 6 \cdot CO_2 + hv \rightarrow n \cdot (CH_2O) + n \cdot O_2$$
$$(hv < 800 \text{ nm}) \quad (R24)$$

(n = 1 bedeutet Formaldehyd, n = 6 Glukose). Kohlehydrate polymerisieren in langen Ketten zu Zellulose oder Stärke (Vielstufenprozeß). Da die Bindungsenergie der C-O-Brücke 531 kJ/Mol und die der O-H-Brücke 498 kJ/Mol beträgt und beide vor dem Aufbau organischer Moleküle gebrochen werden müssen, muß das Licht eine Mindestenergie besitzen, seine Wellenlänge muß also kürzer als eine bestimmte Wellenlänge sein. Der hierbei entstehende Sauerstoff stammt übrigens aus dem Wassermolekül! Die gegenwärtige Produktionsrate beträgt $7 \cdot 10^{13}$ Moleküle/cm^3 s oder $5{,}8 \cdot 10^{11}$ t/a. Die Verweildauer von Sauerstoff in der Atmosphäre liegt bei rund 1000 Jahren. Atomarer Sauerstoff (O) ist im angeregten Zustand (O*) sehr reaktionsfreudig, in Bodennähe kann er deshalb frei nur für etwa 10 µs existieren; er entsteht dort durch Photodissoziation von Ozon (R17) und Stickoxyden (R10) mit einer Rate von $1{,}3 \cdot 10^8$ Atomen/cm^3 s, in der Stratosphäre entsteht atomarer Sauerstoff durch Dissoziation:

$$O_2 + hv \rightarrow O + O \quad (\lambda < 240 \text{ nm}) \quad (R25)$$

Die Ozondichte in Bodennähe hängt wesentlich von der des NO_2 und der des atomaren Sauerstoffs ab. Letztere liegt bei $4{,}6 \cdot 10^3$ pro cm^3, die von NO_2 bei $5{,}5 \cdot 10^{10}$ pro cm^3; die von Ozon bei $7 \cdot 10^{11}$ pro cm^3. Da mehr NO_2 als erforderlich vorhanden ist, überwiegt die Reaktion (R10) zusammen mit (R11), die zur Ozonerzeugung führt, die Abbaureaktion.

Das Sauerstoffbudget wird maßgeblich kontrolliert vom Verbrauch von Sauerstoff bei der Verwitterung (Verschwinden in Sedimenten). Quelle für Sauerstoff ist die Photosynthese; das Stickstoffbudget ist teilweise verknüpft mit dem des Sauerstoffs.

Eine ganz zentrale Rolle in der Chemie der Atmosphäre spielt der triatomare Sauerstoff, das *Ozon* (O_3). Ozon wurde 1839 von C. F. Schönbein in Basel entdeckt, der ihm auch den Namen (das »Riechende«) gab und seine Messung in Luft mit Kaliumiodid anregte. In der Troposphäre wurde es dann 1858 durch M. A. Houzeau, einen französischen Chemiker, nachgewiesen, spektroskopisch später durch M. J. Chappius. 1917 konnten A. Fowler und R. J. Strutt (Lord Rayleigh) zeigen, daß die im Spektrum des Sterns Sirius beobachteten Banden durch das Ozon der Erdatmosphäre hervorgerufen worden waren. Strutt konnte 1918 weiter zeigen, daß das Ozon hauptsächlich im Höhenbereich zwischen 40 und 60 km konzentriert sein müsse. Das wurde schließlich 1934 durch den Ballonaufstieg von E. Regener (vgl. Kap. 3) mit einem Ultraviolettspektrographen ungefähr bestätigt (das Maximum lag bei 22 km, Abb. 52). Später zeigte S. Chapman (1930) theoretisch, wie Ozonbildung und Abbau prinzipiell zu verstehen sind [6]. H. K. Paetzold, Dobson und andere haben dann weitere entscheidende Beiträge zu diesem Komplex geleistet.

Ozon wird hauptsächlich durch die Dreierstoßreaktion (R11) gebildet, und zwar überwiegend in der Stratosphäre. Thermischer Abbau von Ozon spielt bei Stratosphärentemperaturen keine Rolle (weshalb Ozonabbau bei Nacht praktisch nicht stattfindet). Reaktion von Ozon mit atomarem Sauerstoff

$$O_3 + O \rightarrow 2O_2 \qquad (R26)$$

dürfte mit 5–10 % zur Ozonzerstörung beitragen. Die Ozonbildungs- (R11) und Abbaureaktionen (R16) und (R17) ergeben jedoch zunächst eine vertikale Ozonverteilung, die etwa 30 % mehr Ozon enthält, als beobachtet wird. Daher schlug Crutzen 1971 [30] vor, beim Ozonabbau auch katalytische Prozesse zu betrachten, die im Prinzip nach folgendem Schema ablaufen:

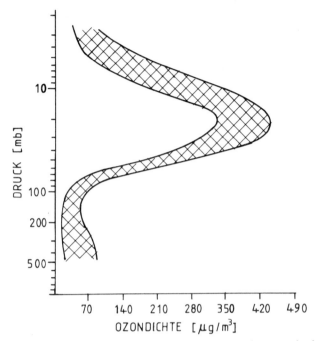

Abbildung 52 *Die Ozonschicht. Das schraffierte Band entspricht der natürlichen Schwankungsbreite des Mischungsverhältnisses.*

$$X + O_3 \rightarrow XO + O_2 \qquad (R27)$$
$$O_3 + hv \rightarrow O + O_2 \qquad (R28)$$
$$O + XO \rightarrow X + O_2 \qquad (R29)$$

Der Katalysator X wird bei solchen Reaktionen nicht verbraucht. X kann dabei ersetzt werden durch OH, HO_2, NO_x, aber auch durch Cl, F, Br. Solche Prozesse tragen ganz wesentlich zur Ozonzerstörung bei und kompensieren somit den Ozonüberschuß. Man nennt diese Prozesse katalytische Ozonzerstörungsprozesse.

Ozon ist wesentlich verantwortlich für die Absorption des ultravioletten Teils des Sonnenspektrums. Ozon hat durchdringenden Geruch; es entsteht beispielsweise bei elektrischen Entladungen – daher kennt jeder den Geruch. Ozon ist eines der

195

stärksten Oxydationsmittel und schon in relativ geringer Konzentration stark giftig; es wird daher als Bleichmittel ebenso eingesetzt wie zur Wasseraufbereitung.

In der Natur wird Ozon hauptsächlich an zwei Stellen gebildet: bodennah und in der Stratosphäre. In der Troposphäre entsteht es in einer Reaktionskette, in der zunächst NO mittels HO_2 zu NO_2 oxydiert wird. NO_2 wird photolytisch zerstört (R10, vgl. oben), wobei O^* entsteht, der nun im Dreierstoß (R11) mit beliebigen anderen Molelülen und O_2 Ozon bildet. Aus der wesentlich stärkeren Quelle in der Stratosphäre (Abb. 52) gelangt Ozon durch stratosphärisch-troposphärische Austauschprozesse in die Troposphäre. Die stratosphärische Ozonschicht hat ihre maximale Konzentration in etwa 22 km Höhe, obwohl das maximale Mischungsverhältnis (10 ppm_v) etwas höher (bei 30–35 km) liegt. Die Schicht ist bei der halben Maximalkonzentration etwa 10 km dick.

Ozon entsteht außerdem überall dort, wo atomarer Sauerstoff freigesetzt wird, der mit Sauerstoffmolekülen Ozon bilden kann – ob durch Einwirkung energiereicher Strahlung oder bei elektrischen Entladungen. In hohen Konzentrationen kann Ozon über Gebieten mit starker Abgasentwicklung (photochemischer Smog) entstehen, wo die Konzentrationen so hoch werden können, daß es zu Schädigungen bei Pflanzen (Waldsterben) und gesundheitlichen Schäden bei Menschen und Tieren kommen kann. Das Konzentrationsniveau, von dem an Ozon als giftiges Gas zu akuten Gesundheitsschäden führt, wird in den Ballungsräumen der Erde heute bereits oft genug überschritten.

Ozon wird in der Troposphäre durch Gase wie NO, CO, CH_4, HO_2, SO_2, in der unteren Troposphäre außerdem durch Oxydation von Aerosolen und Materialien der Erdoberfläche wieder zerstört. Beispielsweise bildet sich aus 0,1 ppm SO_2 und 0,05 ppm O_3 innerhalb von einer Minute 0,88 mg/l Sulfat (SO_4^{--}). Weil diese Prozesse hauptsächlich photolytisch ablaufen, entsteht jeweils angeregter Sauerstoff, der dann sehr schnell mit H_2O zu 2 OH reagiert. Die ozonabbauenden Prozesse in der Troposphäre sind daher zugleich die wichtigsten Quellen für das

196

Hydroxylmolekül OH. Die Oxydationsfähigkeit der Troposphäre wird durch die Komponenten OH und Ozon bestimmt. OH spielt in der Atmosphäre die Rolle des universellen »Waschmittels«. In »sauberer« Troposphäre werden 60% des OH zur Oxydation von CO, 40% zur Oxydation von CH_4 verbraucht. Seine mittlere Konzentration am Boden beträgt nur $5 \cdot 10^5$ Moleküle/cm^3; sie ist in den Tropen am höchsten. Die Konzentration von Ozon nimmt von 20 ppb$_v$ nahe der Erdoberfläche bis auf 100 ppb$_v$ an der Tropopause zu. Daher nimmt Ozon so etwas wie eine Schlüsselrolle in der Chemie der Atmosphäre ein: die entstehenden Radikale O, OH, CH_3, H sowie CO sind in eine sehr große Zahl anderer Reaktionen verwickelt, wie im folgenden noch deutlich werden wird.

Ozon hat am Boden dementsprechend eine Lebensdauer von nur etwa zehn Tagen, in 5 km Höhe jedoch bereits von 100 Tagen. Die troposphärische Ozonmasse beträgt 320 Mio. t – das sind 10% der Gesamtmasse des atmosphärischen Ozons. Die Verlustrate in der Troposphäre beträgt 780 Mio. t/a.

Hier noch einmal die wichtigsten Abbauprozesse:

$$O_3 + h\nu \rightarrow O^* + O_2 \qquad (\lambda < 310 \, nm) \qquad \text{(R17)}$$
$$O^* + H_2O \rightarrow 2\,OH \qquad\qquad\qquad\qquad \text{(R30)}$$
$$O_3 + h\nu \rightarrow O + O_2 \qquad (460 < \lambda < 700 \, nm) \quad \text{(R28)}$$
$$O + O_3 \rightarrow O_2 + O_2 \qquad\qquad\qquad\qquad \text{(R26)}$$

In der Stratosphäre verläuft die Photolyse von Ozon schneller als die des Sauerstoffmoleküls O_2. Ebenso verläuft die Bildung von Ozon im Dreierstoß (R11) sehr viel schneller als die Abbaureaktionen. Doch werden nur 20% des Ozonabbaus durch dieses Schema gedeckt. 80% werden in Reaktionen mit anderen Spurengasen umgesetzt, wie durch:

$$O_3 + HO_2 \rightarrow OH + 2\,O_2 \qquad \text{(R21)}$$
$$NO_2 + O_3 \rightarrow NO_3 + O_2 \qquad \text{(R13)}$$
$$NO + O_3 \rightarrow NO_2 + O_2 \qquad \text{(R31)}$$

sowie in zahlreichen Halogenabbaureaktionen.

Stickoxyde und Halogene werden erst dann wieder aus der

Stratosphäre entfernt, wenn sie durch weitere Reaktionen in Salpetersäure oder (zum Beispiel) Salzsäure umgewandelt worden sind und in dieser Form wieder nach unten sinken, wo sie durch Regen aus der Troposphäre ausgeschieden werden können.

Die Konzentration von Ozon wird daher im unteren Bereich der Stratosphäre hauptsächlich von dem aus der Troposphäre in die Stratosphäre eindiffundierenden Wasserdampf bestimmt, der unter der Einwirkung von ultraviolettem Licht in Wasserstoff und das Hydroxylmolekül (OH) zerlegt (dissoziiert) wird. Die vertikale Verteilung geschieht durch atmosphärische Bewegungen, die den Abtransport von Ozon in die Troposphäre bewirken – ein Effekt, der vor allem in höheren Breiten von Bedeutung und der insbesondere in der Polarnacht wirksam ist, weil er dort der Beeinflussung durch das ultraviolette Licht entzogen ist. In umgekehrter Richtung bringen solche Transportmechanismen aus der Troposphäre alle jene Gase in die Stratosphäre, deren Wirkung auf das Ozon durch die oben zusammengestellten Reaktionsgleichungen beschrieben wird. Diese Transportprozesse aber werden ebenso wie die chemischen Mechanismen in ganz außerordentlichem Maße durch die Temperaturstruktur der Atmosphäre beeinflußt. Die Änderung der Temperatur allein verändert daher bereits existierende dynamische Gleichgewichtszustände, weil man im allgemeinen nicht davon ausgehen kann, daß sich die Erzeugungsprozesse für ein bestimmtes Molekül gegen Temperaturänderungen genauso verhalten wie Zerstörungsmechanismen, die zum Verschwinden dieses Moleküls führen.

Bodennah aus höheren Breiten (ca. 60°) äquatorwärts strömende Luft transportiert daher auch das aus der Stratosphäre in diesen Regionen in die Troposphäre gesunkene Ozon. Die Transportzeit beträgt etwa zwei Monate. Das entspricht der Lebensdauer von Ozon in der Troposphäre. Die Lebensdauer in der Stratosphäre ist wesentlich länger: ein bis zwei Jahre. Die troposphärische Ozonkonzentration erreicht deswegen in unseren Breiten ihr Maximum im Frühjahr. Infolgedessen ist die Konzentration von Sulfat und Nitrat in den Niederschlägen des Frühjahrs am höchsten – denn ein Drittel des Ozonabbaus in der

Troposphäre wird durch solche Prozesse geleistet. Die Chemie der Atmosphäre und ihre Dynamik liefert daher auch wichtige Beiträge zum Verständnis des Waldsterbens, in dessen Klärungsprozeß Physik und Chemie der Atmosphäre nur sehr zögernd Eingang gefunden haben.

Für die Ozonverluste in der Troposphäre sind vier Prozesse maßgeblich:

- Prozesse am Boden (1 %)
- Reaktionen mit atomarem Sauerstoff (17 %)
- Reaktionen mit HO_x (11 %)
- Reaktionen mit Stickoxyden, die die wohl größte Senke für Ozon (ca. 70 %) darstellen.

Auf Abbauprozesse in der Stratosphäre werde ich im Kap. 9 näher eingehen.

Ozon und NO_2 unterscheiden sich von den übrigen »Treibhausgasen« H_2O, CO_2 unter anderem dadurch, daß sie im kurzwelligen *und* im langwelligen Spektralbereich absorbieren, also Einstrahlung und Ausstrahlung beeinflussen. Die Absorptionsbanden liegen im atmosphärischen Strahlungsfenster.

Wasserstoff

Die Rolle des Wasserstoffs in der Atmosphäre ist eher unbedeutend. Im Zusammenhang mit Luftverschmutzungen steigt die Wasserstoffkonzentration gegenüber sauberer Luft. Vier Quellen sind zu nennen: Autoabgase sowie industrielle Produktionsprozesse (ca. 50 %), die Emission der Ozeane, die des Bodens und schließlich photochemische Prozesse in der Troposphäre – beispielsweise reagieren dort Methan und OH zu Formaldehyd (HCOH), das sich unter dem Einfluß von Licht in Wasserstoff und CO spaltet. Wasserstoff hat in der Troposphäre nur zwei Senken: die chemische Zerstörung

$$OH + H_2 \rightarrow H_2O + H$$

und das Verschwinden im Erdboden. Die Menge des Wasserstoffs in der Atmosphäre wird auf $2 \cdot 10^8$ t geschätzt. Mit Quellstärken von einigen 10^5 t/a errechnet sich für Wasserstoff in der Atmosphäre eine mittlere Verweildauer von sechs bis acht Jahren.

Aus der Exosphäre kann Wasserstoff auf ballistischen Bahnen dem Schwerefeld der Erde entkommen und in den interplanetaren Raum entweichen (Jeans-Escape, vgl. Anh. 2). Er wird von unten nachgeliefert, denn unterhalb der Mesopause wird mehr Wasserstoff erzeugt als aufgebraucht. Ein Teil des Überschusses sinkt zurück in die Troposphäre, der Rest diffundiert nach oben in die Thermosphäre und Exosphäre hinein. Da Wasserstoff durch Hydrolyse von Wasser entsteht, versteht man, warum dieser Prozeß in der primitiven Atmosphäre (vgl. Kap. 1) zum Verlust von Wasser geführt hat, beim Planeten Venus sogar dafür verantwortlich ist, daß die Atmosphäre dort praktisch kein Wasser enthält.

In der mittleren Thermosphäre ist die Temperatur bereits hoch genug, so daß thermisch getriebene Reaktionen ablaufen können:

$$H_2 + O \rightarrow OH + H \hspace{3cm} \text{(R32)}$$

Durch diesen Prozeß wird molekularer Wasserstoff hauptsächlich in atomaren umgewandelt. Die Exosphäre ist deshalb eine nur noch von H und O bestimmte Atmosphäre.

Halogene

Halogene kommen in der Atmospähre nicht erst vor, seit sie in industriellen Prozessen umgesetzt werden. Das Salz aus den Ozeanen und das ebenfalls aus dem Ozean stammende Methylchlorid (CH_3Cl) haben immer schon Chlor in die Atmosphäre gebracht. Es ist die wichtigste natürliche Quelle für den stratosphärischen Chlorpegel. Daneben haben in den letzten zwanzig Jahren aber in zunehmendem Maße die halogenierten

200

Kohlenwasserstoffe, die nur industriell produziert werden, zur Erhöhung der Konzentration von Chlor in der Stratosphäre beigetragen. Diese steigen – weil chemisch inert – unbeschädigt in die Stratosphäre auf, werden dort photolytisch zersetzt, so daß vorübergehend freies Chlor oder Fluor oder – in jüngster Zeit vermehrt – Brom entsteht. Das wird in Kap. 9 näher besprochen.

In der Troposphäre spielt das aus Seesalz bestehende Aerosol als Kondensationskern für Wasser eine Rolle. Im Regenwasser enthaltene Chlorionen tragen zur Korrosion mit bei; allerdings setzt heute Schwefelsäure die entscheidenden Maßstäbe.

Wasser

Der Wassergehalt der Troposphäre variiert sehr stark. Für den Strahlungshaushalt der Erde ist Wasserdampf einmal wegen seiner Absorption im Bereich unter 200 nm von Bedeutung, vor allem aber auch wegen seiner Infrarotabsorptionsbanden (vgl. Abb. 47). Wasser trägt daher ebenso wie CO_2 zum Treibhauseffekt der Erde maßgeblich bei. Darüber hinaus verändern Wasserwolken die Erdalbedo beträchtlich. Natürlich wird Wasser auch in die Stratosphäre transportiert. Dort wird es in eine Vielzahl photochemischer Umsetzungsreaktionen mit einbezogen, deren Partner H, OH, HO_2, H_2O_2, NO_2, CO, CH_4 sind. Unter diesen ist in der Stratosphäre erst OH gemessen worden, die Existenz der anderen Photooxydantien ist wegen der Reaktionsmechanismen zwar zwangsläufig, aber nicht gesichert.

Wasser wird in der Mesosphäre durch energiereiche solare Photonen (Lyman-α) dissoziiert:

$$H_2O + hv \rightarrow H + OH$$

Es muß also ein kräftiger Strom von Wasserdampf von unten bis in die Mesosphäre hinein vorhanden sein. Andererseits gehen die wenigen vorliegenden Ergebnisse von Messungen des Wasserdampfes mit Infrarot- und Mikrowellenradiometern in der Mesosphäre weit auseinander. Eine vage Schätzung des Wasserdampfgehalts der Stratosphäre und der Mesosphäre geht von indirekt beobachtbaren Wasserclustern der D-Schicht aus. In 70–80 km Höhe rechnet man zum Beispiel mit einem Mischungsverhältnis von 3 ppm$_v$.

Auf Grund ihrer Konfiguration (Abb. 25) neigen Wassermoleküle zur Clusterbildung, das heißt zur Anlagerung mehrerer Moleküle aneinander, zum Beispiel H^+–$(H_2O)_x$. Ein erheblicher Teil des Wassers in der Atmosphäre liegt zweifellos in dieser Form, in geladenen und in ungeladenen Clustern, vor. Die Konzentration von Wasser in der Statosphäre hängt stark ab von der Temperatur der Tropopause. Steigt diese, kann der Transport nach oben zunehmen.

Kohlenstoff in der Atmosphäre

Die Erde ist an Kohlenstoff – wie an allen leichtflüchtigen Substanzen im Vergleich zu mittleren Häufigkeiten im Sonnensystem verarmt. Sie hat im Verhältnis zur Menge Kohlenstoff die doppelte Menge Stickstoff, die dreifache Menge Sauerstoff. Der vorhandene Kohlenstoff befindet sich jedoch hauptsächlich in Kruste und Mantel der Erde.

In der Atmosphäre kommt Kohlenstoff deshalb nur als Spurengas vor, vornehmlich in drei Verbindungen: als CO, CO_2 und als CH_4.

Kohlenmonoxyd (CO) entsteht anthropogen durch unvollständige Verbrennung von Kohlenstoff mit rund 640 Mio. t/a; davon gehen 95 % auf Kraftfahrzeuge, der Rest auf stationäre Verbrennungen zurück. Die Ozeane liefern 100 Mio. t/a, Pflanzen und Tiere 60 Mio. t/a, Vulkane etwa 2 Mio. t/a in die Atmosphäre. Die Oxydation von Kohlenwasserstoffen (die zum Beispiel aus Wäldern emittiert werden) liefert weitere 60 Mio. t/a. Die Gesamtproduktion schwankt zwischen 1,8 und 4,7 Mrd. t/a. Die Konzentration in der Troposphäre beträgt nur 0,2 ppm, sie ist aber wegen der anthropogenen Beiträge auf der Nordhalbkugel höher als auf der Südhalbkugel.

Eine der wichtigsten Quellen für CO ist jedoch die Oxydation von Methan (CH_4) durch die Radikale O, OH, HO_2 (370–930 Mio. t/a). Der Methanabbau in der Troposphäre geschieht nur über die Reaktion mit OH. Die Konzentration von OH (in der Troposphäre $2,5 \cdot 10^6$ Moleküle/cm^3) begrenzt daher den Methanabbau, damit auch die Quellstärke für CO aus diesem Prozeß. Die Stärke dieser Quelle ist schwer abzuschätzen; die Angaben schwanken zwischen 4 und $9 \cdot 10^8$ t/a.

CO verschwindet teils im Boden durch Absorption (ca. $4 \cdot 10^8$ t/a), teils wird es durch Oxydation mit Photooxydantien, die hierbei die Rolle von Katalysatoren übernehmen (d. h. ohne Verlust für OH, HO_2, aber auch für NO, NO_2), über folgende Reaktionsketten abgebaut:

- Bei NO-Überschuß:

$$CO + OH \rightarrow CO_2 + H \qquad \text{(R33)}$$
$$H + O_2 + M \rightarrow HO_2 + M \qquad \text{(R34)}$$
$$HO_2 + NO \rightarrow OH + NO_2 \qquad \text{(R18)}$$
$$NO_2 + hv \rightarrow NO + O^* \quad (\lambda < 420\,nm) \quad \text{(R10)}$$
$$O^* + O_2 + M \rightarrow O_3 + M \qquad \text{(R11)}$$

$$\text{netto: } CO + 2O_2 + hv \rightarrow CO_2 + O_3 \qquad \text{(R35)}$$

- Wenn die Konzentration von NO im Verhältnis zu O_3 kleiner als $2 \cdot 10^{-4}$ ist, gilt folgendes Reaktionsschema:

$$CO + OH \rightarrow CO_2 + H \qquad \text{(R33)}$$
$$H + O_2 + M \rightarrow HO_2 + M \qquad \text{(R34)}$$
$$HO_2 + O_3 \rightarrow OH + 2O_2 \qquad \text{(R21)}$$

$$\text{netto: } CO + O_3 \rightarrow CO_2 + O_2 \qquad \text{(R36)}$$

In diesen Prozessen werden etwa 2,8 Mrd. t/a oder mehr an CO abgebaut. Eine Zunahme der CO-Konzentration in der Atmosphäre führt also zum stärkeren Verbrauch von OH. Weil CO gegenüber Methan bevorzugt oxydiert wird (die Reaktion läuft mit größerer Geschwindigkeit ab), kann trotz wachsender CH_4-Konzentration CO zunehmen (weil Methan in der Troposphäre nur von OH oxydiert wird, vgl. unten), die OH-Konzentration abnehmen und in belasteten Gebieten das troposphärische Ozon ansteigen. Weil jedoch durch die dadurch hervorgerufene Erhöhung des Treibhauseffektes die Temperatur ansteigen und damit die Verdunstung von Wasser zunehmen würde, könnte durch

$$H_2O + O \rightarrow 2\,OH \qquad\qquad (R37)$$

zusätzliches Hydroxyl erzeugt werden, das dann wieder zum vermehrten Abbau von CO und CH_4 verfügbar wird. Das würde auch zu einer Abnahme des troposphärischen Ozons führen. Die Prozesse sind also sehr verwickelt und in sich vielfach rückgekoppelt.

Eine Verminderung des troposphärischen Ozons würde zu einer Erhöhung des Ultraviolettpegels am Boden führen: 9% des solaren Strahlungsflusses liegen im Ultraviolettbereich. Da Ozon für die Absorption in diesem Bereich verantwortlich ist, bedeutet eine Änderung der Ozonkonzentration auch eine Änderung in der Intensität des Ultraviolett-B-Bereichs (290–320 nm). Die wachsende CH_4-Erzeugung gibt also Anlaß zur Sorge, weil sie die chemischen Gleichgewichte ungünstig verschiebt.

Wird die Ozonmenge in der Atmosphäre verringert, ist die relative Zunahme der Intensität bei kürzeren Wellenlängen größer. Würde etwa die gesamte Ozonmenge in mittleren Breiten um 10% abnehmen, so müßte die Intensität bei 292 nm um 106% zunehmen, jene bei 310 nm jedoch nur um 10%. Die letztere liegt aber zahlenmäßig normalerweise um vier Größenordnungen höher als die erstere. Da die Ozonmenge in der Atmosphäre mit der geographischen Breite zunimmt, sind biologische Effekte als Folge von Ozonmengenverminderung in mittleren und niederen Breiten größer als in hohen Breiten.

Biologische Wirkungsspektren sind umstritten, auch weil schwer zu belegen. Dennoch herrscht Einmütigkeit bezüglich der Schädigung durch Ultraviolett-B-Strahlung, die Menschen bei langen Expositionszeiten erfahren. Kurzzeitige Bestrahlung führt zu Sonnenbrand; wiederholte Expositionen können zu Hautkrebs führen. Aus zahlreichen Untersuchungen ist bekannt, daß die Verminderung der Ozonmenge um 1% zu einer Zunahme der Ultraviolettstrahlung, die unter anderem die Desoxyribonukleinsäure (DNS) schädigen kann, um 2,3% führt; dies bewirkt 1,5–2,5mal größere Zunahmen im Auftreten von Hautkrebs (höhere Werte in niedrigeren Breiten). Obwohl kein direkter Wirkungszusammenhang bekannt ist, ist dennoch die statistische Evidenz eindeutig. Bei Pflanzen scheint es Arten zu geben, die empfindlicher sind als andere. Eine Veränderung der Ultraviolettintensität am Boden würde also sehr wahrscheinlich auch die Artenzusammensetzung im Landökosystem verändern. Verschiebungen in den ökologischen Gleichgewichten wären die Folge. Bei Tieren würden Auswirkungen vor allem bei Jungtieren zu erwarten sein, insbesondere im oberflächennahen Wasser. Wegen der verschiedenen Empfindlichkeit verschiedener Pflanzen und Tiere kann man jedoch keine quantitativen Vorhersagen machen.

Methan, von dem eben schon wiederholt die Rede war, wurde in der Atmosphäre erst 1948 von M. V. Migeott als Spurengas nachgewiesen. Es entsteht heute: durch Bakterien unter aeroben Bedingungen, in Sümpfen, im Marschland (330 Mio. t/a), in Reisanbaugebieten (300–600 Mio. t/a), anthropogen (15–45 Mio. t/a), durch Verbrennungsprozesse (48 Mio. t/a), durch Gärungsprozesse bei der Verdauung der Wiederkäuer (ca. 600 Mio. t/a). 1,5 Mrd. t/a werden von Termiten erzeugt, 30–110 Mio. t/a entstehen durch die Verbrennung von Biomasse, 20 Mio. t/a aus Leckagen von Gasleitungen und Speichern. Die Konzentration in Luft liegt bei 1,6 ppm auf der Nord-, bei 1,4 ppm auf der Südhalbkugel. Die Verweilzeit in der Troposphäre beträgt fünf bis zehn Jahre.

Die Methankonzentration wächst mit einer beunruhigenden Rate. Abb. 53 zeigt, wie sich die Konzentration seit dem Mittelalter verändert hat. Das weiß man aus der Untersuchung von Eisbohrkernen aus Grönland und aus dem Eis der Antarktis; in eingeschlossenen Luftbläschen findet eine fortlaufende natürliche Registrierung der atmosphärischen Zusammensetzung statt.

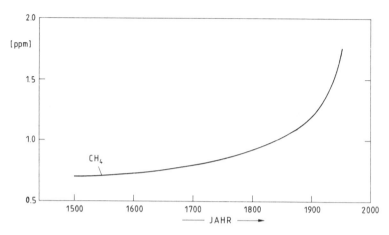

Abbildung 53 *Die Zunahme der Konzentration von Methan in der Atmosphäre (nach [62])*

Die Verdauung der Wiederkäuer rechnet inzwischen zu den wichtigeren und am schnellsten wachsenden Beiträgen zur Methanproduktion neben Gärung, Reisanbau und Holzzerstörung durch Termiten. Auch der Ozean ist eine wichtige Quelle. Zur Erläuterung: In der Bundesrepublik lebten im Wirtschaftsjahr 1979/80 13,7 Mio. Stück Großvieh. Der Großviehbestand hat sich hierzulande von 0,25 Stück/ha um das Jahr 1800 in 100 Jahren verdoppelt, danach erneut in nur 50 Jahren, zuletzt noch einmal in 30 Jahren (1950–1980)!

Der Abbau von Methan erfolgt in der Troposphäre ausschließlich durch Reaktionen mit OH mit einer Ergiebigkeit von 160–500 Mio. t/a.

$$CH_4 + OH \rightarrow CH_3 + H_2O \qquad (R38)$$

Über die Bildung von Methylperoxyd (CH_3O_2) entstehen schließlich Kohlenmonoxyd (CO) und Wasserstoff. Die Konzentration von OH begrenzt die Abbaurate. Andererseits verringert Methanzunahme die OH-Konzentration. Dabei spielt die Konzentration von NO insofern eine wichtige Rolle, als sie entscheidet, welcher der möglichen Reaktionswege dominiert. Ist genug

206

NO vorhanden (das hier katalytisch wirkt), läuft die Reaktion bis zur Ozonerzeugung (R35). Sind wenig NO und wenig O_3 vorhanden, wird Peroxyl aufgebaut. Die starke Zunahme von Methan hat bereits zur Ozonzunahme in NO-reichen Gebieten geführt und zum Ozonabbau in NO-armen. Zur Feststellung, ob Methan (auch andere Kohlenstoffverbindungen) aus biologischen oder anderen (z. B. vulkanischen) Quellen stammt, benutzt man das radioaktive Kohlenstoffisotop ^{14}C. Biologische Quellen würden dasselbe Verhältnis dieses Isotops zum normalen Kohlenstoffatom (^{12}C) haben, wie es in der Luft vorliegt. Fossiles oder vulkanisches Methan würde praktisch frei von ^{14}C sein (weil es längst zerfallen ist). So läßt sich feststellen, daß über 80% des Methan aus biologischen Quellen stammen müssen. Der Rest kommt zum Teil aus anthropogenen Quellen.

Die Methankonzentration nimmt in der Troposphäre mit der Höhe nicht ab. In der Stratosphäre jedoch wird Methan rasch zu Formaldehyd oxidiert, das photochemisch in CO und H_2 zerfällt. Der Fluß in die Stratosphäre beträgt $1,5 \cdot 10^{10}$ Moleküle/cm^{2}s, entsprechend 60 Mio. t/a, und ist klein gegenüber den troposphärischen Verlustprozessen. Er ist aber vergleichbar mit dem Fluß von Wasserdampf in die Stratosphäre. Dort entstehen über

$$CH_4 + OH \rightarrow CH_3 + H_2O \qquad \text{(R38)}$$
$$CH_3 + O_2 + M \rightarrow CH_3O_2 + M \quad \text{(Methylperoxyl) (R39)}$$
$$CH_3O_2 + NO \rightarrow H_2CO_3 + HNO_2 \qquad \text{(R40)}$$
$$CH_3O_2 + NO_2 \rightarrow CH_3O_2NO_2 \qquad \text{(R41)}$$

schließlich auch organische Verbindungen wie CH_3OOH, HCO, CH_3O, H_2CO, die aber gleich wieder abgebaut werden und zu CO und H_2O zerfallen. In der Stratosphäre wird Methan oxidiert, in der Mesosphäre findet Photodissoziation statt.

Kohlendioxyd entsteht als Verbrennungsprodukt von Kohlenstoff in Feuerungen aller Art, bei Waldbränden, Brandrodungen, Biomassenzersetzung (tropische Regenwälder), durch landwirtschaftliche Aktivitäten in der Dritten Welt, in Vulkanausbrüchen. CO_2 entsteht auch bei der Atmung:

$$(CH_2O)_n + n \cdot O_2 \rightarrow n \cdot CO_2 + n \cdot H_2O + 2872 \text{ kJ/Mol} \quad (R42)$$

Die Pflanzen verbrauchen durch Atmung in 24 Stunden bis zu 50 % Kohlehydrate, die am Tag photosynthetisiert worden sind (typisch 70–300 µg/cm²h CO_2). Die Bilanz ist günstiger im Sommer der höheren Breiten. Die gegenwärtige Masse von CO_2 in der Atmosphäre liegt bei 2600 Mrd. t. Alle CO_2-Quellen (die anthropogenen eingeschlossen) liefern zur Zeit 8 Mrd. t/a (C); die Hälfte davon bleibt in der Atmosphäre. Die Konzentration von CO_2 in der Atmosphäre liegt heute bei 0,035 %. Zum Vergleich: In bewohnten Räumen sollte die Konzentration unter 0,1 % bleiben, 0,5–0,7 % empfinden wir als unerträglich, mehr als 4 % sind gesundheitsschädlich.

Die Verweilzeit von CO_2 in der Atmosphäre liegt bei fünf bis zehn Jahren. Das bedeutet, daß das Gas gleichmäßig über den ganzen Globus verteilt ist, unabhängig davon, wo die Emission stattfindet.

Senken für CO_2 sind die Assimilation der Pflanzen und die Lösung im Ozean. Die Löslichkeit im Ozean steigt mit zunehmendem Partialdruck von CO_2 in der Atmosphäre, nimmt ab mit wachsender Temperatur. Wegen seiner langen Residenzzeit in der Atmosphäre und seiner relativen Stabilität in der Troposphäre sind für CO_2 zwei Kreisläufe zu betrachten: ein langsamer geologischer und ein schneller atmosphärischer. Der erste schlägt in 200 Mio. Jahren 4 % der Masse der Sedimente (die 10^{16} t an organischem Kohlenstoff enthalten) um. Teilprozesse dieses Zyklus sind die organische Kohlenstoffverwitterung, die Verwitterung der Silikate sowie der Vulkanismus.

Der atmosphärische Kreislauf ist aus unserer Sicht der wichtigere. Er umfaßt die Teilprozesse:

- Austausch Atmosphäre–Ozean
- Mischung im Ozean

Für den letzteren muß man Zeitkonstanten von mindestens tausend Jahren ansetzen, wobei CO_2 in der Tiefsee zu Karbonat oxidiert und in Sedimenten festgelegt wird (und so den ersten

Kreislauf speist). Das Tiefenwasser der Ozeane, in dem $38,7 \cdot 10^{12}$ t Kohlenstoff gespeichert sind, ist von der ozeanischen Deckschicht durch einen stabilen Dichtesprung in 100–400 m Tiefe abgetrennt. In dieser Deck- oder Mischungsschicht der Ozeane oberhalb des Dichtesprungs sind 700 Mrd. t Kohlenstoff als gelöstes CO_2 (1,8% der Kohlenstoffmasse im Ozean) enthalten – der Rest ist HCO_3^- und CO_3^{--}. Austausch zwischen Tiefenwasser und Mischungsschicht gibt es nur an wenigen Stellen: am Rand der Antarktis und im arktischen Nordatlantik. Das ist zu vergleichen mit 700 Mrd. t Kohlenstoff in der Atmosphäre und 650 Mrd. t in den lebenden Pflanzen. Im Ozean ist also fast 60mal mehr CO_2 enthalten als in der Atmosphäre. Der atmosphärische Kreislauf hat mithin ein Gesamtinventar von rund 2000 Mrd. t Kohlenstoff. Außerdem sind noch 5–$10 \cdot 10^{12}$ t (C) als fossiler Kohlenstoff in Kohle, Öl und Gas festgelegt.

Abb. 54 zeigt die Konzentration von CO_2 in der Atmosphäre als Funktion der Zeit, gemessen an der Station Mauna Loa auf Hawaii. Der Einsatz der Assimilation entzieht der Atmosphäre

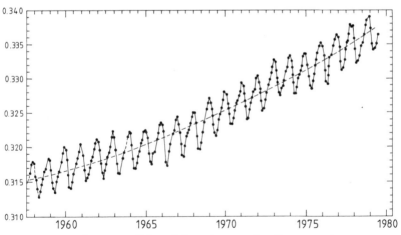

Abbildung 54 *Die monatlichen Schwankungen der Konzentration von Kohlendioxyd in der Atmosphäre, gemessen in der Station Mauna Loa auf Hawaii (nach [13]). Erläuterungen im Text.*

CO_2, die Atmung der Pflanzen erzeugt CO_2 – die Kurven zeigen im Mai relative Maxima. Die Assimilation überwiegt die Atmung, wie oben erläutert. Darum nimmt die CO_2-Konzentration im Sommer ab. Im Winter fallen die Blätter von den Bäumen; die Zunahme der CO_2-Konzentration in den Wintermonaten ist durch Verrottung von organischem Material bedingt. Dadurch entsteht die sinusförmige Variation der Kurve in Abb. 54. Die Jahresamplituden dieser Schwankungen nehmen von hohen Breiten zum Äquator hin ab (Nordhalbkugel, weil die Tropenpflanzen immergrün sind), der Jahresgang verschwindet auf der Südhalbkugel weitgehend wegen der geringeren Landmasse und weil der Transport in die andere Hemisphäre etwa drei Jahre dauert. Übrigens überwiegt die Effizienz der Photosynthese in mittleren und hohen Breiten jene in den Tropen. Die Energiegewinnung aus pflanzlichem Material ist daher vor allem im Sommer in nördlichen Breiten interessant; in den Tropen kann die Effizienz nur in geringem Maße gesteigert werden.

Seit 1970 nimmt übrigens die Amplitude des Jahresgangs zu; das bedeutet eine Vermehrung der außertropischen Biomasse in der Nordhemisphäre durch Wiederaufforstungsmaßnahmen, die jedoch die Biomassenverminderung durch Rodungen in den Tropen (1–3 Mrd. t/a an CO_2) nicht kompensieren kann.

CO_2 hat Absorptionbanden bei 4,5, bei 7,6, bei 10 und bei 14,7 μm, also im Ausstrahlungsfenster der Erde (Abb. 46). Aus diesem Grunde ist CO_2 neben dem Wasserdampf das wichtigste der für den Treibhauseffekt der Erde verantwortlichen Spurengase.

Neben Methan gibt es noch andere *Kohlenwasserstoffe*. Deren globale Emissionsraten sind jedoch derzeit noch so klein, daß sie die Photochemie der Atmosphäre nicht maßgeblich beeinflussen. Ganz sicher finden sich in der Atmosphäre Äthan, Propan, Azethylen, Olefine, Aldehyde, Terpene und andere. Einige von diesen entstammen natürlichen Quellen, die meisten jedoch sind anthropogener Herkunft.

Schwefel

Schwefel gelangt als SO_2 in die Atmosphäre durch Verbrennung von Kohle und Öl, durch Vulkanausbrüche (die Gase in Vulkanausbrüchen bestehen zu 1% aus SO_2, 95% sind Wasser, 4% CO_2), durch die Wirkung von Mikroben, als Ozeansulfat. Anthropogene Quellen liefern (jeweils als Schwefel gerechnet) 100 Mio. t/a, darunter fallen beispielsweise Abdämpfe der chemischen Industrie (etwa 3 Mio. t/a an H_2S). Vulkane tragen 10–40 Mio. t/a bei, mikrobische Zersetzung und Oxydation von H_2S liefern 40–100 Mio. t/a. Der anthropogene Beitrag zum Schwefelkreislauf der Atmosphäre beträgt also 40–50%, der Europas allein liegt bei 15% davon. Von 1943 bis 1973 hat sich der anthropogene Anteil praktisch verdoppelt.

Senken für Schwefelverbindungen sind die feuchte (65–80 Mio. t/a) und die trockene (25–50 Mio. t/a) Deposition über Land und über See (45–60 Mio. t/a), die Absorption an der Meeresoberfläche (5–10 Mio. t/a). Die Verweilzeit von SO_2 in der Atmosphäre liegt bei ein bis drei Tagen, die von Schwefelwasserstoff (H_2S) bei zwölf Stunden. Die Konzentration der letzteren liegt in der Troposphäre zur Zeit bei 1 ppb. Die Konzentration von SO_2 liegt in 6 km Höhe bei 0,05 ppb_v, in 15 km im Bereich 0,01–0,1 und in 20 km Höhe immer noch bei 0,03–0,05 ppb_v. Die wichtigsten Abbauprozesse für H_2S sind durch die folgenden Reaktionen charakterisiert. Mit Ozon:

$$H_2S + O_3 \rightarrow SO_2 + H_2O \qquad (R43)$$

und mit Hydroxyl:

$$H_2S + OH \rightarrow H_2O + HS \qquad (R44)$$
$$HS + O_2 \rightarrow OH + SO \qquad (R45)$$

In der Troposphäre werden die verschiedenen Schwefelverbindungen durch Radikale im Lauf von Stunden aufoxydiert. Die Oxydation von SO_2 zu Sulfat geschieht über folgende Reaktionen:

$$SO_2 + OH + M \rightarrow HSO_3 + M \qquad (R46)$$
$$HSO_3 + OH \rightarrow SO_3 + H_2O \qquad (R47)$$

(Dauer: Tage; entsprechend mit O, HO_2, oder CH_3O_2). Schließlich in Sekundenschnelle

$$SO_3 + H_2O \rightarrow H_2SO_4 \qquad (R48)$$

Die Schwefelsäure liegt in Form von Tröpfchen vor oder ist an Aerosol absorbiert, kann also schließlich in Wolken und Regentropfen inkorporiert und ausgewaschen werden.

In der Stratosphäre ist das relativ reaktionsträge Carbonylsulfid COS (das zwar nur in geringen Raten emittiert, aber auch langsam abgebaut wird) die in der Atmosphäre am häufigsten vorkommende Schwefelverbindung ($0,3–0,5$ ppb_v in 15 km Höhe). Sie wird zunächst photolytisch in CO und Schwefel gespalten; letzterer reagiert mit Sauerstoff über SO zu SO_2.

Schwefeldioxyd wird in Wolkentröpfchen, auf Aerosolteilchen oder in der Gasphase zu Sulfat beziehungsweise Schwefelsäure aufoxydiert, wobei wiederum Radikale eine wichtige Rolle spielen (vgl. unten).

SO_2 hat Absorptionsbanden im klimawirksamen Ausstrahlungsfenster der Erde. Wegen der Aerosolbildung ist SO_2 darüber hinaus auch regional klimawirksam. Diese Aerosole haben Verweilzeiten von fünf bis zehn Tagen.

Aerosol

Die wichtigste Reaktion zur Bildung von Sulfataerosol [26] vollzieht sich auf der Oberfläche eines festen Teilchens

$$SO_2 + hv \rightarrow SO_2^* \qquad (\lambda = 0,3 \ldots 0,4 \,\mu m) \qquad (R49)$$
$$SO_2^* + 2\,O_2 \rightarrow SO_3^- + O_3 \qquad (R50)$$

SO_3^- geht gemäß R48 in H_2SO_4 über. Die Oxydation verläuft schneller, wenn die Luft Olefine oder Ozon und Stickoxyde enthält, weil zum Beispiel NO_2 im Ultraviolettbereich absorbiert, dabei dissoziiert und atomaren Sauerstoff erzeugt:

212

$$SO_2 + O + M \rightarrow SO_3 + M \qquad (R51)$$

Dieser Prozeß ist aber nur in der Stratosphäre wichtig. In der Troposphäre ist die Oxydation durch Radikale (R46–R48), die entsprechend mit HO_2 und CH_3O_2 verläuft, ausschlaggebend. Vulkane sind eine weitere Aerosolquelle. Sie fördern knapp 1 km^3/a Magma zur Oberfläche, mehr als 2 Mrd. t/a.

Die troposphärischen Aerosole lassen sich in zwei Gruppen einteilen: solche mit Abmessungen zwischen 0,1 und 1 μm, die den größeren Teil der Aerosolmasse ausmachen, und solche mit Durchmessern zwischen 1 und 100 μm. Die feinen Teilchen stammen allesamt aus chemischen Prozessen, vor allem aus Verbrennungsprozessen. Die groben entstehen bei mechanischer Zerkleinerung natürlichen Materials (z. B. Erdboden). Offenbar ist es nicht möglich, Stäube mit Durchmessern unter 1 μm mechanisch zu erzeugen; andererseits können die feinen Staubteilchen durch Anlagerung wachsen, jedoch nicht beliebig: Bei Teilchengrößen um 1 μm hört das Wachstum auf. Die beiden natürlichen Aerosolgruppen sind also auch genetisch verschieden.

Stratosphärische Aerosole besitzen vermutlich eine Hülle aus flüssigem Wasser um einen festen Kern, so daß Gasmoleküle mit der Oberfläche des Teilchens gar nicht in Berührung kommen können. Eine Hypothese nimmt an, daß sich nach längerem Aufenthalt in der Atmosphäre sogar eine organische Hülle bilde – weil so gewisse Befunde erklärt werden könnten. Die Bedeutung von Ruß als Aerosol spielte kürzlich im Zusammenhang mit Überlegungen bezüglich der Folgen eines Atomkrieges (Rußteilchen, die sich aus verdampfendem Asphalt und als Folge von Bränden bilden würden) eine ganz wichtige Rolle [37]. In etwa 20 km Höhe findet man hydrierte Sulfate in einer Aerosolschicht (Junge-Schicht) angehäuft. Um diese hydrierten Sulfate haben sich zehn bis zwanzig Wassermoleküle (Cluster) angelagert.

Das stratosphärische Aerosol (Durchmesser > 0,1 μm) besteht sonst aus einer Mischung von Aitken-Kernen, größeren Säuretröpfchen, kosmischem Staub, Aluminiumkügelchen von Raketentreibstoffen und vulkanischer Asche.

Photooxydantien

Als Photooxydantien bezeichnet man chemische Verbindungen, die sich in Luft aus Stickoxyden mit Kohlenwasserstoffen unter dem Einfluß von Licht bilden. Sie haben alle stark oxydierende Eigenschaften. Smog ist ein Kunstwort, gebildet aus den Worten »smoke« (Rauch) und »fog« (Nebel). Es bezeichnet eine atmosphärische Verunreinigung, in der solche Photooxydantien eine Rolle spielen. Man unterscheidet

- den oxydativen SMOG, auch Los-Angeles-Smog genannt,
- den reduktiven SMOG, auch London-Smog genannt,
- Smog aus Industrieabgasen,
- Stäube in der Luft.

Während beim London-Smog Verbrennung schwefelhaltigen Materials hohe Konzentrationen von SO_2 in der Luft hervorruft, sind am Los-Angeles-Smog Stickoxyde beteiligt. Stickoxyd (NO) kann in Luft rasch zu Stickstoffdioxyd (NO_2) oxydiert werden. NO_2 aber absorbiert im nahen Ultraviolettbereich (bei 430 nm), kann daher, wie man sagt, photolytisch (R10) gespalten werden in NO und in atomaren Sauerstoff. Stickoxyd wird mit O_2 wieder zu Stickstoffdioxyd aufoxydiert, das mit Wasserdampf Salpetersäure bildet. Der hochreaktive atomare Sauerstoff bildet mit dem Sauerstoffmolekül (O_2) der Luft giftiges Ozon (O_3) (R11), wobei die Toleranzschwelle immer häufiger überschritten wird, je mehr NO_x vorliegt. Übersteigt die Ozonkonzentration 300 $\mu g/m^3$, kommt es zu Sichttrübungen. Zwischen NO, NO_2 und O_3 stellt sich ein dynamischer Gleichgewichtszustand ein. Verschwindet die Sonne, hört die Photolyse von NO_2 auf, der ursprüngliche Zustand bildet sich zurück.

Sind Kohlenwasserstoffe vorhanden, wird das NO-NO_2-O_3-Gleichgewicht gestört. In komplizierten Reaktionsabläufen entstehen Aldehyde, Peroxyde und vor allem, wenn Aldehyde und NO_2 vorliegen, PAN (Peroxyazetyl-Nitrat). PAN ist ein sehr starkes Oxydationsmittel und wirkt toxisch. Vor allem wird es photolytisch nur sehr langsam zerstört. Peroxyde können in organischem Material unglaublich viele Reaktionen veranlassen. Sie können ungesättigte Fettsäuren in Zellmembranen oxydieren, was zur Zerstörung dieser Membranen führt – das Leckwerden der Biomembranen ist eines der bekannten Schadenssymptome beim Waldsterben. Das Peroxyd PAN kann mit einem Pflanzenhormon ein Peroxyd bilden, das schließlich in einen Wachstumsinhibitor verwandelt wird, einen Stoff, der das Wachstum der Pflanzen hemmt.

Je nach Kohlenwasserstoffart im Smog dominieren unterschiedliche Reaktionen. Entsprechend unterscheiden sich die Schadenssymptome der Pflanzen nach lokalen Gegebenheiten. Aus unvollständiger Verbrennung von Benzin im Ottomotor entsteht beispielsweise Isobutan, das vorwiegend zur Bildung von PAN führt. In der Nähe von Mülldeponien ist die Methankonzentration besonders hoch, in der Nähe chemischer Fabriken wird man jene Kohlenwasserstoffe finden, die im spezifischen Herstellungsprozeß anfallen, entsprechend dominieren örtlich verschiedene Peroxyde.

Schwefeldioxyd, das im Smog fast immer mit vorkommt, kann mit Peroxyden Verbindungen bilden, die zur Chlorophyllzerstörung führen.

Dieser kurze Abriß zeigt schon, daß die chemischen Prozesse in der Atmosphäre von den Reaktionspartnern abhängen und daß die Schädigungssymptome an Pflanzen variabel und vielfältig sein werden. Der Nichtchemiker wird praktisch nicht in der Lage sein, die Schädigungsmechanismen im einzelnen nachzuvollziehen. Schädigungssymptome an Menschen und Tieren, die mit der gleichen Selbstverständlichkeit wie bei Pflanzen angenommen werden müssen, sind bisher viel zuwenig untersucht worden (z. B. Pseudokrupp bei Kleinkindern, Reizungen der Atmungsorgane, Hauterkrankungen usw., vgl. dazu [38]).

Kapitel 9 Die Luft, das Leben und die Zukunft: Spurengase und Klima

Das CO_2-Problem

1861 vermutete der englische Physiker John Tyndall [39], daß Kohlendioxyd für das Klima der Erde Bedeutung haben müsse. Schon vor ihm hatte 1827 der bekannte Physiker und Mathematiker J. B. Fourier [40] auf den Treibhauseffekt von CO_2 hingewiesen. 1896 machten der schwedische Chemiker Swante Arrhenius [41] und unabhängig von ihm 1897 der amerikanische Geologe T. C. Chamberlin [42] zum erstenmal darauf aufmerksam, daß mit der Verbrennung von fossilem Kohlenstoff ein Problem entsteht – nämlich Erhöhung der Temperatur der Atmosphäre –, das man seitdem als das »CO_2-Problem« kennt, in der Öffentlichkeit aber nicht recht ernst nimmt. Wir würden daher im Prinzip mit einem beachtlichen Treibhauseffekt rechnen müssen, so war die Überlegung der beiden letztgenannten Wissenschaftler.

In der Zwischenzeit wissen wir darüber mehr. Der größte Teil des in die Atmosphäre verbrachten Kohlendioxyds wird vom Regen ausgewaschen, gelangt in die Ozeane, wo ein großer Teil in Lösung bleibt. Ein Teil wird wieder an die Atmosphäre zurückgegeben. Derzeit enthält die Erdatmosphäre 0,035 % CO_2. Die Umwälzung der Weltmeere, die mit sehr großen Zeitkonstanten vonstatten geht, führt auch zur Sedimentation von Kohlendioxyd in wasserunlösliche Karbonate (so sind schließlich die Kalksedimentgesteine entstanden). Im natürlichen Gleichgewicht war die in Lösung gehende CO_2-Menge etwa ebenso groß wie die am Meeresboden ausgefällte.

Die Verhältnisse haben sich seitdem geändert. Die erzeugte Menge Kohlendioxyd wächst seit langem von Jahr zu Jahr

(Abb. 55). Die Erzeugungsrate liegt höher als das, was die Ozeane kurzzeitig speichern und wegschaffen können (worauf G. S. Callendar 1938 [43] erstmalig hingewiesen hat).

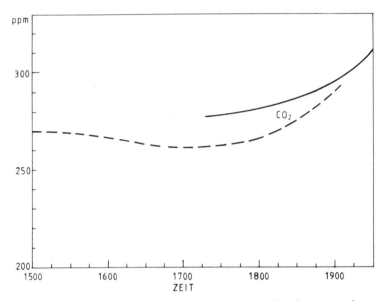

Abbildung 55 *Die Konzentration von Kohlendioxyd in der Atmosphäre, bestimmt aus Bohrkernen im Gletschereis (nach [4]). Ausgezogene Kurve: Nettel et al.; gestrichelte Kurve: Raynaud und Barnola*

Die Produktion von CO_2 stammt nicht allein aus der Verbrennung von Kohlenstoff. Hinzu kommt die Freisetzung von bereits organisch im Humusboden der tropischen *Regenwälder* gebundenem Kohlenstoff durch Einwirkung von Licht. Das ist eine der Folgen der massiven Rodung jener Wälder, wie sie zur Zeit stattfindet und die bis jetzt niemand zu stoppen vermochte. Ein halbes Prozent des Bestandes (11 Mio. ha) sind bereits in anderweitige Nutzung übergeführt worden.

Die Dezimierung der Wälder muß man weniger unter dem Gesichtspunkt sehen, daß Holz als Rohstoff knapp werden könnte. Die Food and Agriculture Organisation (FAO) schätzt

217

die Holzmengen in den Wäldern der Erde auf über 300 Mrd. Festmeter. Der Holzbedarf liegt weltweit derzeit bei 580 Mio. Festmeter pro Jahr. Rein rechnerisch würde sich bei gleichbleibendem Bedarf (hauptsächlich für die Papierherstellung), also bei konstanter Nutzung und gleichzeitiger Wiederaufforstung keine Verminderung des Waldbestandes ergeben. Doch findet Wiederaufforstung zumal in Entwicklungsländern kaum statt, und zum anderen verändert sich der Boden, der jahrhundertelang im tiefen Schatten lag und sich erst so zu dem entwickelte, was er heute ist. Lichteinwirkung führt durch chemische Veränderung des Bodens und Zerstörung der Humusstoffe zur Freisetzung von CO_2. Ob sich auf diesem Boden dann je wieder Pflanzenwachstum im vorherigen Umfang einstellen wird, ist zweifelhaft. In Hanglagen werden Teile des Bodens durch Wassererosion zerstört und weggeschwemmt.

Die Vernichtung der Wälder aber schreitet weltweit immer weiter voran. Waren 1950 noch 25 % der Landfläche von Wald bedeckt, so sind es heute 20 % und, wenn das so weitergeht, im Jahr 2000 noch 15 %. Weder Landwirtschaft noch forstwirtschaftliche Neukultivierung kann den Verlust an Kohlenstoff kurzfristig kompensieren. Der in die Atmosphäre in Form von CO_2 entlassene Kohlenstoff kann also auf lange Sicht nicht mehr aus der Atmosphäre entfernt werden. Das ist das Problem.

Kohlendioxyd wird ferner durch die Einwirkung starker mineralischer Säuren (Schwefelsäure und Salpetersäure) auf die Böden freigesetzt; die starken Säuren verdrängen die schwache Kohlensäure aus ihren Salzen.

H. Flohn hat auf diesen Effekt bereits 1941 [44] hingewiesen. Schließlich haben 1957 R. Revelle und G. Suess [45] in einer mittlerweile berühmten Arbeit die anthropogenen Einwirkungen auf das System Erde mit einem gigantischen geophysikalischen Experiment verglichen, dessen Verlauf ungewiß, das aber mit Sicherheit irreversibel sei.

Der CO_2-Gehalt der Luft steigt heute mit 0,5 % jährlich kontinuierlich an (Abb. 54, 55), wobei die Tendenz seit 1970 eher auf eine Beschleunigung der Zunahme als auf eine Verlangsamung hinweist. Die CO_2-Produktion von Grünpflanzen und Tieren in den Ozeanen beträgt 55 Mrd. t/a, das sind 30 % der an Land auf natürliche Weise erzeugten CO_2-Menge. Die Ozeane enthalten 60mal soviel Kohlenstoff (in verschiedenen Verbindungen, größtenteils als CO_3 und gelöstes CO_2), wie im CO_2 der Atmosphäre enthalten ist. Dieser Umstand enthält zugleich einen wichtigen Hinweis: Jeder weiß, wie schnell Kohlensäure etwa aus einem Glas erwärmten Mineralwassers entweicht, und ebenso führt Temperaturerhöhung der Atmosphäre, wie sie bei zunehmendem Treibhauseffekt zu erwarten ist, zu vermehrter Freisetzung von CO_2 aus dem Oberflächenwasser. Weil aber CO_2 dem Oberflächenwasser auch durch Photosynthese entzogen wird, nimmt der Karbonatgehalt mit der Tiefe ab, denn bei CO_2-Mangel liefert Hydrokarbonat Kohlendioxyd und Karbonat im Tiefenwasser nach. CO_2-Freisetzung bei Erwärmung des Oberflächenwassers wird so zu vermehrter CO_2-Freisetzung im Tiefenwasser führen.

Aus Eiskernen im Grönlandeis und von der Antarktis wußte man, daß am Höhepunkt der Vereisung während der letzten Eiszeit 30 % weniger CO_2 in der Luft war. Am Ende der Eiszeit erwärmte sich das Wasser der Ozeane um nicht mehr als 2 °C, wie man aus anderen Quellen weiß. Der Anstieg des CO_2 zum heutigen Wert kann bisher jedenfalls nicht durch thermische Freisetzung von CO_2 aus den Ozeanen erklärt werden, sondern muß wohl mit einer Veränderung der Chemie der Ozeane etwa durch Kohlenstoffentzug bei Sedimentierung erklärt werden.

Wenn die CO_2-Konzentration der Atmosphäre weiter zunimmt, kommt es mit Sicherheit zu einem meßbar erhöhten Treibhauseffekt. Dann werden aber die nun wärmer werdenden Ozeane anfangen, zusätzliches CO_2 an die Atmosphäre abzugeben, wodurch der Treibhauseffekt verstärkt werden würde, so daß die Ozeane wiederum mehr CO_2 abgeben würden.

Das in den Ozeanen gelöste Kohlendioxyd hat also potentiell destabilisierende Wirkung, falls sich die erwähnte Situation einstellt: Tendenziell kann das System Atmosphäre in eine »run away«-Situation geraten, eine Situation also, die, wenn sie eintritt, nicht mehr angehalten werden kann. Wir bemerken damit an unserer Atmosphäre eine Eigenschaft, die die Physiker als einen gegen Störungen äußerst empfindlichen metastabilen Zustand bezeichnen. Mit dem Wort »metastabil« kennzeichnen sie ein System, das sich in einem Zustand fernab von thermischem Gleichgewicht befindet, das aber schon durch kleine Störungen in einen anderen Zustand umzuspringen vermag. H. Flohn hat im Zusammenhang mit Klimafragen immer wieder darauf hingewiesen, daß die Atmosphäre genau diese Eigenschaft hat und ihren Zustand sprunghaft zu ändern vermag – wie durch Beispiele aus der Erdgeschichte hinlänglich belegt ist.

Die Sache ist aber noch viel komplizierter. Würde sich die mittlere Temperatur der Troposphäre erhöhen, so würde dies auch zu einer Erwärmung der Polregion führen. Auflösung des Treibeises und Abschmelzen des *Poleises* würde einen Anstieg der mittleren Meereshöhe ergeben, Klimagürtel würden sich polwärts verlagern. Mit einem Rückgang der mittleren globalen Albedo von jetzt 30 % auf etwa 20 % wäre zu rechnen. Bereits jetzt nehmen die Trockengebiete der Erde etwa 30 % der Landfläche der Erde ein. Ihr auffälligstes Kennzeichen ist ihre Vegetationsarmut. Jüngste Beiträge hierzu lieferte die Sahel-Zone. Andererseits führt erhöhte Temperatur aber auch zu erhöhter Verdunstung der Ozeane, diese wiederum zu vermehrter Bewölkung vor allem in den Tropen. Dabei ist offen, ob sich gleiche Bedeckung mit dickeren Wolken oder ein erhöhter Bewölkungsgrad einstellen wird.

Unsere Phantasie wagt sich nicht leicht an Szenarien, die undenkbar scheinen. Aber all dies ist mittlerweile nicht nur denkbar, sondern bekannt; die Eintrittswahrscheinlichkeit wächst, wenngleich eine sichere detaillierte Beurteilung nach wie vor schwierig ist.

Unser Klima ist, wie wir wissen, gewissen Schwankungen unterworfen, deren Ursachen wir nicht alle kennen (Abb. 7). Solche statistischen Schwankungen könnten einen bereits vorhandenen erhöhten Treibhauseffekt temporär verdecken. Menschliche Aktivitäten, Bodenerosion durch Winde, Vulkanausbrüche können ferner den Gehalt der Atmosphäre an *Aerosol* erhöhen, was zu einer kompensierenden Verringerung der Sonneneinstrahlung führen kann. Es ist bekannt, daß durch Aerosol über großen Städten die Trübung der Atmosphäre bereits zu einer Verminderung der Einstrahlung von Sonnenlicht um bis zu 50 % führt. Zu den Aerosolen tragen bei: Asche, die von hohen Schornsteinen hoch in die Atmosphäre geblasen wird, hoch fliegende Flugzeuge, Waldbrände, das großflächige Abbrennen von Feldern in Entwicklungsländern, auch das der Savannen. Wo Steppengebiete kultiviert worden sind, wird der erwähnte Effekt durch die Bodenerosion noch übertroffen. Die Alpengletscher waren einstmals weiß – wer jetzt im Sommer einen solchen Gletscher besucht, ist erstaunt, daß manch einer aussieht, als wäre darauf Jauche versprüht worden.

Säurebildner in der Atmosphäre

Die meridionalen Transportsysteme der Atmosphäre, die das Energiedefizit der Polregion ausgleichen, verfrachten auch Staub (Aerosol) in die Polgebiete, der dort auf die Eis- und Schneeflächen niedergeht. Nicht nur Aerosol – auch die gasförmigen Nebenprodukte der Kohleverbrennung werden aus den industriellen Ballungsräumen in die Polregionen gebracht. Dazu gehören die Kohlenwasserstoffe, die Stickoxyde, vor allem aber das Schwefeldioxyd. Wo immer Kohle oder Kohlenstoffderivate verbrannt werden, wird Schwefel mitverbrannt. Wie Kohlendioxyd werden auch Stickoxyde, Schwefeldioxyd, Nitrate und Sulfate vom Regen ausgewaschen, gelangen in den Boden, in Flüsse und Seen, wodurch diese stetig versauern. Weil dies in den kalkarmen, silikatischen, wasserdurchlässigen Böden Skandinaviens und Kanadas mit geringer Pufferkapazität zu raschem Eintrag

221

der Säuren in die Gewässer führte, wurde die rapide Versauerung der Gewässer in Skandinavien zuerst bemerkt.

Was in den atmosphärischen Transportsystemen polwärts getragen wird und dort abregnet, hat die pH-Werte in den Seen Norwegens beispielsweise von natürlichen, also von der durch Kohlendioxyd mit Regenwasser gebildeten Kohlensäure herrührenden pH-Werten, die um 6 liegen, bereits auf 4,5 und weniger absinken lassen. Der niedrigste pH-Wert, der in der freien Natur je gemessen wurde, wurde bei Flugzeugmessungen nach den Ausbrüchen des Mount St. Helen 1980/81 in der Nähe des Vulkans ermittelt – er lag unter 1 [46].

Die halogenierten Kohlenwasserstoffe

Unter den atmosphärischen Spurengasen ruft das Ozon zwei wichtige Wirkungen hervor: Es behindert den ultravioletten Strahlungsfluß in die untere Atmosphäre, und es beeinflußt durch seine Absorptionseigenschaften im ultravioletten ebenso wie im infraroten Teil des Spektrums das Klima des Planeten. 1974 haben die beiden amerikanischen Wissenschaftler F. S. Rowland und M. J. Molina [47] darauf hingewiesen, die Verwendung bestimmter Kohlenwasserstoffverbindungen könne dazu führen, daß die Ozonschicht in der Stratosphäre abgebaut wird. Die Folge, so die beiden Wissenschaftler, würde eine erhebliche Zunahme der Intensität der ultravioletten Strahlung am Erdboden mit möglicherweise katastrophalen Folgen für die Menschen sein (vermehrtes Auftreten von Hautkrebs beispielsweise). 90 % der Fälle, in denen Hautkrebs festgestellt worden ist, sind mit starker Exposition des Körpers an Sonnenstrahlung einhergegangen, und zwar spielt hier vor allem der UV-B (vgl. Kap. 8) genannte Wellenlängenbereich (290–320 nm) eine Rolle. Für jedes Prozent Abnahme der Ozonkonzentration in der Atmosphäre erwartet man eine Zunahme von 2–5 % in der Häufigkeit des Auftretens von Hautkrebs.

Zehn Jahre nach der aufsehenerregenden Prognose der beiden

Wissenschaftler hat sich noch keine der damals befürchteten Folgen eingestellt. Waren die Wissenschaftler einer Täuschung zum Opfer gefallen? Hatten sie die Konsequenzen falsch eingeschätzt, oder waren sie von völlig falschen Annahmen ausgegangen?

Über 90 % des atmosphärischen Ozon bilden sich in der Stratosphäre, wie in Kap. 8 dargelegt wurde. Auch auf die Reaktionen, in denen Ozon wieder zerstört wird, wurde dort eingegangen. Auf eine dieser Abbaureaktionen hatten die beiden amerikanischen Wissenschaftler hingewiesen, die ich näher besprechen will.

Halogenierte Kohlenwasserstoffe, von denen in diesem Zusammenhang hauptsächlich die Rede ist, sind chemische Verbindungen der Halogene Chlor, Fluor, Brom und Iod mit Kohlenwasserstoffverbindungen, daher bezeichnet man sie kurzerhand als »CFC«-(Chlor-Fluor-Carbon-)Verbindungen. Die Verbindung CF_2Cl_2 wird auch als »F12« bezeichnet, die Verbindung $CFCl_3$ als »F11«. Diese Stoffe spielen heute deshalb eine so große Rolle, weil sie unter normalen Bedingungen mit keiner anderen Substanz chemisch reagieren – chemisch, wie man auch sagt, inert sind. Unter anderem deshalb werden sie bevorzugt in der Kosmetikindustrie eingesetzt, weil sie mit Schleimhäuten eben nicht reagieren, daher auch keine Reizung hervorrufen. Sie werden ebendeshalb auch gerne als Treibgase in Sprühdosen (weil sie wegen ihres niedrigen Siedepunktes schon unter geringerem Druck flüssig werden; sie reagieren nicht mit der auszutreibenden Flüssigkeit; der Druck, der sich über der Flüssigkeit ausbildet, ist klein, daher braucht die Gefäßwand nicht dick zu sein!) und Feuerlöschern (Halonlöscher) verwendet, ebenso als Treibmittel bei Schaumprozessen (Polyurethane, Styropor). Mehr als 60 % der produzierten Menge wird jedoch als Kühlmittel in Kältemaschinen eingesetzt. Von da sollten sie eigentlich nicht in die Atmosphäre gelangen können. Dennoch wird die Leckrate solcher Stoffe aus »geschlossenen« Kreisläufen als nicht unerheblich angesehen. 2 Mio. t/a ist die gesamte Fracht, die die Atmosphäre mittlerweile aufnimmt.

Weil diese Gase mit anderen Gasen nicht reagieren, werden sie auch in der freien Atmosphäre nicht verändert. Das gilt übrigens auch für andere Moleküle wie Tetrachlorkohlenstoff oder Methylchlorid. Die großräumigen Transportsysteme der Atmosphäre sorgen in der Troposphäre bereits für eine gute Durchmischung der Gase mit Luft. So können auch die inerten Gase in die Nähe der Tropopause gelangen und von dort über die »Kältefalle« Tropopause in die Stratosphäre hinein. Man nennt dieses Hineinsickern in die Hochatmosphäre Diffusion. Solche Prozesse verlaufen ziemlich langsam, dauern viele Jahrzehnte (man rechnet mit Verweilzeiten der Gase in der Stratosphäre zwischen 50 und 150 Jahren). So können diese Gase immer höher in die Stratosphäre aufsteigen. Abb. 56 zeigt dies für verschiedene Gase. ClO steht hier repräsentativ für die halogenierten Kohlenwasserstoffe.

Von dem Höhenbereich an, in dem sich Ozon bildet, nimmt die Intensität der ultravioletten Sonnenstrahlung mit der Höhe enorm zu. Diese energiereiche Strahlung aber vermag, was Stöße zwischen Molekülen nicht vermochten: Die energiereichen Lichtquanten zerstören die sonst so stabilen inerten Molekülkomplexe, wobei freies Halogen entsteht. Diese Atome aber sind ihrer Natur nach chemisch hochreaktiv:

$$CCl_2F_2 + h\nu \rightarrow CClF_2 + Cl \quad (\lambda < 320 \text{ nm}) \quad (R52)$$

Die freien Halogene können nun Ozon zerstören:

$$Cl + O_3 \rightarrow ClO + O_2 \qquad (R53)$$
$$ClO + O \rightarrow Cl + O_2 \qquad (R54)$$

$$\text{Netto: } O_3 + O \rightarrow 2\,O_2 \qquad (R55)$$

Chlor (Fluor oder Brom können in den Reaktionsgleichungen an die Stelle von Chlor gesetzt werden) bleibt übrig und ist für einen weiteren Prozeß bereit. Man nennt solche Prozesse katalytisch. Damit bringt man zum Ausdruck, daß, nachdem der Reaktionszyklus durchlaufen worden ist, der als Katalysator fungierende Stoff wieder zurückgebildet wird, während der andere Stoff vollständig zerstört worden ist. Gerade dies macht also diese Pro-

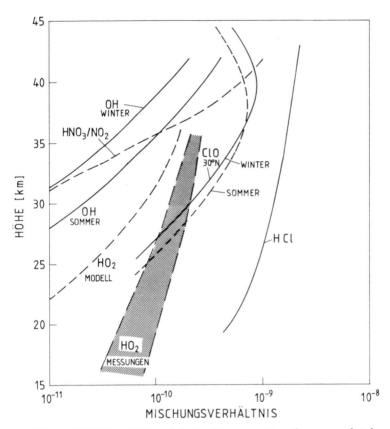

Abbildung 56 *Höhenabhängigkeit der Konzentration (hier ausgedrückt durch das Mischungsverhältnis) einiger Spurengase*

zesse so wichtig, da die als Katalysator wirkenden Stoffe viele tausend Moleküle zerstören können, ehe sie in andere Reaktionen einbezogen und damit aus dem Verkehr gezogen werden. Man könnte sagen, daß sich dadurch die tatsächlich vorhandenen Mengen in ihrer Wirkung potenzieren. Damit wird auch deutlich, warum diese auch als Spurenstoffe bezeichneten Substanzen so außerordentlich gefährlich sind.

Warum aber trat der von Rowland und Molina prognostizierte Effekt nicht ein? Was war falsch an ihren Überlegungen? Die

Antwort ist recht einfach: Man hatte übersehen, daß es neben den CFCs auch noch andere Substanzen gibt, die auf ganz ähnliche Weise auf Ozon einwirken, also ebenfalls solche katalytischen Reaktionsketten bilden. Zu diesen Gasen gehören vor allem die Stickstoffoxyde, wie in Kap. 8 besprochen. Stickoxyde kommen aber bereits in der Natur reichlich vor; wie die anderen gelangten sie seit eh und je auch in die Stratosphäre. Sie waren es, die dort bisher die Ozonkonzentration im natürlichen Gleichgewicht hielten.

Daneben laufen aber noch weitere Reaktionen ab, die die Halogene in Verbindungen überführen, die nicht mit Ozon reagieren. Zum Beispiel reagiert Chlor mit Methan zu Salzsäure (HCl) und CH_3. Die Rückreaktion (z. B. mit OH) verläuft sehr langsam, so daß ein relativ großer Teil des Cl in der Stratosphäre als HCl vorliegt. Die Rückreaktion koppelt somit die Konzentration des Chloroxydradikals (ClO) an die des OH.

Die anfangs geringen Mengen der CFCs konnten diesen Gleichgewichtszustand nicht nachhaltig stören und verändern. Weil sich die Kenntnisse über die beteiligten Prozesse allmählich vermehrten, mußte die errechnete Ozonabbaurate mehrfach zurückgenommen werden. In Reaktionszyklen, die Stickoxyde, ClO und Ozon enthalten, werden nämlich fünf von sechs Chloratomen zeitweilig festgehalten und stehen für die katalytische Ozonzerstörung nicht zur Verfügung. Die tatsächliche Ozonzerstörung durch Halogene wird daher nur 20 % des theoretisch Möglichen betragen. Dennoch haben Rowland und Molina das große Verdienst, diese Mechanismen entdeckt und auf ihre Bedeutung erstmalig hingewiesen zu haben.

Oberhalb von 25 km Höhe befinden sich über 30 % des gesamten in der Atmosphäre vorhandenen Ozons. Aus diesem Grunde sind die Prozesse, die sich hoch oben in der Stratosphäre abspielen, für das, was in der Tiefe der Atmosphäre geschieht, nicht gleichgültig. Ich habe bereits auf die lange Lebensdauer der inerten Gasmoleküle in der Atmosphäre hingewiesen. Die ablaufenden Reaktionen haben fast ausnahmslos katalytischen Charakter. Die in Frage kommenden Atome und Moleküle sind, wie wir gesehen haben, Stickoxydgruppen, das Hydroxylmolekül und die Halogene, vor allem Chlor, Fluor, neuerdings auch Brom; man nennt sie Radikale. Die außerordentlich große Bedeutung dieser Substanzen läßt sich auch in Zahlen ausdrücken: Eine Zunahme der Konzentration dieser Stoffe in der Stratosphäre (derzeit im Bereich 10^8–10^{10} Atome/cm^3, also um oder unter 1 ppb) auf 1 ppb [55] würde die Troposphäre über die geschilderten Wirkungsmechanismen um 20% erwärmen können, hätte insoweit also einen der Verdopplung des Kohlendioxyds vergleichbaren Effekt.

In den vergangenen Jahren hat sich, ohne daß dies in der Öffentlichkeit überhaupt zur Kenntnis genommen worden wäre, die Konzentration der halogenierten Kohlenwasserstoffe in der Stratosphäre stark erhöht. Die ozonabbauenden Prozesse werden jetzt deutlicher durch die Folgen menschlicher Aktivitäten beeinflußt. Dies ist in der Zwischenzeit durch zahlreiche Messungen belegt worden (vgl. z. B. [54]; dort weitere Literaturangaben).

Weitere Treibhausgase

Der Unterschied zwischen der Erzeugungsrate und der Verlustrate eines Gases in der Atmosphäre bestimmt die Konzentration und deren Änderungen. Die Konzentrationen einiger Spurengase wie CO_2, N_2O, CH_4 nehmen zur Zeit mit 0,3 beziehungsweise mit 0,2–0,3 und etwa 3% pro Jahr zu. Die Zunahmen bei den halogenierten Kohlenwasserstoffen liegen höher, bei etwa 5%, bei F22 sogar bei 15% pro Jahr [68]. Untersuchungen von Gaseinschlüssen in Grönland und in der Antarktis, die in den vergangenen Jahren durchgeführt worden sind, haben gezeigt, daß die Konzentrationen dieser Gase im vorindustriellen Zeitalter deutlich niedriger gelegen haben (vor 1850). Kohlendioxyd ist seit 1850 um über 30% gestiegen (Abb. 55). Für Methan wurden von 1550 bis zum Anfang unseres Jahrhunderts (Abb. 53) lineare Zunahmen gefunden [64], seitdem aber alljährlich wachsende Zunahmen. Bemerkenswert ist zum Beispiel der Vergleich der Methanwachstumskurve mit der Zahl der Menschen und dem Viehbestand. Der Methanzuwachs hat also sehr direkt etwas mit der Ernährungsweise der Menschen zu tun; wozu auch die Methangase aus den Reisfeldern beitragen. Während die Produktionsrate der Reisfelder eher linear mit der Zeit ansteigt, wächst die Zahl der Wiederkäuer sehr steil an – die Zahl der Rinder, Ziegen, Schafe und so weiter hängt mit dem Nahrungsbedarf der wachsenden Zahl von Menschen zusammen (Abb. 57). Abb. 58 belegt direkt den Zusammenhang zwischen der Methankonzentration in der Atmosphäre und der Zahl der Menschen.

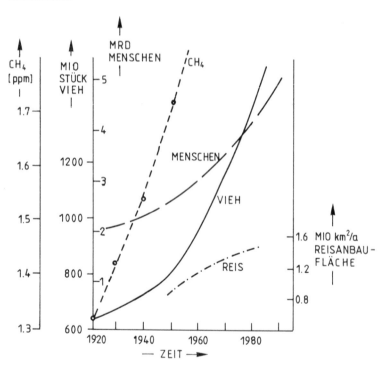

Abbildung 57 *Zunahme der Konzentration von Methan in der Luft, der Zahl der Menschen auf der Erde, und der Zahl der Wiederkäuer (nach [33])*

228

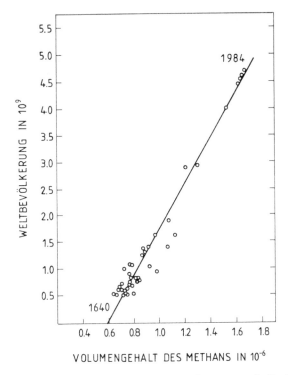

Abbildung 58 *Das Wachstum der Weltbevölkerung und die Zunahme der Methankonzentration in der Atmosphäre sind linear miteinander verknüpft (nach [33]).*

Sind für eine Komponente Quellen und Verluste gleich groß, dann bleibt deren Konzentration konstant, wie das zum Beispiel für den Sauerstoff gilt. Die Bedeutung der anderen Spurengase beruht auf ihren Absorptionseigenschaften im Infrarotbereich. Änderungen der Konzentration der Spurenstoffe in der Atmosphäre gleich welcher Art ziehen Veränderungen der Energiebalance der Atmosphäre nach sich, haben also Folgewirkungen für die Temperatur der Troposphäre – mithin auch für die der Biosphäre, unseres Lebensraums. Die Temperatur der Stratosphäre ergibt sich einerseits aus der Absorption von Ozon und Sauerstoff im Ultraviolettbereich, andererseits aus der Absorption der von unten, von der dichteren Troposphäre noch durchgelassenen Infrarotstrahlung. Die Ausstrahlung der Mesosphäre wird dagegen nach oben kaum noch behindert, so daß sich die Temperatur oberhalb der Stratopause auf einen sehr niedrigen Wert einstellen kann. Eine Übersicht über die Quellstärken der wichtigsten Gase ist in Tab. 13 zu finden. Aus den Zahlen wird deutlich, daß wir gegenwärtig mit an Sicherheit grenzender Wahrscheinlichkeit annehmen können, daß wir in den kommenden zwanzig Jahren im globalen Mittel mit einer Temperaturerhöhung von 1,5 °C zu rechnen haben (Abb. 59). Das bedeutet aber auch, daß es regio-

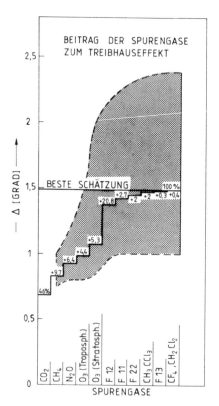

Abbildung 59 *Beitrag der wichtigsten Spurengase zum Treibhauseffekt (nach [9])*

nal und/oder zeitlich zu beträchtlichen Abweichungen kommen kann. Kleine Änderungen der Mittelwerte können mit sehr viel stärkerem Anwachsen der Schwankungsbreite (Varianz) verbunden sein. Was das regional im einzelnen bedeutet, ist schwer zu beurteilen, weil zum Beispiel die orographischen Winde die globalen Strömungsverhältnisse lokal verändern können. Für einige Regionen können sich dadurch durchaus klimatische Verbesserungen ergeben; für andere aber können die Veränderungen eine Katastrophe bedeuten.

Die Ohnmacht der Vernunft

Weil die Vorhersagen schwierig sind und Wahrscheinlichkeitscharakter haben, werden sie vielfach nicht ernst genommen. Das kann verheerende Folgen haben, weil die Unterlassungen von heute morgen nicht mehr korrigiert werden können. Bei *Verweilzeiten* dieser Gase von über 100 Jahren werden sich klimatische Verschiebungen – wenn überhaupt – nicht im Verlauf von Monaten, sondern erst im Verlauf von Jahrhunderten, vielen Menschenaltern also, rückbilden können. Das kann aber zu einer gravierenden Dezimierung der Menschen führen – die Erde könnte unter Umständen nur noch 2 Mrd. Menschen ernähren. Humanistisches Engagement für die verhungernden und sterbenden Menschen in den arid gewordenen Zonen würde da nichts mehr helfen. Rechtzeitiges Handeln wäre wichtig. Aber davon sind wir weit entfernt.

Seit geraumer Zeit wird beispielsweise versucht, eine bescheidene internationale Übereinkunft herbeizuführen, die zu wirksamen Maßnahmen bezüglich der halogenierten Kohlenwasserstoffe führen soll. Um 1980 haben die USA, Kanada, die skandinavischen Länder und die Europäische Gemeinschaft (EG) erste Kontrollmaßnahmen ergriffen; im Umweltprogramm der Vereinten Nationen wurde eine Konvention zum Schutz der Ozonschicht ausgearbeitet und 1985 unterzeichnet – ist aber bis heute nicht in Kraft. Da man sich nicht auf Kontrollmaßnahmen eini-

Tabelle 13 *Zusammensetzung der Atmosphäre und Spurengase in der Atmosphäre*

Gas	Struktur-formel	Troposph. Volumenmisch-verhältnis	Gesamtmasse in Atmosph. [g]	Langwellige Absorptions-banden [µm]	Quell-stärke [g/Jahr]	Verweil-zeit in Atmosph.	Anstiegs-rate [%/Jahr]	Haupt-quellen	Senken	Vorindustr. troposph. Vol.-Mischverhältnisse	Gegenwärtige Mischverh. in Strato-sphäre**)
Sauerstoff	O_2	20.95%	$11.84 \cdot 10^{20}$ $0.32 \cdot 10^{15}$ Tropo. $2.9 \cdot 10^{15}$ Strato.		$5.8 \cdot 10^{17}$	2000 a	0	biogen	Oxydation	20%	20%
Ozon	O_3	20–50 ppb		4.75; 9.57; 14.2		30–100 d 0.1–0.5 a					5–10 ppm
Wasserstoff	H_2	0.005 ppm 1 cm^{-3} *)	$2 \cdot 10^{14}$		$3 \cdot 10^{13}$	5 a		vulkanisch, photochemisch Verdunstung	Regen		
Wasserstoff	H	1 cm^{-3} *)									
Wasserdampf	H_2O	$3 \cdot 10^{4}$ ppm	$1.4 \cdot 10^{19}$	5–8; > 19		5 d			Regen	?	3 ppm
Helium	He	5.24 ppm	$3.7 \cdot 10^{15}$				0	radiogen			
Argon	Ar	0.934%	$6.55 \cdot 10^{19}$				0	radiogen			
Neon	Ne	18.2 ppm	$6.36 \cdot 10^{16}$				0				
Krypton	Kr	1.14 ppm	$1.46 \cdot 10^{16}$				0				
Xenon	Xe	0.087 ppm	$1.8 \cdot 10^{15}$				0				
Kohlenmonoxyd	CO	50–200 ppb	$5.9 \cdot 10^{14}$	4.8	$1.8–4.7 \cdot 10^{15}$	2–6 M	1–2	anthropogen, biogen	OH: Boden $3.45 \cdot 10^{15}$ g/a		20 ppb
Kohlendioxid	CO_2	3.46 ppm	$2.6 \cdot 10^{18}$	4.5; 7.6; 10; 14.7	$5 \cdot 10^{17}$	5 a	0.5	anthropogen, biogen, Vulkane	OZ	$260–278 \cdot 10^{-6}$	
Methan	CH_4	1.5–2.0 ppm	$4.8 \cdot 10^{15}$	7.66	$3–6 \cdot 10^{14}$	5–10 a	1–2	biogen, anthropogen	OH: $4 \cdot 10^{14}$ g/a	$0.7 \cdot 10^{6}$	0.8 ppm
Formaldehyd	H_2CO	$1–160 \cdot 10^{-9}$									
Carbonylsulfid	COS	$0.5 \cdot 10^{-9}$				1 a		vulkanisch, A			
Methanol	CH_3OH	$0.1 \cdot 10^{-9}$									
C-Disulfid	CS_2	$50 \cdot 10^{-12}$				10 d		Vulkane, A			
Stickstoff	N_2	78.08%	$38.65 \cdot 10^{20}$		10^{15}	$4 \cdot 10^{6}$ a	0	vulkanisch, biogen		78%	79%
Stickoxydul	N_2O	300 ppb	$2.0 \cdot 10^{15}$		$0.2–1.3 \cdot 10^{13}$	30–200 a	1.3	Ozean, Düngung, biogen, Verbrennung der Biomasse	stratosph. Photolyse $6–11 \cdot 10^{12}$ g/a	$292 \cdot 10^{-9}$	40 ppb
Ammoniak	NH_3	6 ppb	$\sim 10^{12}$	10.5	$1.2 \cdot 10^{14}$			biogen, anthropogen photochemisch	Regen	?	
Distickoxid	NO_2	1–300 ppt	$8.1 \cdot 10^{12}$		$1.5–8.5 \cdot 10^{13}$			anthropogen photochemisch	OH: Deposition OH		
Stickoxyd	NO	0.12 ppb	$5 \cdot 10^{12}$		$2.5–8.6 \cdot 10^{13}$			anthropogen, Blitze, biogen	OH		
Salpetersäure	HNO_3	10–300 ppt			$6 \cdot 10^{13}$	3 d		anthropogen, Blitze, biogen	Regen		
Salpetrige Säure	HNO_2	$0.4 \cdot 10^{-9}$						photochemisch	Regen		
Wasserstoffcyanid	HCN	$2 \cdot 10^{-10}$						photochemisch			
Stickstoffpentoxyd	N_2O_5							photochemisch	Regen		
Stickstofftrioxyd	NO_3	$100 \cdot 10^{-12}$						photochemisch	Regen		

*) Atome pro cm³, **) nach P. Fabian ...

232

Gas	Struktur-formel	Troposph. Volumen-Misch-Verhältnis	Gesamtmasse in Atmosph. [g]	Langwellige Absorptions-banden [μm]	Quell-stärke [g/Jahr]	Verweil-zeit in Atmosph.	Anstiegs-rate [%/Jahr]	Haupt-quellen	Senken	Vorindustr. troposph. Vol.-Misch-Verhältnisse	Gegenwärtige Mischverh. in Stratosphäre**)
Schwefeldioxyd	SO_2	10-200 ppt	$2 \cdot 10^{12}$	8.7; 7.35	$1.1\text{-}1.3 \cdot 10^{13}$			vulkanisch, anthropogen, photochemisch			
Schwefelwasserstoff	H_2S	0.2-100 ppb	$1 \cdot 10^{12}$		$8.5\text{-}9.6 \cdot 10^{12}$			biogen, anthropogen			
Schweflige Säure / Schwefelsäure	H_2SO_3 / H_2SO_4	$20 \cdot 10^{-12}$			$40\text{-}50 \cdot 10^{12}$			photochemisch			
Salzsäure	HCl	$1 \cdot 10^{-9}$						Seesalz, A, V			
Trichlorfluormethan (Freon 11)	$CFCl_3$	$1.6 \cdot 10^{-10}$	$3.8 \cdot 10^{13}$	9.2; 11.8	$3 \cdot 10^{11}$	>75a	5	anthropogen			10^{-12}
Freon 12	CF_2Cl_2	$2.6 \cdot 10^{-10}$	$5.7 \cdot 10^{13}$	8.7; 9.1; 10.9	$4 \cdot 10^{11}$	100a	5	anthropogen			10^{-11}
Freon 22	$CHClF_2$	$4.5 \cdot 10^{-11}$	$1.4 \cdot 10^{12}$	7.5; 9; 12	$7 \cdot 10^{10}$	20a	15	A			
Methylbromid	CH_3Br	$5\text{-}10 \cdot 10^{-12}$	$8\text{-}17 \cdot 10^{10}$								
Äthylenbromid	$BrCH_2CH_2Br$	$0.1\text{-}1 \cdot 10^{-12}$	$3\text{-}30 \cdot 10^{9}$								
Bromotrifluormethan	CF_3Br	$<1 \cdot 10^{-12}$	$<2.6 \cdot 10^{10}$	7.3; 9.3; 13	$5 \cdot 10^{11}$	150a	7	A			$5 \cdot 10^{-11}$
1,1,1 Trichloräthan	CH_3CCl_3	$1.1 \cdot 10^{-10}$	$7.5 \cdot 10^{13}$	7.7; 15	$1.9 \cdot 10^{9}$	500a		A			
C-Tetrafluor, F14	CF_4	$6 \cdot 10^{-11}$	$9.4 \cdot 10^{11}$	13.0	$8 \cdot 10^{10}$	100a		A			$5 \cdot 10^{-11}$
Tetrachlorkohlenstoff	CCl_4	$1.4 \cdot 10^{-10}$	$8.0 \cdot 10^{12}$		$5 \cdot 10^{12}$	1a	1	biogen, anthropogen			
Methylchlorid	CH_3Cl	$6.1 \cdot 10^{-10}$	$5.5 \cdot 10^{12}$	13.7; 9.9				biogen, anthropogen			
Methyljodid	CH_3I	$1 \cdot 10^{-12}$	$3 \cdot 10^{11}$		$6 \cdot 10^{11}$	0.5a		anthropogen			
Freon 13	C_2Cl_4 / CF_3Cl	$7 \cdot 10^{-10}$		8; 9.3		400a					$4 \cdot 10^{-12}$
Isopren	C_5H_8, $C_{10}H_{16}$	0-10 ppb	$9.5 \cdot 10^{11}$		$8.3 \cdot 10^{14}$	>10h		Wälder	OH		
Äthan	C_2H_6	$8 \cdot 10^{-10}$	$4.3 \cdot 10^{12}$								
Propan	$(CH_3)_2CH_2$	$10\text{-}100 \cdot 10^{-9}$									
Butan	$(CH_3)_2(CH_2)_2$	$0.01\text{-}200 \cdot 10^{-9}$									
Hydroxyl	OH	$<2.5 \cdot 10^{6}\ cm^{-3}$*)				1s		photochemisch			
Hydroperoxyd	HO_2	$10^{8}\ cm^{-3}$*				1m		photochemisch	OH		
Wasserstoffsuperoxyd	H_2O_2	$10^{9}\ cm^{-3}$*				1-2d		photochemisch			
PAN	$CH_3CO_3NO_2$	$50 \cdot 10^{-12}$									
Dimethylsulfid	$(CH_3)_2S$	$0.4 \cdot 10^{-9}$						biogen			
Aerosol	NH_4NO_3 NH_4Cl SO_4 Staub	$10 \cdot 10^{-12}$ $0.1 \cdot 10^{-12}$ $0.1 \cdot 10^{-9}$			$2.3 \cdot 10^{15}$	5-10d		anthropogen photochemisch photochemisch anthropogen	Regen		

*) Atome pro cm³; **) nach P. Fabian: Atmosphäre und Umwelt

OZ Ozon; S Stratosphäre; T Troposphäre; A anthropogen; N natürlich; V vulkanisch.

gen konnte, sollte das in einem Zusatzprotokoll geschehen. Darüber wurde verhandelt: Welche Stoffe einzubeziehen sind, wie das kontrolliert werden soll, ob nur die Emission beschränkt werden soll oder gar auch die Produktion, ob es einheitliche Maßnahmen, für alle Staaten gültig, geben oder ob da Rücksichten genommen werden sollen . . . Ferner spielt eine Rolle, wie die der Konvention nicht beitretenden Staaten zu behandeln seien.

Im September 1987 haben sich die USA, Kanada, Skandinavien einerseits und die EG andererseits (die wichtigsten Produzenten) auf die Vorschläge der EG, die eine weltweite Beschränkung der Produktionskapazität und eine prozentuale Reduzierung der CFCs in Spraydosen vorsehen, einigen können. Ein weltweites Verbot des Einsatzes von CFCs in Spraydosen konnte nicht erreicht werden. Die Produktion wird nun auf dem Stand von 1986 eingefroren, sodann in regelmäßigen Abständen verringert. Damit werden wir mit dieser gefährlichen Hypothek ins kommende Jahrhundert hineingehen und die fortwirkende, schlimme Belastung der Atmosphäre möglicherweise erst, wenn es zu spät ist, beseitigen können.

Hinzu kommt, daß die von der Industrie ins Auge gefaßten Alternativen, wie sich jetzt herausstellt, keine Verbesserung bringen werden. Der Ersatz der vollständig halogenierten Kohlenwasserstoffe (bei denen also alle Wasserstoffatome durch Halogenatome substituiert sind, wie z. B. bei Tetrachlorkohlenstoff CCl_4) durch teilweise halogenierte (wo also nicht alle Wasserstoffatome substituiert wurden), sollte die inerten durch weniger inerte Gase ersetzen, die also eher zerstört werden, daher nicht bis in die Stratosphäre gelangen sollten. Es zeigt sich aber [68], daß diese Gase im Gegenteil noch weniger verändert werden, daher in die Stratosphäre aufsteigen und dort bereits heute einen signifikanten Bestandteil der da versammelten halogenierten Kohlenwasserstoffe darstellen. Dies ist also kein Ausweg.

Die Spurengase tragen, sieht man vom Wasserdampf ab, heute bereits mit rund 50% zum Treibhauseffekt bei (Abb. 59), den Rest trägt das CO_2 bei. Besonders den langlebigen mit den höchsten Zuwachsraten müßte sofort der Kampf angesagt werden.

Dazu gehören die langlebigen halogenierten Kohlenwasserstoffe, dazu gehört aber vor allem das CO_2! Darauf komme ich noch zurück.

Während einige Länder dem Appell der Wissenschaftler bereits gefolgt sind und wenigstens die Verwendung der halogenierten Kohlenwasserstoffe in Sprühdosen, aus denen das Gas direkt in die Atmosphäre entlassen wird, untersagt haben, konnten sich bisher deutsche Bundesregierungen zu einem vergleichbaren Schritt bedauerlicherweise nicht entschließen. Dabei gilt als sicher, daß eine Substitution der Treibgase durch mechanische Pumpen zum Beispiel problemlos möglich ist. Um die Größenordnung zu verdeutlichen: In der Bundesrepublik Deutschland wurde im Jahr 1981 mit Spraydosen ein Umsatz von über 2 Mrd. Mark erzielt. 493 Mio. Spraydosen wurden hergestellt.

Natürlich muß man außerdem auch Anstrengungen machen, um bei Kühlmitteln Verluste etwa durch Undichtigkeiten, aber auch bei der Entsorgung soweit als möglich auszuschließen (Frigen, Freon) – durch bessere Konstruktion der Behältnisse, aber auch durch Auflagen bezüglich der Entsorgung! Der unsinnige und unverantwortliche Kampf der chemischen Industrie gegen solche Beschränkungen hat sich längst als Bumerang erwiesen.

Während sich also der Einfluß der halogenierten Kohlenwasserstoffe beim Ozonabbau in der Stratosphäre ständig verstärkt, erhöht sich in der Nähe der Tropopause – der Grenzschicht zwischen Troposphäre und Stratosphäre – die *Ozonkonzentration* ständig [9]. Der Ozongehalt der Atmosphäre (Säulendichte) ist daher insgesamt fast unverändert geblieben (für Beobachtungen vom Boden aus), »nur« die Höhenverteilung hat sich geändert (Abb. 60).

Die Zunahme der Ozonkonzentration in und unterhalb der Tropopause hat aber ganz erhebliche Bedeutung für das Klima des Planeten. Denn die starke Absorption des Ozons im Ultraviolettbereich bedeutet eine ganz erhebliche Steigerung des direkten Energieeintrags in die obere Troposphäre und Tropopausenregion, zu dem die Absorption im Bereich der Rückstrahlung (Treibhauseffekt) hinzukommt. Etwa 10 % des atmosphärischen

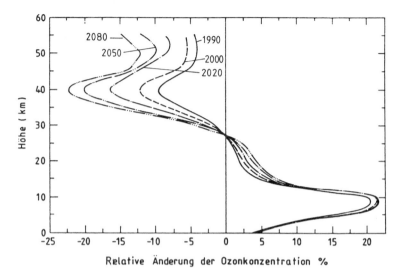

Abbildung 60 *Veränderung der Höhenverteilung der Ozonkonzentration (Modellrechnung) in der Nordhemisphäre für verschiedene Jahre unter der Annahme, daß Stickoxyde (NO_x und N_2O), Kohlendioxyd und CFCs in gegenwärtigen Emissionsraten weiter emittiert werden. Temperaturrückkopplung ist berücksichtigt (nach [54]).*

Ozon befinden sich in der Troposphäre. Wegen des herrschenden Gasdruckes ergibt sich bei den niederenergetischen Anregungszuständen im Infrarot- und Mikrowellengebiet eine erhebliche Druckverbreiterung der Absorptionsbanden; aus diesem Grund absorbieren diese Moleküle Strahlung in einem viel breiteren Wellenlängenbereich. Das troposphärische Ozon, dessen Hauptquelle bisher die Stratosphäre ist, trägt daher allein bereits mit fast 50 % zum Treibhauseffekt des Ozons bei.

Die ständige turbulente Durchmischung der unteren Atmosphäre sorgt dafür, daß sich eine Temperaturerhöhung alsbald der ganzen Troposphäre mitteilt. Darüber hinaus muß man auch eine Erhöhung der Temperatur der Tropopause erwarten, die damit ihre Funktion als Kältefalle, als Trennelement zwischen unterer und oberer Atmosphäre, verlieren würde. Eine Folge könnte die Erhöhung des Wasserdampftransports in die Stratosphäre sein, wodurch sich der Ozonabbau im Höhenbereich um und oberhalb von 20 km verstärken würde. Das weiß man aber nicht sicher, weil die Erhöhung der Troposphärentemperatur über erhöhte Kohlendioxyd- oder Wasserdampfkonzentration (wegen der stärkeren Absorption der aus tieferen Schichten aufwärts emittierten Strahlung) auch zu einer Senkung der Stratosphärentemperatur führt (weil weniger Temperaturstrahlung aus der Troposphäre in die Stratosphäre durchgelassen wird), mithin Bildungs- und Zerstörungsprozesse sich verlangsamen. Im Höhenbereich zwischen 46 und 55 km hat es in der Tat im vergangenen Jahrzehnt eine Abkühlung um 5 °C ergeben [53]; in 36 km Höhe war die Temperaturabnahme geringer. Man vermutet, daß derzeit die Zunahme der Ozonbildung in tieferen Schichten die Abnahme der Ozonkonzentration im höheren Bereich (bei integraler Messung) verdeckt. Dennoch wird man darüber erst dann mehr wissen, wenn man über die dreidimensionale Verteilung der Spurengase in der Stratosphäre bessere Kenntnisse hat. Insbesondere ist es wichtig, die Verteilung des Wasserdampfes zu kennen, der für die Ozonbilanz eine wichtige Kenngröße darstellt. Gerade über den Wasserdampf gibt es aber zur Zeit nur sehr unbefriedigende, teils sogar widersprüchliche Daten.

Die wachsende Emission von Methan und die damit verknüpfte Zunahme der CO- und der HO_2-Konzentration (R33, R34 und R38) führen aber auch zu vermehrter Oxydation von NO in NO_2; aus diesem entsteht photochemisch wieder vermehrt Ozon. Die Erhöhung der Kohlenmonoxydkonzentration führt daher zur Zunahme der Konzentration von troposphärischem Ozon. Photodissoziation von Ozon (R17) vermindert diesen Effekt etwas, weil (vgl. R30) wieder OH entsteht, das aber die Abbauraten nicht kompensieren kann. In mittleren Breiten liegt die Ozonkonzentration am Boden bei $7 \cdot 10^{11}$ Molekülen/cm^3 – die Konzentration liegt damit oft genug schon sehr nahe dem Punkt, von dem an Ozon auf Menschen giftig wirkt.

Neben den bisher besprochenen Mitkopplungseffekten, die in Richtung CO_2-Zunahme wirken, gibt es die in Kap. 8 besprochenen, stabilisierend wirkenden Gegenkopplungseffekte, vor allem die durch Aerosol ausgelösten und die Veränderung der Albedo durch Veränderung des Bewölkungsgrades.

Die Erhöhung der Oberflächentemperatur der Erde durch den Treibhauseffekt führt also als Folge der vermehrten Verdampfung von Wasser zu einer komplizierten Veränderung der chemischen Reaktionen in der Troposphäre. Weil man die involvierten Mengen, die zum Teil komplizierten Transportprozesse nicht genau genug kennt, kann man im Augenblick keine sicheren Vorhersagen über die Größe des zu erwartenden Treibhauseffektes machen. Die Vorhersagen liegen meist zwischen 1,5 °C und 4 °C – alle jedoch sagen eine Temperaturerhöhung voraus.

Die Folgerungen aus dem beobachteten Sachverhalt sind also in der Tat außerordentlich weitreichend. Zwar kann man daraus derzeit noch keine definitiven quantitativen Schlußfolgerungen ziehen und daher nur Befürchtungen äußern. An deren Ernsthaftigkeit jedoch besteht kein Zweifel.

Unter der Annahme, daß die CFC-Verbindungen im gleichen Umfang wie 1987 erzeugt und in die Atmosphäre entlassen werden, muß nach heutigem Kenntnisstand bis 1990 mit einer Verringerung der Ozonkonzentration in der Stratosphäre um 5–9 % gerechnet werden [47], [50], [54], [56].

Grundmuster

Immer wieder begegnen wir bei diesen Betrachtungen einem Grundmuster: Wenn zusätzliche anthropogene Umsätze (energetische, stoffliche) naturübliche Umsätze der Größe nach erreichen, dann wächst die Gefahr, daß plötzliche drastische Änderungen dynamischer Gleichgewichtszustände eintreten. Das Eintreten solcher Änderungen wird immer wahrscheinlicher, je weniger stationär (zeitlich stabil) das System ist. Ein stationäres, abgeschlossenes physikalisches System wird im allgemeinen bestrebt sein, aus einem Zustand in einen bestimmten anderen überzugehen, bei dem unter den nun veränderten Randbedingungen die Entropie des Systems zunimmt. Die Entropie ist ein

Begriff aus der Thermodynamik; er beschreibt den Grad innerer Unordnung eines Systems. Der dritte Hauptsatz der Wärmelehre sagt voraus, daß die Entropie eines abgeschlossenen physikalischen Systems einem Maximum zustrebe, also zunehmen werde. Für ein nicht abgeschlossenes physikalisches System wie unsere Atmosphäre, das günstigstenfalls quasistationär ist (daher insbesondere auch nicht als zeitlich unveränderlich stabiles System betrachtet werden darf), ist es grundsätzlich nicht möglich, vorauszusagen, welchem Zustand es zustreben wird. Aus eben diesem Grunde können sich in der Atmosphäre spontan *Instabilitäten* ausbilden, entsteht Turbulenz. Darum ist es aus einsehbaren Gründen kaum möglich, anzugeben, wie sich bei vorherrschender Nichtstationarität das System Biosphäre – an dem wir ja hauptsächlich interessiert sind – verändern wird. Das Verhältnis der Schwankungsbreite σ einer Beobachtungsreihe zu deren Mittelwert m ist ein Maß für Stationarität beziehungsweise Stabilität. Solange σ < < m bleibt, ist Stationarität im allgemeinen gewährleistet; wenn σ ~ m wird, beginnt der Übergang zu nichtstationären Zuständen. Unser gegenwärtiges Handeln hat daher sehr viel gemeinsam mit einer Bootsfahrt bei dichtem Nebel: Man wird die Fahrt zwar gewahr; die Richtung aber, in der sich die Bewegung vollzieht, ist unbekannt. Aber wir rudern begeistert weiter.

Nun rede ich nicht von physikalischen Dingen akademischen Charakters, sondern von die Umwelt signifikant beeinflussenden Prozessen. Darum muß der verantwortungsbewußte Forscher heute den Politikern Kenntnis geben von seinen Einsichten und, wo erkennbar, Handlungsbedarf anmahnen. Dabei kann sich ergeben, daß wir fordern müssen, bestimmte Handlungen zu unterlassen, auch wenn wir deren Folgen nicht sicher abschätzen können. Wenn es sich nämlich eines Tages herausstellen sollte, daß befürchtete Folgen tatsächlich eintreten werden, werden auch Unterlassungen wegen der großen Zeitkonstanten des Systems Atmosphäre (größer als zehn Jahre) bereits nichts mehr ändern können. Wir müssen also in der Nutzung technischer Prozesse vorsichtiger sein als bisher, gelegentlich auch auf bestimmte Anwendungen vorsorglich verzichten.

Das Ozonloch

Erst in jüngster Zeit wurde über dem Südpol ein »Ozonloch«
beobachtet. Damit hat es folgende Bewandtnis: Über dem Kontinent *Antarktis* bilden sich im Polarwinter relativ stabile Strömungssysteme aus. Da die Sonne die Hochatmosphäre nicht be-
scheint, werden die chemisch-dynamischen Gleichgewichte verschoben: Es wird weniger Ozon abgebaut, es wird aber auch
weniger Ozon gebildet. Wenn nun jedoch Chloroxyde oder Stickoxyde in die polare Atmosphäre einwandern könnten, müßte
mit verstärktem Abbau von Ozon etwa durch die in Kap. 8 und
eingangs in diesem Kapitel beschriebenen Reaktionen gerechnet
werden. Genau das wurde im Frühjahr der Südhalbkugel beobachtet – also möglicherweise die Wirkung anthropogen erzeugter
Stoffe, die über die Zirkulationssysteme der Atmosphäre in die
polare Stratosphäre gelangten.

Daß ein solches Phänomen über dem Nordpol bisher nicht
oder doch wesentlich schwächer beobachtet wurde, wird den weniger stabilen dynamischen Verhältnissen über dem Nordpol zugeschrieben. Allerdings ist die Beurteilung dieses Phänomens
derzeit noch nicht einheitlich. In normalen Wintermonaten
nimmt die Stratosphärentemperatur vom Äquator zu höheren
Breiten bis 45° zu und fällt zum Pol hin ab. Dieser Temperaturgradient treibt in den polaren Regionen der unteren Stratosphäre
eine zonale Westströmung. Dieser Zustand wird manchmal
plötzlich durch eine großräumige Erwärmung der polaren Stratosphäre (plötzliche Stratosphärenerwärmung, sudden warmings)
unterbrochen, wobei die Temperatur in 20 km Höhe innerhalb
weniger Tage um 40 °C steigen kann. Dadurch kehrt sich das zum
Pol hin gerichtete Temperaturgefälle um und mit ihm das Strömungssystem (Ostwinde). Vermutlich wird in manchen Wintern
vermehrt Energie in die Stratosphäre gepumpt, so daß Instabilitäten und in der Troposphäre planetare Rossby-Wellen auftreten,
die diese Veränderungen des Strömungsregimes bewirken.

Eigentlich wurde die im Frühjahr in der Antarktis abneh-
mende Ozonkonzentration schon vor einigen Jahren von japani-

240

schen und britischen Wissenschaftlern entdeckt. Die Japaner hatten ihre Beobachtungen in einer wenig verbreiteten Zeitschrift veröffentlicht, darum blieb der Beitrag unbemerkt. Die Engländer wollten ihre Messungen erst noch einmal nachprüfen. An ihrer Station in Halley Bay in der Antarktis hatten sie einen Dobson-Spektrographen installiert – das ist ein schon seit langem benutztes Gerät zur Überwachung des Ozongehalts in der Luftsäule über dem Beobachter. Das Gerät mißt die ultraviolette Sonnenstrahlung innerhalb und außerhalb der Ozonbanden und erlaubt so die Ermittlung der Ozonmenge zwischen Beobachter und der Sonne. Diese Werte lassen sich dann auf die vertikale Säule umrechnen. Etwa 40 solcher Geräte sind derzeit weltweit im Einsatz.

Seit 1977 beobachtete die britische Arbeitsgruppe an ihrer Station in Halley Bay eine Veränderung des bisherigen Trends. Wenn im Oktober zum Südfrühlingsbeginn die Atmosphäre wieder von der Sonne beschienen wird, sinkt die Ozonmenge zunächst wegen der nun forciert verlaufenden Abbauprozesse. Da aber nun auch die Ozonbildungsprozesse, wie im Kap. 8 dargelegt, wiederanlaufen, nimmt danach die Ozonmenge in der Stratosphäre wieder zu, der frühere Gleichgewichtszustand wird wiederhergestellt. Das Absinken der stratosphärischen Ozonmenge gegen Ende des Winters hatten die Briten für einen Meßfehler ihres Instruments gehalten, und sie wollten zunächst dessen Eichung nachprüfen. Erst sieben Jahre später, im Dezember 1984, reichten sie eine Arbeit, in der sie ihre Beobachtungen beschrieben, bei der Zeitschrift »Nature« ein, die die Arbeit im Mai 1985 veröffentlichte [57]. Abb. 61 zeigt aus dieser Arbeit die entscheidende Figur.

Diese Beobachtungen erinnerten die NASA-Forscher, die die Meßdaten des amerikanischen Aeronomiesatelliten NIMBUS-7 auswerteten, daran, daß auch sie schon merkwürdige Daten gesehen – und verworfen hatten. Nimbus mißt mit einem Radiometer die von den Ozonmolekülen emittierte Strahlung. Als sie ihre Daten erneut überprüften, konnten sie die Messungen der britischen Gruppe bestätigen. Seitdem sprechen wir vom Ozonloch,

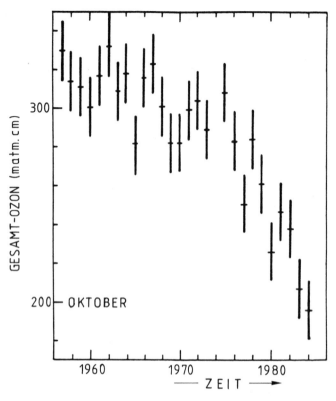

Abbildung 61 *Abnahme der Ozonkonzentration im Frühjahr in der Stratosphäre über der Antarktis (nach [57])*

das eigentlich kein Loch ist, sondern ein lokales, allerdings mit der Zeit absinkendes Konzentrationsminimum darstellt.

Erste Zeichen für verstärkten Ozonabbau ließen sich im Rückblick schon 1975 ausmachen – inwieweit das signifikant war, ist allerdings umstritten. Im Oktober 1986 war jedenfalls das Ozon im Höhenbereich zwischen 10 und 20 km über einem Gebiet von 10 Mio. km^2 (etwa der Fläche der Vereinigten Staaten) praktisch verschwunden. Auch auf der Nordhemisphäre gibt es den Effekt – allerdings nicht so klar –, ich werde darauf gleich zurückkommen.

242

Nun stellte sich die nächste schwierige Frage: Woher kommt das? Sogleich gingen die Meinungen der Fachleute weit auseinander. Zwei Mechanismen kommen im Prinzip in Betracht. Chemisch – so wurde zunächst argumentiert – könne das Ozon in dem über der Antarktis im Winter sehr persistenten Wirbel durch die in wachsender Konzentration zugeführten halogenierten Kohlenwasserstoffe vermehrt abgebaut worden, das Ozonloch also eine Folge anthropogener Tätigkeiten sein. Aber – stellte sich bald heraus – so einfach ließ sich die Geschichte nicht erklären. Halogenierte Kohlenwasserstoffe reagieren zwar mit Ozon, doch ist ihre Wirksamkeit durch Reaktionen mit Methan gebremst (vgl. Kap. 8); dabei bilden sie Säuren, die mit Ozon nicht mehr reagieren:

$$X + CH_4 \rightarrow CH_3 + HX \qquad \text{(R56)}$$

(X: Cl, F, Br). Bei Temperaturen unter $-70\,^{\circ}\mathrm{C}$ kommt diese Reaktion zum Stillstand, so daß Halogene vermehrt zum Ozonabbau zur Verfügung stehen. Dies scheint eine Komponente in den für das Ozonloch verantwortlichen Wirkungsketten zu sein. Denn die erforderlichen tiefen Temperaturen treten in der Tat auf.

Wie in Kap. 7 besprochen, führt feiner Vulkanstaub in der Stratosphäre durch Streuung des kurzwelligen Sonnenlichts zu einer Verminderung des Energieeintrags in die Stratosphäre, also zu einer Abkühlung. Daß sich auch chemische Reaktionspfade ändern, hat mit den Reaktionsgeschwindigkeiten zu tun, die verschiedene Temperaturabhängigkeiten haben. Verlangsamt sich die eine – wie etwa die Reaktion von Chlor und Methan (R56), so wird plötzlich eine andere bedeutsam: Aus Stickoxyden entsteht vermehrt Salpetersäure, die bei den niedrigen Temperaturen sofort mit Wasserdampf zu festem Aerosol sublimiert. Wenn aber die Stickoxyde verschwinden, steigt die Konzentration des Hydroxylradikals OH an. Werden schließlich am Ende der Polarnacht auch noch photochemische Reaktionen wiederaktiviert, dann müßte, wie Paul Crutzen vom Max-Planck-Institut für Chemie in Mainz herausfand, der OH-Pegel in die Höhe schießen

[65]. Diese Vorhersage konnte bisher allerdings experimentell noch nicht bestätigt werden. Damit würde aber auch das in Salzsäure ozonunschädlich festgelegte Chlor (z. B.) wieder frei und könnte das Ozon angreifen. Auch Brom und Fluor werden auf diese Weise reaktiviert. Dadurch sinkt der Ozonspiegel ab – und hat dies zu dieser Jahreszeit auch immer schon getan.

Die mit der Dynamik der Stratosphäre befaßten Wissenschaftler haben gleich zu Beginn der Diskussion über das Ozonloch darauf hingewiesen, daß es unbedingt erforderlich ist, die dynamischen Verhältnisse mit in Betracht zu ziehen. Die *stratosphärische Zirkulation* in der Stratosphäre der Polarregion ist in Nord und Süd verschieden. In der Nordpolarzone treten die oben besprochenen mittwinterlichen stratosphärischen Erwärmungen häufig auf; über der Südpolarkappe praktisch nie. Das führt dazu, daß der polare Wirbel der Arktis oft schon zur Wintermitte zusammenbricht. Diese Erwärmung hat mit dem Transport ozonreicher Luft aus mittleren in hohe Breiten zu tun. Daher findet man in der Arktis häufig bereits im Januar ein Ozonmaximum. Kontrolliert werden diese Abläufe durch Instabilitäten, die im Zusammenhang mit der planetaren Welle auftreten. Diese führen zu den polaren Erwärmungen im Mittwinter oder auch zu den den Winter abschließenden Erwärmungen (final warmings) im Frühjahr. Nach diesen ändert sich der Polarwirbel: Aus einer Zyklone wird eine Antizyklone, aus dem winterlichen Tief entsteht das sommerliche polare Hoch. Im Einklang damit findet man das Ozonmaximum in der Arktis häufig bereits im Januar.

Nun gibt es – worauf insbesondere Karin Labitzke vom Institut für Meteorologie der Freien Universität Berlin nachdrücklich hingewiesen hat – einen seit langem bekannten Zusammenhang zwischen dynamischen Größen – wie der Höhe der 50-mbar-Fläche und der Ozonmenge in der Stratosphäre: Höhere Temperaturen sind mit größeren Ozonmengen verknüpft, umgekehrt treten Ozonverminderungen bei niedrigen Stratosphärentemperaturen ein. Dieser Effekt hat sehr wahrscheinlich mit den von Crutzen untersuchten Ozonabbaureaktionen (vgl. oben) zu tun. Andererseits verlaufen die Stromlinien und die Isothermen im

Polarwirbel ziemlich parallel, was zu sehr geringer Strömung quer zu dem den Wirbel beherrschenden Jet führt. Man kann also nicht erwarten, daß signifikanter Gastransport in den Polarwirbel hinein erfolgt. Kurz gesagt: Ozon kann eigentlich nur durch das Material abgebaut werden, das sich auch schon zu Winterbeginn im Wirbel befand.

Die Verminderung der Ozonmenge im Wirbel zum Winterende ist also zunächst ein natürliches Phänomen. Seit 1981 fallen aber die beobachteten Temperaturen in der Stratosphäre unter das langjährig beobachtete Schwankungsband (Abb. 62). Seit 30 Jahren gibt es nach langer Pause wieder starke *Vulkanausbrüche;* von sechs starken Temperaturverminderungen in der Stratosphäre hängen fünf ziemlich eindeutig mit diesen Vulkanausbrüchen zusammen (Abb. 63). 1982 war der erste Winter nach dem Ausbruch des El-Chichòn, dem stärksten Vulkanausbruch seit dem des Krakatau 1887. Es liegt also nahe, die extrem niedrigen Temperaturen der Stratosphäre in den letzten Wintern mit Aerosol aus dem El-Chichòn-Ausbruch in Zusammenhang zu bringen. Allerdings haben Ballonmessungen von D. Hofmann und Mitarbeitern in der Arktis [58] eine exponentielle Abnahme des (vulkanischen) Aerosols (was zu erwarten ist) bestätigt, mit Zeitkonstanten von etwa einem Jahr. Damit kann man aber weitgehend ausschließen, daß die Abnahme der Ozonkonzentration direkt mit dem Aerosol verknüpft ist, auch heterogene chemische Prozesse als ausschlaggebende Zerstörer scheiden aus. Denn auch wenn man von vulkanischem Aerosol absieht, ist schwer einzusehen, warum das ständig mit praktisch konstanter Konzentration vorhandene stratosphärische Aerosol ausgerechnet eine Zunahme der Reaktionsraten, damit den vermehrten Abbau von Ozon herbeiführen sollte.

Die Arbeiten von K. Labitzke weisen aber noch auf einen anderen Zusammenhang hin. Die Wechselwirkung zwischen planetarer Welle und Gezeiten führt zu einer etwa zweijährigen (26 Monate) Periode, in der die Westwinde mit niedrigen Stratosphärentemperaturen verbunden sind – bei Sonnenfleckenmaximum! Ohne dies vertiefen zu wollen: Die Ozonabnahme im Po-

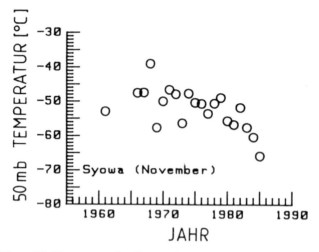

Abbildung 62 *Temperatur der Stratosphäre im 50-mbar-Niveau über der Station Syowa (Antarktis) in den Jahren vor der ersten Beobachtung des »Ozonlochs« (seit 1961) und danach (seit 1982) (nach [66])*

larwirbel scheint mit den tiefen Temperaturen, die im Sonnenfleckenmaximum auftreten, zusammenzuhängen. Zweifellos wurde die Temperaturabnahme durch die Vulkanausbrüche verstärkt – infolgedessen wurde der Ozonabbau durch die gegenwärtig vorhandene Konzentration der Spurengase praktisch bis zum Wert Null hochgetrieben.

Dann bleibt aber noch zu erklären, warum die Ozonreduzierung so stark ausfällt. Den zeitlichen Ablauf der Ereignisse scheint die Erklärung von Crutzen ganz gut wiederzugeben. Ob nun der zusätzliche Ozonabbau überdies auf den mittlerweile gestiegenen Gehalt der Stratosphäre an halogenierten Kohlenwasserstoffen zurückzuführen ist oder ob, wie H. Krüger und P. Fabian von unserem Institut vorgeschlagen haben [60], eine Brom (ebenfalls aus halogenierten Kohlenwasserstoffen stammend) einschließende Reaktion bei tiefen Temperaturen besonders wirksam ist, bleibt zunächst offen.

Dennoch ist das Ozonloch ein Lehrstück; zeigt es doch, daß aus einer ganzen Reihe von miteinander verketteten Effekten

246

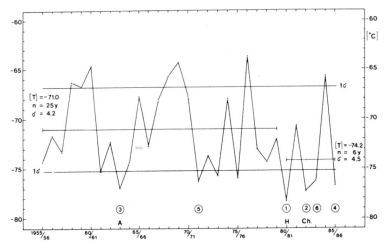

Abbildung 63 *Temperaturen im Mittwinter über dem Nordpol im 30-hPa-Niveau. Die Zahlen 1–6 indizieren die sechs kältesten Winter. Die Buchstaben A, H und Ch stehen für die Vulkanausbrüche des Agung (März 1963), des St. Helen (Mai 1980) und des El-Chichòn (März 1982). Die niedrigsten Temperaturen traten außer in einem Fall alle nach Vulkanausbrüchen auf. Sie sind niedriger, als bereits aus der quasi zweijährigen Oszillation zu erwarten gewesen wäre (nach [59]).*

plötzlich ein global relevanter Effekt entsteht. Genauso können klimawirksame Effekte entstehen – aus vielen kleinen Veränderungen ergibt sich möglicherweise plötzlich innerhalb weniger Jahre eine signifikante Veränderung relevanter Parameter wie zum Beispiel der mittleren Temperatur an der Erdoberfläche. Dazu gehört auch die wachsende Wahrscheinlichkeit für das Auftreten extremer Wetterlagen.

El Niño

In diesem Zusammenhang möchte ich ein Phänomen besprechen, das in den letzten Jahren verstärkt Interesse erfahren hat, weil es sehr wahrscheinlich mit einigen solcher extremen lokalen Klimaschwankungen in Verbindung gebracht werden kann.

247

Vor der peruanischen Küste verschwinden nämlich gelegentlich zu Weihnachten die Fische – vor allem Anschovis, von denen die peruanischen Fischer leben. Die Fischer nannten das Phänomen deshalb »El Niño« – Das Christkind.

El Niño ist die Folge einer plötzlichen Erwärmung des Meerwassers. Wenn warmes Wasser das kalte Wasser des Humboldt-Stromes vor den Küsten Ecuadors und Perus verdrängt, dann verschwindet das nährstoffreiche (darum fischreiche) Wasser, das den Fischern die ertragreichen Fänge ermöglicht; die Erträge gehen zum Teil bis in den März hinein zurück, danach normalisiert sich alles wieder. Manchmal aber dauert es erheblich länger (ein Jahr und mehr), was zu wirtschaftlichen Krisen in den betroffenen Ländern führt. Niños treten auch nicht jedes Jahr auf, sondern nur alle paar Jahre. Allerdings gibt es heute noch kein sicheres Zeichen, anhand dessen man das Auftreten eines Niños sicher vorhersagen könnte.

Den Schlüssel zum Verständnis des Phänomens bildet die *Southern oscillation*. Hier koppelt aus bisher ungeklärter Ursache das Luftdrucksystem im Westpazifik mit dem des Ostpazifik. Die Passatwinde, die Teil der Hadley-Zirkulation sind (vgl. Kap. 2), werden durch die beiden recht beständigen Hochdruckzellen im Pazifik – über den Osterinseln im Süden und vor Kalifornien im Nordpazifik – umgelenkt, so daß sie vor der nord- und südamerikanischen Küste zum Äquator hin wehen. Dort treffen sie sich in der intertropischen Konvergenz. Der Südostpassat, der den Humboldt-Strom treibt, schiebt deshalb oberflächennahes Wasser von der Küste weg; dadurch gelangt kühles Tiefenwasser (5 °C kühler) an die Oberfläche. Dieses planktonreiche, darum nährstoffreiche Wasser ernährt viele Fische und macht für die Fischer den Fischfang rentabel. Das von der Küste weggeschobene warme Wasser staut sich mit der Zeit im westlichen Pazifik und führt dort zu hohen Verdunstungsraten, damit zu den reichen tropischen Regenfällen dieser Region (Indonesien, Südostasien).

Gelegentlich kommt es aber zum Zusammenbruch des Passatwindsystems im Westpazifik. Nun flutet das aufgestaute Wasser unter der Oberfläche in breitem Strom zurück nach Osten (Kelvin-Welle) und läßt dort den Meeresspiegel ansteigen. Das Oberflächenwasser im Ostpazifik erwärmt sich nun wieder, das Aufquellen von Kaltwasser wird unterbunden. Wenn dann also im Dezember die ersten Kelvin-Wellen die amerikanische Küste erreichen, beginnt das Phänomen El Niño (vgl. Tafel 4).

Ein richtig kräftiger Niño tritt aber erst dann auf, wenn die Passate in bodennahe Westwinde umspringen und so verstärkt Kelvin-Wellen in Gang setzen, die den mittleren Pazifik weiter erwärmen. Dadurch erwärmt sich auch die Luft, die Westwinde treiben die beginnende Zirkulation nach Osten, so daß sich das Ganze weiter verstärkt (Rückkopplung). Die feuchte Luft kondensiert, es kommt im Ostpazifik, in der normalerweise trockenen Region, zu schweren Regenfällen.

In der oberen Troposphäre strömt die Luft zurück nach Westen und sinkt über dem Westpazifik ab – über Indonesien herrscht dann ungewöhnliche Trockenheit. Bewölkung (die Voraussetzung für das Auftreten von Niederschlägen) bildet sich nur im aufsteigenden Luftstrom; in absinkenden Luftmassen ist der Himmel klar. So kommt dies zustande.

Die Auswirkungen eines Niño gehen indes weit über das unmittelbar betroffene Gebiet an den östlichen und den westlichen Rändern des Pazifik hinaus. Die der oberen Troposphäre mit der aufsteigenden Warmluft zugeführte Energie wird zum Teil auch in höhere Breiten abgeführt, weil sich die Hadley-Zirkulation bei wachsenden Temperaturgegensätzen verstärkt. Dadurch können weitere Regionen betroffen sein. Jedoch sind die genauen Zusammenhänge noch nicht aufgeklärt. Andererseits gibt es Beobachtungen, die nahelegen, den Niño für eine ganze Reihe fernab liegender klimatischer Veränderungen verantwortlich zu machen. Schwere Niños gab es zum Beispiel in den Jahren 1953, 1957/58, 1965, 1972/73, 1976/77, zuletzt 1982/83. Beim letzten Niño wurden in Kalifornien zahlreiche Überschwemmungen registriert, die Dürre in Afrika nahm zu. Der Niño 1972/73 senkte die Bestände an Anschovis katastrophal ab, Indien wurde von einer schweren Dürre heimgesucht, die Sowjetunion litt unter ungewöhnlicher Trockenheit ebenso wie Hawaii oder Neu-Guinea.

Wegen dieser offensichtlich kausalen Zusammenhänge tritt die Bedeutung der Kopplung Ozean–Atmosphäre in diesem Beispiel besonders deutlich zutage, insbesondere auch für das Klima. Weil nämlich der wärmere Ozean Kohlendioxyd abgibt, erhöht sich während eines Niño das atmosphärische CO_2. Hingegen nimmt das aufquellende Kaltwasser mehr CO_2 auf, auch weil im planktonreichen Wasser für die Assimilation mehr CO_2 verbraucht wird. Niños sind daher durchaus klimarelevante Phänomene, deren Untersuchung ein ganz wichtiges Anliegen der Klimaforschung ist.

Ursachen

Die Ursachen für das Auftreten von Niños sind noch weitgehend ungeklärt. Zwar gibt es mehrere Hypothesen, die aus bestimmten Randbedingungen das Auftreten von Niños glaubten vorhersagen zu können. Fast für jede gab es aber den nicht vorhergesagten Niño, so daß das Kausalgefüge weiterhin im dunkeln liegt. Möglicherweise sind es schwere tropische Wirbelstürme im Westpazifik, die den Anlaß zum Umkippen des Zirkulationssystems im pazifischen Raum geben. Vermutlich werden aber auch noch andere Bedingungen erfüllt sein müssen, wenn ein kräftiger Niño entstehen soll.

Von Interesse ist hierbei, daß es offensichtlich relativ kleiner Energiemengen bedarf, um ein großräumiges, lange Zeit stabil funktionierendes dynamisches Gleichgewicht, in dem gewaltige Energiemengen umgesetzt werden, in einen völlig anderen Gleichgewichtszustand zu bringen, in dem das System lange Zeit verharren kann, ehe es aus bisher ebenfalls ungeklärter Ursache in den ursprünglichen Zustand zurückkippt. Beide Zustände bringen für weite Regionen völlig verschiedene Klimatypen zur Ausprägung, was wegen der klimatischen Anpassung von Flora und Fauna in den betroffenen Regionen Katastrophen zur Folge

haben kann (und gehabt hat: Dürre hier, sintflutartige Regenfälle da, wo der Normalzustand eher umgekehrt war; vgl. auch
[61]).

Solche sprunghaften Veränderungen in der Atmosphäre sind
ein ganz wesentliches Kennzeichen nichtstationärer Prozesse.
Hermann Flohn, der Nestor der deutschen Klimaforschung, wird
denn auch nicht müde, auf die Möglichkeiten solcher sprunghaf-
ter Veränderungen unseres Klimasystems hinzuweisen und sie
mit Beispielen aus der Vergangenheit zu belegen. In der Regel
braucht ein nichtstationäres System nur einen kleinen Anstoß,
um aus einem existierenden stabilen Zustand in einen stabilen
(oder quasistabilen) anderen überzugehen. In genau diesem
Sinne werden im Vergleich zu den Energieinhalten des Systems
Atmosphäre kleine (z. B. lokale) Anstöße für nachhaltige regionale oder auch globale Klimaänderungen von Bedeutung. Das
heißt aber insbesondere, daß auch anthropogene Beiträge solche
Triggerfunktionen für Klimaänderungen haben können. Beispiele dafür sind aus der Menschheitsgeschichte bekannt: die Ab-
holzung der Mittelmeerküsten im Altertum, die Übernutzungen
in Nordafrika, die zu Klimaverschiebungen in Tunesien führten,
in unseren Tagen zur beschleunigten Ausbreitung der Wüste
(z. B. Sahelzone). Aus all den Einsichten, die die Wissenschaft
heute gewonnen hat, läßt sich nur ein einziger Schluß ziehen:
Den Entwicklungsmöglichkeiten der Industriegesellschaften sind
Grenzen gesetzt; wir müssen lernen, daß uns diese Grenzen geringere Spielräume lassen, als wir je glauben mochten.

Ich halte den Niño für ein Schulbeispiel, an dem die extreme
Gefährdung unseres Klimasystems nicht nur theoretisch (was zu
endlosen, zum Teil törichten Diskussionen führt, wie beim Ozon-
problem), sondern tatsächlich exemplarisch vor unsere Augen
tritt. Hier hat die Wissenschaft Einsichten ermöglicht und Zusammenhänge aufgedeckt, die nachdenklich machen müssen –
und vorsichtiger. Darauf möchte ich im nächsten Kapitel eingehen.

Kapitel 10 Energieversorgung, Umweltprobleme, Zukunftsperspektiven: Wissenschaftliche Einsicht und politisches Handeln

Unsere Betrachtung der Erdatmosphäre hat uns von ihrer Entwicklungsgeschichte über einige physikalische Phänomene (optische, elektrische) zu meteorologischen und schließlich zu klimatischen Aspekten geführt. Dabei ist deutlich geworden, welche Bedeutung chemische Reaktionen für die Stabilität der Atmosphäre und die Temperaturverteilung haben.

Wir haben gesehen, daß wir seit der vorindustriellen Zeit eine Erhöhung der Konzentration der Spurengase finden, vor allem bei Kohlendioxyd, die im globalen Mittel zu einer Temperaturerhöhung von bisher 1 °C (Abb. 3) geführt hat und die auch im Rahmen existierender Modellvorstellungen so nachvollziehbar ist. Dieser Erwärmung der Atmosphäre entspricht eine Änderung der mittleren Seehöhe zwischen 1880 und 1980 um 80 mm, die etwa zur Hälfte durch die thermische Expansion der Ozeane, zur anderen Hälfte vom Abschmelzen von Gletschern hervorgerufen wurde [67]. Das bedeutet aber umgekehrt auch, daß die Vorhersagen so geprüfter Klimamodelle nicht als unverbindliche Sandkastenspiele abgetan werden dürfen, sondern – mit gewissen Einschränkungen – den Anspruch erheben können, einen physikalischen Trend zutreffend wiederzugeben. Nicht mehr – aber auch nicht weniger. Im Urteil der Öffentlichkeit rückt indessen das nicht unmittelbare Betroffensein das Interesse an Ereignissen, die in ferner Zukunft liegen, weit in den Hintergrund.

Alltagsprobleme

Auf der einen Seite ist es die Alltagspolitik, die uns offensichtlich den Blick auf Fernerliegendes verstellt und zu dessen völlig falscher Einschätzung führt. Da ist natürlich die hohe Arbeitslosigkeit, die beseitigt werden sollte und doch nicht beseitigt werden kann, weil wachsende Produktivität Güter in ausreichendem Umfang herzustellen gestattet und Dienstleistungen bei hohen Löhnen kaum in Anspruch genommen werden. Da werden Arbeitsplatzverluste in der Stahlindustrie kritisiert; Politiker und Gewerkschafter verlangen – dringend – ihre Erhaltung: Obwohl jeder weiß, daß sich zuviel produzierter Stahl nicht mehr verkaufen läßt, weil beispielsweise im Auto längst 40% des Gesamtgewichts aus Kunststoffen bestehen, die ehemals aus Stahl gefertigte Teile ersetzt haben. Dann möchte die Regierung von den hohen Subventionen für den deutschen Steinkohlebergbau herunter – was erneut 30000 Arbeitsplätze kosten könnte. Sofort tönt es unisono von den Betroffenen, daß der »Jahrhundertvertrag« mit der deutschen Kohle um alles in der Welt aufrechterhalten werden müsse (dabei geht es um den garantierten, durch den Kohlepfennig subventionierten Einsatz von Kohle bei der Stromerzeugung). Aber eine der Forderungen, vor die uns die Diagnose der Klimasituation stellt, zielt genau in diese Richtung – nämlich auf eine Verminderung der Verbrennung fossiler Brennstoffe, freilich nicht nur national, sondern weltweit. In dieser hektischen Beschäftigung mit den Problemen von heute wird die vorausschauende Bewältigung der Zukunftsprobleme kurzerhand vertagt, ja, es werden kurzfristige Lösungen diskutiert und zum Teil auch realisiert, die künftige Probleme verschärfen werden, statt zu deren Lösung beizutragen.

Die Politik setzt sich offenbar Ziele, die sich im Rahmen nur einer Legislaturperiode »lösen« lassen – das ist für Politiker der wahrnehmbare Zeithorizont. Die Zukunft, das Schicksal unserer Kinder und Enkel betreffende Fragen werden selten genug aufgenommen; Antworten darauf sind fast immer nur rhetorische Sprechübungen, wohlklingende Phrasen ohne Folgen. Wo sie sich auf die Umwelt beziehen – auf die sterbenden Wälder, deren Tod wir ausgelöst haben, auf die Böden, durch die abenteuerliche chemische Gemische langsam, aber sicher in grundwasserführende Schichten einsickern, auf die Luft, die wir mit Gasen und Stäuben belasten, so daß das Atmen mitunter schwer wird, und die wir schließlich chemisch verändern – haben wir in den letzten zehn Jahren im Lande gelernt, wie Konsens selbst für einfache Maßnahmen nur mühsam erreicht werden kann. Das ist die andere Kategorie: die Vorsorge, die Erhaltung der Bewohnbarkeit der Erde für unsere Nachfahren. Da aber endet meist schon der Konsens: Die Sorge teilen wir, über die Vorsorge wird munter gestritten.

Maximen

Ich will diese Gedanken im folgenden vertiefen, will das, was in den vorigen Kapiteln über unsere Atmosphäre – die Luft, in der wir leben – zusammengestellt worden ist, bewerten und einige Maximen umreißen. Es ist, hoffe ich, deutlich geworden, daß die Tätigkeit des Menschen zu mittlerweile signifikanten Beeinflussungen einiger Eigenschaften der Atmosphäre geführt hat, so daß zu überlegen ist, inwieweit die Unterlassung bestimmter Handlungen notwendig ist – oder ob auch die Unterlassung Lösungen bereits nicht mehr ermöglicht.

Wir müssen uns drei Tatsachen stets vor Augen halten:

1. Die Biologie des Menschen ist im Schwerefeld der Erde entstanden, in einer Atmosphäre, die 79 % Stickstoff und 21 % Sauerstoff enthält und tolerierbare Spurengasmengen. Die Nahrung des Menschen muß bestimmten Anforderungen genügen; es gibt für ihn toxische Chemikalien; meist entscheidet die Konzentration über Toxizität; doch gibt es solche, die bereits als einzelne Moleküle Zellgifte sind; viele Schwermetalle rechnen dazu. Der Aufenthalt von Menschen im Weltraum hat bestätigt: dauert er länger als 2 Monate, muß der Astronaut

den größeren Teil der Zeit, die er nicht schläft, mit Übungen zur Erhaltung seiner Gesundheit verbringen. Man kann die Biologie nicht betrügen: Weltraumszenarien wie permanent bemannte Raumstationen sind daher kuriose Phantastereien. (Für das 21. Jahrhundert könnten geplante Abenteuer dieser Art schon deshalb gefährlich werden, weil die zur Vorbereitung erforderlichen Mittel besser zur Klimasanierung des Planeten hätten verwandt werden sollen. Es könnte sein, daß sich der Planet derweil in akuten Schwierigkeiten befindet.)

2. Unter den geophysikalischen Zeitkonstanten, die von geologischen Zeiträumen (z. B. Subduktion) bis zu Mikrosekunden (Reaktionsraten z. B.) reichen, gibt es einige klimarelevante, deren Größe viele Menschengenerationen betragen. Beeinflussungen der Atmosphäre, die Veränderungen mit solchen Zeitkonstanten hervorrufen, können für spätere Generationen tödlich sein.

3. Die Beurteilung menschlichen Handelns ist immer ins Verhältnis zu setzen zu natürlichen Bilanzen: zu Umsetzungen im energetischen und im stofflichen Bereich. Überall dort, wo dieses Verhältnis groß wird, erzeugen wir Umweltprobleme. Die Lösungen haben in der Vergangenheit sehr oft so ausgesehen, daß lokale Probleme regional (z. B. die hohen Energieumsetzungsraten in Städten oder Kraftwerken) aufgefangen wurden oder bei kurzen Zeitkonstanten im Zeitmittel wieder schrumpften. Wo jedoch Giftstoffe freigesetzt werden, läßt sich dieses Prinzip weder regional noch lokal aufrechterhalten. Die Umweltprobleme lösen sich nicht mehr von selbst – sie müssen aktiv gelöst werden, durch Unterlassung oder durch Beseitigung der Schadstoffe (z. B. Waldsterben, Sondermüll).

Die Lebensumstände der Menschen verlangen also die strikte Einhaltung gewisser Randbedingungen, die sich seit Ende der letzten Eiszeit im wesentlichen so erhalten haben. Dazu gehört auch der Temperaturbereich: Offenbar ist der Mensch an die Schwankungsbreite, die man in gemäßigten oder subtropischen Zonen findet, besonders angepaßt. Die Entwicklung der Hochkulturen war dort möglich – anderwärts nicht. Auch ist bekannt, daß die Leistungsfähigkeit des Menschen mit jedem Grad Temperaturerhöhung über einen mittleren Temperaturbereich hinaus (der zwischen 20 und 25 °C liegt) um einige Prozent abnimmt. Andererseits glaube ich, daß technische Lösungen für 5 Mrd. Menschen energetisch, ökonomisch oder ökologisch nicht möglich sind (Kunstwelten). Uns sind Grenzen gesetzt, jenseits aller Moral und Ideologie – völlig wertfrei durch biologische Gegebenheiten und Anpassung an die Umwelt.

Temperaturänderungen wirken sich schließlich auch auf die Nahrungsproduktion aus: Reis, Mais, Hirse beispielsweise, die sich durch natürliche Auslese an stabile Lebensräume angepaßt haben, reagieren empfindlich auf Temperaturänderungen. Auf andere Folgerungen werde ich unten näher eingehen.

Umweltprobleme

Ich will mich im folgenden auf die Atmosphäre beschränken. Diese Probleme müssen gelöst werden:

1. Der Eintrag von Säurebildnern in die Atmosphäre mit kontinentweiter Ausbreitung hat unter anderem zur Folge: Versauerung des Bodens bis zur Unfruchtbarkeit, Waldsterben, Erkrankungen von Haut und Atmungsorganen bei Mensch und Tier, Zerstörung von Kulturdenkmälern, Industriebauwerken (z. B. Brücken).
2. Der Eintrag bestimmter Gase in die Atmosphäre führt zu Änderungen der chemischen Reaktionsabläufe in der Atmosphäre, damit zur Veränderung der chemischen Zusammensetzung der Atmosphäre und ihrer Temperaturstruktur, damit zur Veränderung des Klimas.
3. Die Erzeugung von Gasen und deren Eintrag in die Atmosphäre, die im infraroten Ausstrahlungsfenster der Erde Strahlung absorbieren, verändert die Strahlungsbilanz der Erde, damit das Klima.

4. Hohe lokale Energieumsetzungsdichten (Kraftwerke, Kühltürme, Städte) führen zu lokalen Erhöhungen der Lufttemperatur um bis zu 10° nebst Ausgleichsströmungen (thermisch getriebene Winde), mit Veränderung von Fauna und Flora und ökologischer Bilanz.

Die Lösung der zuletzt angesprochenen Probleme verlangt nach

- Verminderung der Wärmeverluste durch höhere Energieumsetzungswirkungsgrade und bessere Wärmeisolation;
- ordnungspolitischen Maßnahmen, die die Dezentralisierung begünstigen und zur Verminderung der Energieumsetzungsdichte führen (d. h. Verkleinerung der Kraftwerkseinheiten z. B. auf 100-MW-Blöcke);
- Ausweitung von Energiesparmöglichkeiten (Abwärmenutzung, Fernheizung u. ä.), verstärkte steuerliche Anreize;
- Intensivierung der Nutzung regenerierbarer Energien.

Zu den übrigen Punkten überschneiden sich die Argumente; ich will sie daher gemeinsam diskutieren.

Mit der Verbrennung von Kohle geht die Verbrennung von Schwefel zu Schwefeldioxyd einher, dabei entstehen außerdem Stickoxyde. Die Emission von Säurebildnern verlangt nach radikaler und rascher Ausweitung der Filterungsgebote oder/und der Verminderung der Verbrennung von Kohle, Braunkohle und Öl (insbesondere Schweröl). Diese Forderung allein ist ein Gebot der Vernunft. Auch der Verbleib des Filtrats schafft Probleme!

Die Veränderung chemischer Reaktionsabläufe durch bestimmte Gase ist in Kap. 8 ausführlich beschrieben worden; erinnert sei hier an das komplizierte Gleichgewicht $CO/(CH_4)$. Andererseits handelt es sich bei all diesen Gasen um Moleküle aus zwei und mehr Atomen, die (vgl. Kap. 7) Absorptionsbanden im infraroten Ausstrahlungsfenster der Erde haben, so daß die Forderung (3) auch für alle Gase, die in (2) anzusprechen sind, ausnahmslos gilt.

Abb. 59 zeigt den Beitrag der verschiedenen Spurengase zum bereits erreichten weiterhin zunehmenden Treibhauseffekt, dessen wahrscheinliche Größe heute im Verhältnis zum vorindustriellen Zeitalter (Mitte voriges Jahrhundert) bereits 1°C beträgt (vgl. Abb. 3).

Unter diesen Gasen nehmen CO_2, CH_4, CO, N_2O und die halogenierten Kohlenwasserstoffe eine hervorragende Stellung ein: CO_2, weil auf seinen Beitrag bereits 50% des Effektes zurückzuführen sind, N_2O und die halogenierten Kohlenwasserstoffe, weil sie für den Abbau von Ozon in der Atmosphäre verantwortlich sind, Methan, weil es unter allen Gasen neben den CFCs die größten Zuwachsraten hat (vgl. Tab. 13). Wir werden nicht darum herumkommen: Die Emissionsraten müssen drastisch und rasch gesenkt werden!

Für die halogenierten Kohlenwasserstoffe haben inzwischen die wichtigsten Industrieländer ein wenn auch bescheidenes Begrenzungsabkommen getroffen (vgl. Kap. 9). Danach wird der Ozonabbau vielleicht ab 2100 wieder abnehmen. Bis dahin wird die Konzentration jener Gase jedoch wegen ihrer langen Lebensdauer (Tab. 13) weiter wachsen.

Stickoxydul – Lachgas – hängt einesteils mit natürlicher Verrottung zusammen, hat aber auch eine Komponente in den Düngegewohnheiten der Landwirtschaft. Zwar hat der Preis für Stickstoffdünger inzwischen dazu geführt, daß die Landwirte vor der Düngung den Stickstoffbedarf der Ackerböden bestimmen lassen. Das führte schon zu einer Abnahme der eingesetzten Mengen. Trotzdem wird man weitere notwendige Verringerungen nur dann erreichen können, wenn die Landwirtschaft davon befreit wird, ihre Einkünfte allein aus dem Ertrag aufzubringen. Die Einkommen der Landwirtschaft sollten eher zwei Wurzeln haben: den Ertrag, der unter marktwirtschaftlichen Bedingungen (d. h. zu frei schwankenden Preisen) zu erwirtschaften ist, und eine direkt gezahlte Subvention (was zweifellos billiger ist als die zusätzliche Subvention der Vernichtung erzielter Überschüsse). Das würde die Produktionsüberschüsse beseitigen und den Einsatz von Düngemitteln erheblich reduzieren. Eine Veränderung der EG-Agrarordnung ist daher aus umweltpolitischer Verantwortlichkeit dringend geboten.

Die für das Dasein der Menschen erforderlichen oben erwähnten Randbedingungen lassen sich nicht verändern, solange der biologische Mensch nicht manipuliert wird. In Höhen oberhalb von 5200 m können Menschen ohne technische Hilfsmittel nicht überleben, im Wasser nicht, auch nicht im Weltraum oder auf anderen Planeten. (So auch wenn manche Tagträumer Science-Fiction-Vorstellungen bereits in technische Wirklichkeit umgesetzt sehen: Ich empfehle, Bilder von Marslandschaften zu studieren zur rechten Einstimmung aufs Ambiente. Da würde ich nicht leben wollen, und es den Propagandisten selbst auch nicht wünschen.) Manipulation am Menschen hoffen wir alle verhindern zu können. Also müssen wir alles tun, damit der Planet bewohnbar bleibt. Darum muß sich die Politik ändern, und hier speziell die Rangfolge, in der sie Probleme beurteilt.

Im Hinblick auf Methan sagte mir kürzlich ein bekannter Klimatologe, daß die Ernährungsgewohnheiten der Menschen die These rechtfertigen würden, daß sich die Menschen durch ihre schiere Existenz und Vermehrungsrate selbst umbringen. Das Beispiel der Römer, deren Trinkgewohnheiten (Bleibecher, Wasserleitungen aus Bleirohren) zu schleichenden Bleivergiftungen und damit zu vermehrtem Auftreten von Schizophrenie in der Führungsschicht geführt haben – so eine mindestens plausible These –, beleuchtet die Mutmaßung aus einem überraschenden Sichtwinkel.

Die Methanwachstumsrate hat mit den Ernährungsgewohnheiten zu tun. Die Bemühungen um eine Begrenzung der Zahl der lebenden Menschen muß daher auch aus diesem Grunde mit aller Entschiedenheit vorangetrieben werden. Das Bevölkerungswachstum (heute 1,7% pro Jahr; 1960, bei 3,2 Mrd. Menschen und 2% Zuwachsrate waren das jährlich 64 Mio. Menschen mehr; heute, bei 5 Mrd. lebenden Menschen, gibt es jährlich 85 Mio. Menschen mehr!), mit dem der rasche Anstieg von Methan in der Atmosphäre zu tun hat, konnte bisher nicht unter Kontrolle gebracht werden. Die Fortschritte zum Beispiel im medizinischen Bereich haben zu einer enormen Steigerung der mittleren Lebenserwartung des Menschen in den Ländern der dritten Welt geführt, aber eben nicht zur gleichzeitigen Begrenzung der Geburten- und Wachstumsraten, die beängstigend sind.

Nigeria zum Beispiel hat heute 103 Mio. Einwohner. Im Jahr 2000 rechnet man mit 159 Mio. Einwohnern (+ 55%). Im Durchschnitt hat dort eine Frau sechs bis sieben Kinder. 1950 starben 27 von 1000 Kindern, 1980 noch 17; die mittlere Lebenserwartung erhöhte sich von 36 auf 50 Jahre. China hatte 1980 1 Mrd. Einwohner; im Jahr 2000 werden es trotz erheblicher Anstrengungen zur Geburtenkontrolle 1,2 Mrd. sein. Indien hat versucht, dem Problem der Überbevölkerung durch Zwangssterilisierungen beizukommen (und war nicht sehr erfolgreich). Malaysia und Singapur dagegen tun alles, um die Geburtenzahlen zu erhöhen: Die Regierungen setzen auf Wachstum.

Die Schwierigkeiten, im nationalen Bereich für Zukunftsfragen Interesse zu wecken (von Konsens will ich noch gar nicht reden), lassen angesichts solcher Beispiele von internationalen Kooperationen sicher nichts Großes erwarten. Ich habe oben die Einigung der Industriestaaten über die Emission von halogenierten Kohlenwasserstoffen beschrieben: Man hat den Status quo festgeschrieben; da es aber keine Kontrollen und auch keine Sanktionen gibt, gibt es auch keine Möglichkeiten, Nichtunterzeichnerstaaten zum Beitritt oder doch wenigstens zu entsprechenden Begrenzungsmaßnahmen zu veranlassen. So ungefähr, muß man sich vorstellen, werden Kompromisse zwischen befreundeten Staaten aussehen. Wie Kompromisse zwischen Ost und West aussehen, welche Zeitskalen das Aushandeln solcher Kompromisse beanspruchen wird, kann man sich anhand der Abrüstungsverhandlungen verdeutlichen.

Natürliche Klimaeinflüsse

Einflüsse der Sonne auf unser Klima sind inzwischen hinlänglich dokumentiert; sie beginnen beim variablen Erd-Sonne-Abstand, dessen Schwankung zwischen Perihel (3. Januar) und Aphel (3. Juli) ± 3,5% ausmachen (was noch gut 1000 Jahre so bleiben wird). Die Änderung der Inklination, die Präzession der Äquinoktien und die Änderung der Inklination (Parameter von Milankovicz) spielen für unsere Diskussion keine Rolle; sie haben zweifellos Klimaveränderungen der Vergangenheit mitbestimmt, wie wir aus Tiefseebohrkernen wissen. Änderungen der Strahlungsintensität der Sonne, zum Beispiel als Folge der Sonnenaktivität, liegen heute bei ± 1% und verursachen keine nachweisbaren Klimaeffekte.

Andererseits hat die Klimaforschung gezeigt, daß es in den vergangenen 10 Mio. Jahren nur während 10% dieser Zeit so warm war wie heute (auf noch größerer Zeitskala betrachtet war das sicher anders, vgl. Abb. 4).

H. Flohn [64] wird nicht müde, auf sprunghafte Klimaänderungen der Vergangenheit hinzuweisen. Denn was immer man an Prognosen kritisieren mag – geschichtliche Ereignisse müssen ernst genommen werden. Was in der Vergangenheit möglich war, kann sich auch in Zukunft wiederholen – mindestens prinzipiell.

Da gibt es insbesondere drei Warmzeiten, deren Untersuchung ein ganz wichtiges Anliegen der Klimaforschung geworden ist: die Warmzeit um das Jahr 1000 n. Chr. ($\triangle T \sim 0,5\,°C$), die die Besiedlung Islands und Grönlands durch Wikinger ermöglichte (vgl. Tab. 5), dann die Warmzeit im Holozän (vor 6000 Jahren, $\triangle T \sim 1,5\,°C$), schließlich die Warmzeit im Eem-Interglazial, vor 125 000 Jahren, wo die mittlere Temperatur um 2,5 °C höher lag als heute. Solche Klimaverschiebungen ziehen ganz massive lokale und regionale Veränderungen nach sich.

Ich will zur Verdeutlichung ein paar der möglichen Veränderungen unseres Ambiente aufzählen – dies ist, glaube ich, nötig, weil allzu leicht die Vorstellung, ein bißchen mehr Wärme könne ja nicht so schlimm sein, zu Fehleinschätzungen verleitet. Eine mittlere Temperaturerhöhung um »nur« 2 °C ist nämlich eine ganze Menge.

Wir würden als Folge einer solchen Temperaturerhöhung Veränderungen in Fauna und Flora beobachten. Wir müßten mit höherem Schädlingsbefall und vermehrtem Auftreten von Pflanzenkrankheiten, vor allem in der Landwirtschaft, rechnen. Parasiten bei Pflanze, Mensch und Tier (Würmer z. B.) würden sich in den heute gemäßigten Zonen ausbreiten. Bestimmte Insekten, Schlangen, einige gefährliche Krankheiten sind auf gewisse Klimagürtel angepaßt. Wenn sich diese geographisch verschieben würden, träten diese Erscheinungen nun in Regionen auf, in denen sie vorher unbekannt waren, wo Menschen, Pflanzen und Tiere darauf nicht vorbereitet wären. Die Wasserverhältnisse würden sich ändern: Wo Wasser im Überfluß vorhanden war, kann es rar werden; der Grundwasserspiegel sinkt, die Fruchtbarkeit nimmt ab; Talsperren stehen an der »falschen« Stelle, die Trinkwasserversorgung wird schwierig, Bewässerung wird dort nicht mehr möglich; die Wasserverfügbarkeit ist in solchen Regionen bedroht, die Wasserführung der Flüsse ändert sich, anderwärts gibt es Wasser im Überschuß. Es kommt also zu einer erheblichen Umverteilung der Weltwasservorräte. Alle Modelle sagen voraus, daß bei einem globalen Anstieg der mittleren Temperatur der Temperaturanstieg in höheren Breiten deutlich stärker ausgeprägt sein wird (doppelt oder gar dreimal höher ausfällt). Dann erwachsen Probleme, weil die Permafrostböden der Tundren auftauen, Biomasse plötzlich zersetzt wird, was zu erhöhter Freisetzung von CO_2 und CH_4 führt, wodurch der Treibhauseffekt verstärkt wird (positive Rückkopplung).

Die meisten Klimamodelle nehmen an, daß die relative Feuchte der Luft konstant bleibt. Damit wird wegen der höheren Aufnahmekapazität der Luft für Wasserdampf bei höherer Temperatur automatisch eine Zunahme der absoluten Feuchte mitberücksichtigt (möglicherweise jedoch unterschätzt). Der höhere Wasserdampfgehalt der Luft führt zu erhöhter Absorption der Temperaturstrahlung in der Troposphäre. An der Obergrenze der Wolken, wo die Ausstrahlung in den Weltraum nur wenig behindert wird, bleiben die Temperaturen praktisch unverändert. Das bedeutet aber, daß der Temperaturgradient in der unteren Troposphäre zunimmt, die Konvektion stärker wird, was zum Aufstieg der Wolken in größere Höhe führt. Die Temperaturstrahlung der Atmosphäre führt zu einer stärkeren Erwärmung des Bodens. Das Poleis wird abschmelzen, es kommt zur Verringerung der Albedo (erhöhte Absorption der Sonnenstrahlung), zum Anstieg des Meeresspiegels. Vor 120 000 Jahren war der Meeresspiegel während des Eem-Interglazials um 6 m höher als heute (bei einer im Mittel 2,5 °C höheren Temperatur). Das weiß man aus fossilen Korallenriffen.

H. Flohn weist mit Nachdruck darauf hin, daß unser heutiges Klima wesentlich durch die Eisschilde der Polkappen beeinflußt wird. 13 Mio. km^2 sind in der Antarktis von Inlandeis bedeckt, 14 Mio. km^2, wenn das Schelfeis mitberücksichtigt wird. Bei einer mittleren Dicke von 2 km ergibt das in der Antarktis 28 Mio. km^3, in der Arktis 2 Mio. km^3 Eis. Würde alles Eis schmelzen, müßte sich der Meeresspiegel um 71 m heben (Schmelzen von 1 Mio. km^3 Eis hebt den Meeresspiegel um 2,54 m). Der Eisblock an den Polen führt heute zu einer permanenten Kaltlufthaut über der Eisfläche, die nach oben durch eine Inversionsschicht abgeschottet ist, so daß die Temperaturen am Boden auf − 70 °C und darunter absinken können.

Die Temperaturerhöhungen, mit denen wir zu rechnen haben, werden also mit großer Wahrscheinlichkeit zum Abschmelzen der Poleiskappen führen – was natürlich Hunderte von Jahren dauern kann. Eine erste Konsequenz könnte jedoch – so H. Flohn [64] – wie schon in früheren Perioden der Erdgeschichte ein eisfreier arktischer Ozean sein.

Daneben sind natürlich auch geschichtliche Kaltzeiten zu untersuchen und aufzuklären. Da gibt es das Jahr 1816, das Jahr ohne Sommer, vermutlich hervorgerufen durch den Ausbruch des Vulkans Tambora, der 1815 im Norden der Insel Sumbabwa ausbrach. Der Vulkanberg war nach dem Ausbruch 1300 m niedriger; er schleuderte 150 km^3 Asche in die Atmosphäre. Die daraus in die Stratosphäre gelangten Aerosolteilchen dürften die

Abkühlung im Folgejahr hervorgerufen haben. Das wirft die Frage auf, inwieweit die Häufung von Vulkanausbrüchen vor 8500, vor 3700 und vor 600 Jahren und der Beginn markanter Abkühlungen ursächlich miteinander verknüpft sind.

Daraus wird klar, daß die Klimaforschung ganz erheblich intensiviert werden muß, nicht nur in bezug auf die Untersuchung bestimmter Szenarien, sondern vor allem auch im Hinblick auf die globale Erfassung weiterer relevanter Parameter wie: Konzentrationsverteilung der Spurengase in drei Dimensionen, des Aerosols, die Messung weiterer Reaktionspartner im luftchemischen Bereich zur Verbesserung der Datenbasis für Modellrechnungen, die weitere Aufklärung der Klimavergangenheit des Planeten, die Verbesserung der Erfassung von Daten über die globale Biomasse, und so weiter.

Menschliche Eingriffe in die Natur

Seit der Steinzeit greift der Mensch in Klimavorgänge ein; in der Frühzeit meist durch Rodungen und Urbarmachung von Land. Das führte zur Änderung der Albedo, zur Verminderung der Bodenrauhigkeit, damit zur Erhöhung der Windgeschwindigkeiten, zu erhöhter Verdunstung und Erosion, schließlich zur Wüstenbildung.

Vor 4000 Jahren bestand die West-Sahara aus Buschwald, die Libysche Wüste war Ackerland (später bekannt geworden als die Kornkammer Roms, um die erbitterte Kriege geführt wurden). Der Wald wurde im Lauf der Zeit niedergebrannt, das Gelände genutzt, bis keine Erträge mehr zu erzielen waren. Karten aus dem 16. Jahrhundert zeigen, daß die Südgrenze der Sahara vor 500 Jahren gut 400 km nördlicher lag als heute.

Die Wüsten im Südwesten der USA entstanden erst im vergangenen Jahrhundert durch Übernutzung. Heute lebt eine Stadt wie Tucson von Trinkwasser, das aus einem endlichen, zuflußlosen, aus der Eiszeit stammenden Wasserreservoir tief unter der Oberfläche stammt.

In jüngerer Zeit sind es neben den Emissionen der modernen Industriegesellschaften die forcierte Vernichtung der tropischen Regenwälder (200000 km^2 sind bereits vernichtet), die zur weiteren Ausbreitung der Wüsten (60000 km^2/a) führen. Weil über Wüsten die Ausstrahlung überwiegt, wirken sie tatsächlich für klimatische Betrachtungen als Wärmesenken. Da die Luft in diese Gebiete in der Höhe einströmt und absinkt, bilden sich keine Wolken, es regnet nicht – dadurch wird die Wüstenbildung an den Rändern solcher Bereiche beschleunigt (Sahel-Zone).

54% des fossilen Kohlenstoffs sind inzwischen als CO_2 in der Atmosphäre gespeichert, der Rest gelangt in die Ozeane. Die Nutzung fossiler Brennstoffe nimmt jedoch weiter zu: zwischen 1958 und 1965 um 0,22%, zwischen 1973 und 1980 um 0,37%. Gegenwärtig rechnet man in Europa mit einem Energiebedarf von 6 kW/Kopf, weltweit mit 3 kW/Kopf (die USA benötigen 10 kW/Kopf). Der größte Teil dieser Energie wird in Wärme verwandelt. Das bedeutet aber, daß durch das Anwachsen der Weltbevölkerung auch die freigesetzte Wärmemenge zunimmt. Bezogen auf die eingestrahlte Sonnenenergie (am Boden über Kontinenten 100 W/m^2) von $8 \cdot 10^{16}$ W sind das zur Zeit im Mittel nur kleine Beträge. Bei steigender Bevölkerungszahl und wachsendem Pro-Kopf-Bedarf nähern wir uns aber für die aus Energieversorgung freigesetzte Wärme dem Ein-Prozent-Bereich. Sollte diese zum Beispiel 2% der Sonnenenergie erreichen, würde der allein dadurch ausgelöste Anstieg der Temperatur 2 °C betragen!

Die GAIA-Hypothese

»Gaia« ist die Chiffre für eine von J. L. Lovelock (vgl. Literaturangaben zu Kap. 10) vorgetragene Hypothese einer globalen, biochemischen Homeostasie, die etwa besagt, daß das Leben auf der Erde die Atmosphäre für die heutige Biosphäre »optimiert« habe (z. B. ihre gegenwärtige chemische Zusammensetzung) – nicht umgekehrt. Aus dieser Hypothese ist oft der irrige Schluß gezogen worden, das Leben wisse sich schon einzurichten, man brauche die Zukunft nicht zu fürchten. Diese Folgerung ist falsch, wie die Ausführungen der vorangegangenen Kapitel gezeigt haben. Die anthropogene Beeinflussung der Biosphäre läuft mit Zeitkonstanten ab, die sehr viel kürzer sind als jene, die biochemische Homeostasie ermöglichen könnten. Wenn der Zustand der Biosphäre vor Beginn des Industriezeitalters so beschrieben würde, dann ist klar, daß dieser nur unter größten Anstrengungen wiederherstellbar sein wird. Daran zu glauben, daß das, was als Folge von Evolution und Atmosphärenentwicklung wahrscheinlich zufällig durch Anpassung der Biosphäre an die jeweiligen durchaus veränderbaren geophysikalischen Bedingungen entstand, eher umgekehrt von der Biosphäre so erzwungen wurde und hinfort immerzu optimierend erzwungen werde, entspräche einer riskanten Strategie, könnte tödlich sein.

Der die biologische Evolution aufnehmende Gedanke, daß Leben und seine irdische Ausprägung eine Folge der speziellen geophysikalischen Verhältnisse auf diesem Planeten sei, ist für Anhänger jener Hypothese unannehmbar. Konsequenterweise entspricht dem die Annahme, daß »Leben« in anderen Sternsystemen völlig anders strukturiert sein kann.

Energiebedarf

Die ständig wachsende Menschheit verlangt nach immer mehr Energie. Viele sind der Ansicht, daß genügende Mengen Kohle vorhanden seien, um das noch einige Zeit durchzustehen, und daß danach ein anderer Energieträger bereitgestellt werden könne, wenn es einmal keine Kohle, kein Öl und kein Gas mehr gäbe. Allerdings sieht es heute so aus, als ob wir die Hoffnung, jemals Energie auf thermonuklearem Wege, also durch Verschmelzung von Atomkernen (wie im Inneren der Sonne), gewinnen zu können, aufgeben müßten. Die Fachleute sagen voraus, daß, wenn es überhaupt möglich wäre, riesige Komplexe entstehen müßten mit installierten Leistungen oberhalb von

1 GW. Überwiegend werden aber Zweifel geäußert, ob es möglich sein werde, daß solche Kraftwerke jemals mit dem Ziel, Energie wirtschaftlich zu gewinnen, gebaut werden. Wir sollten daher, meine ich, auf Fusionsenergie allein nicht setzen und wenn, dann nicht vor Ende des kommenden Jahrhunderts. Andererseits täten wir gut daran, uns auch der Endlichkeit der fossilen Vorräte bewußt zu werden, uns allmählich an den Gedanken zu gewöhnen, daß die mit der Fortsetzung der CO_2-Emission verknüpfte Gefahr einer Klimakatastrophe in ihren Auswirkungen die Tschernobyl-Katastrophe bei weitem in den Schatten stellen würde. Es könnte sein, daß Milliarden Menschen sterben müßten, ganze Breitengürtel auf Hunderte oder gar Tausende von Jahren arid, also unbewohnbar werden würden – über menschheitsrelevante Aktionszeiträume hinaus.

Die Abb. 64 und 65 zeigen als vorstellbare Szenarien die Veränderungen der atmosphärischen CO_2-Konzentration bei zwei Energiestrategien – jeweils bezogen auf 30 TW Weltenergieverbrauch. Mit fossilen Brennstoffen alleine würde sich die CO_2-Konzentration innerhalb der nächsten hundert Jahre verdreifa-

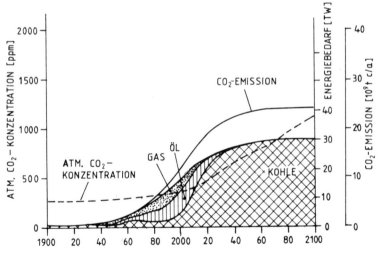

Abbildung 64 *30-TW-Energie-Scenario mit fossilen Brennstoffen*

267

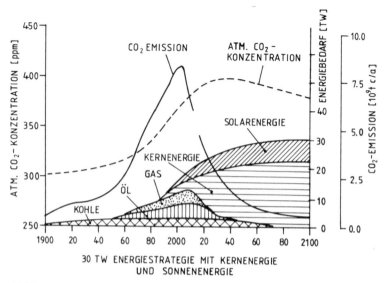

Abbildung 65 *30-TW-Energie-Scenario mit Sonnen- und Kernenergie; Substitution der fossilen Energieträger*

chen. Beim Einsatz von Solarenergie und Kernenergie bei gleichzeitigem stetigen Abbau von Kohlenstoff verbrennenden Kraftwerken erreicht die CO_2-Konzentration Mitte des kommenden Jahrhunderts ein Maximum, das etwa 30 % höher liegt als der heutige CO_2-Pegel, um danach langsam wieder abzuklingen (nach [56]). Nach unserem heutigen Verständnis würde eine Entwicklung gemäß Abb. 64 den Planeten Erde unbewohnbar machen.

Nahrungsversorgung

Wetter und Klima haben zu allen Zeiten vor allem die Nahrungsversorgung der Völker beeinflußt – damit die Geschichte. Wir haben heute aus Tiefseebohrkernen, aus Eisbohrkernen, aus Pollenanalysen, vor allem aus der Untersuchung von Baumringen eine Möglichkeit, die Schwankungen von Temperaturen und die

Regenmengen in ziemlichem Detail zu rekonstruieren. So kann man zum Beispiel die Wirkung von Dürreperioden erkennen: Von 1276 bis 1299 veranlaßte anhaltende Dürre die Indianer, die um 1000 n. Chr. begonnen hatten, auf den Höhen der Mesas im Südwesten der USA Landwirtschaft zu treiben, ihre Pueblos aufzugeben und sich in den Chaco Canyon zurückzuziehen. Ebenso die von Katastrophenhäufungen: Ein warmes, trockenes Frühjahr ließ 1788 in Frankreich die Saat verdorren, Hagel verwüstete darüber hinaus zahlreiche Felder. Mehr als ein Viertel der Ernte mußte für die Aussaat des nächsten Jahres zurückgehalten werden. Die Folge war Hungersnot im ganzen Land, Ende 1788 brachen Unruhen aus, die Hungersnot erreichte im Juli des Folgejahres, vor der neuen Ernte, ihren Höhepunkt. Am 14. Juli 1789 wurde die Bastille gestürmt.

Die Agrartechnik und -forschung schirmt uns (die westlichen Industriestaaten) heute vor den unmittelbaren Folgen solcher Perioden ab. Die Nahrungsmittelproduktion läßt sich heute im Prinzip beliebig steigern. Allerdings hat sich auch gezeigt, daß die Hoffnung, die Ozeane zur Nahrungserzeugung in verstärktem Maße mit heranziehen zu können, nicht in Erfüllung ging. Auf dem Lande ist die Nahrungserzeugung an die Verfügbarkeit von Wasser gebunden. Eine Klimaverschiebung mit Folgen wie eingangs skizziert, dürfte deswegen nur dann auffangbar sein, wenn hinreichend Energie zur Verfügung steht. Denn Energieeinsatz ermöglicht Wassergewinnung zum Beispiel aus dem Ozean, damit die Nutzung auch arider Regionen (wie zum Beispiel heute in Saudi-Arabien praktiziert). Das dürfte dann aber nur Solarenergie sein oder Kernenergie – sicher nicht durch die Verbrennung von Kohlenstoff erzeugte Energie. Um so wichtiger wird die Vorsorge: die rechtzeitige Bereitstellung der Energieerzeugungstechnik und -technologie.

Maßnahmen

Welche Möglichkeiten haben wir, die drohende Katastrophe abzuwenden? Ich will zunächst einfach aufzählen, was man machen kann.

1. Verminderung problematischer Emissionen,
2. völlige Vermeidung der Emissionen, die zu erkennbaren Problemen führen,
3. Entfernung von Spurengasen aus der Atmosphäre.

Ich will mich zuerst mit dem dritten Punkt beschäftigen. Dazu ist zunächst zu sagen, daß alle Spurengase natürliche Verweilzeiten in der Atmosphäre haben. Würden die Einträge gestoppt, so würden sich die Konzentrationen im Lauf der Zeit mindern, weil es für jedes Gas Abbauprozesse gibt. Allerdings haben die meisten der klimarelevanten Gase auch natürliche Quellen, die wir gar nicht oder nur schwer beeinflussen können.

Gezielt aus der Atmosphäre entfernen läßt sich – wenn man die erwähnten Abbaumechanismen beiseite läßt – nur das CO_2. Durch Assimilation wird CO_2 in Biomasse festgelegt. Durch massive Wiederaufforstung – global, versteht sich – läßt sich eine enorme Menge CO_2 festlegen, also der Atmosphäre entziehen. Nur dürften die Bäume nicht wieder verbrannt werden, sondern müßten entweder als Rohmaterial verarbeitet oder in alten Bergwerken oder in der Tiefsee abgelagert werden. Auch die Umwandlung von Holz in Holzkohle hat Vorteile, weil Holzkohle (sofern sie nicht verbrannt wird) sehr, sehr langsam oxidiert, so daß Kohlenstoff auch hier auf lange Zeit festgelegt ist.

CO_2 ist aber auch das einzige Gas, für das – wenigstens theoretisch – ein Weg besteht, seine Konzentration in der Atmosphäre zu vermindern. Inwieweit dieser Weg gangbar ist oder begangen werden wird, möchte ich für den Augenblick dahingestellt sein lassen. Für alle anderen Gase gibt es solche Möglichkeiten nicht. An die nur anthropogen erzeugten CFCs mit ihren außerordentlich langen Verweilzeiten ist überhaupt nur durch Emissionsvermeidung heranzukommen.

Methan hat natürliche und anthropogene Quellen (vgl. Kap. 8). Die kurze Verweildauer von höchstens zehn Jahren läßt rasche Verminderung der Konzentration erhoffen, wenn es nur gelänge, die Emission zu vermindern. Aber ein Stopp des Bevölkerungswachstums ist nicht in Sicht, also auch keine Verminderung der Zahl der Wiederkäuer (Vieh), ebensowenig konnte bisher das Müllmengenwachstum gebremst werden. Die Methanemission wird daher weiter wachsen und im kommenden Jahrhundert Anlaß zu großer Sorge bereiten. Kohlenmonoxyd nimmt zu – würde aber rasch abnehmen, wenn es gelänge, Verbrennungsprozesse zu optimieren – oder sie ganz zu vermeiden.

Damit bleiben unter den anwendbaren Maßnahmen nur noch solche der beiden ersten Punkte. Die wichtigste, nicht natürliche Quelle für CO_2 ist die Verbrennung von Kohlenstoff in Form von Steinkohle, Braunkohle, Öl und Gas. Natürlich entsteht CO_2 auch bei der Verbrennung von Biomasse – seien es das Abbrennen der Wälder oder das Verbrennen von Stroh, das Abfackeln des Gases aus Klärwerken oder Müllkippen, das Verbrennen von Papier, das Verbrennen von Müll. Die Verminderung der anthropogenen CO_2-Emissionen muß also bei den Verbrennungsprozessen anfangen. Natürlich kann man daran denken, CO_2 ebenso wie SO_2 und NO_x aus den Verbrennungsgasen auszufiltern; das ist aber nur mit erheblichem Energieaufwand möglich, treibt damit den Primärenergieeinsatz erheblich nach oben, ebenso den Preis für die letzten Endes verfügbare Energie. Das ist also sicher kein vorteilhafter Weg.

Energiesparen

Als wichtigstes Mittel auf dem Weg zum Ziel muß man natürlich das Energiesparen nennen. Die Möglichkeiten, die sich hier bieten, sind zum erstenmal nach der Ölkrise deutlich geworden. Bedauerlicherweise hat das Absinken der Energiepreise Mitte der achtziger Jahre sehr rasch wieder zu unbedachtem Umgang mit Energie verführt, auch zur Energieverschwendung. Da ein großer Teil der Primärenergie in Wärme umgewandelt wird, kommen Nutzungen von Wärme und der Verminderung von Wärmeverlusten die größte Bedeutung zu: Wärmedämmung durch verbesserte Isolationstechnik, Wärmespeicherung über längere Zeiträume (Monate), Verbesserung der Wärmepumpentechnik (Verschleiß, Lebensdauer). Der Einsatz keramischer Werkstoffe verspricht auch auf diesem Gebiet spürbare Fortschritte.

Zum Energiesparen gehören die Substitution von Materialien, die nur durch hohen Energieaufwand herstellbar sind, durch andere ebenso wie Anstrengungen, die Wirkungsgrade bei oft unvermeidlichen Energieumwandlungen zu verbessern: bei der Verbrennung im Ofen, im Kfz (Dieselmotor!), in der Beleuchtungstechnik, bei Maschinen, Herstellungsprozessen für bestimmte Materialien, Düngemitteln, beim Energietransport. Strom über große Entfernungen zu transportieren verursacht die höchsten spezifischen Energieverluste. Nachdenken über regionalisierte Elektrizitätsversorgung mit höherem Gesamtwirkungsgrad ist sinnvoll. Allerdings funktioniert das alles nur, wenn Energie teuer ist – die Einsparungen müssen sich lohnen. Wirksamer als alle Appelle und Beschwörungen ist nämlich die Wirkung, die vom Preis ausgeht.

Solarenergie

Nicht minder wichtig als die Energieeinsparung ist die Substitution der Kohleverbrennungsverfahren zur Energieerzeugung durch andere Verfahren. Da ist – weil unterentwickelt – vor allem die Nutzung regenerativer Energie zu nennen. Hinter diesem monströsen Begriff verbirgt sich einfach die Nutzung der Sonnenenergie, was in sehr verschiedenartigen Ausprägungen möglich ist (vgl. dazu [66]). Im einfachsten Fall sind es Sonnenkollektoren: Dunkles Material absorbiert Sonnenenergie und erwärmt ein Transportmittel (Flüssigkeit, Gas) – Energiedach, Energiezaun, Heat-pipe (Wärmerohr). Thermische Solarkraftwerke sammeln mit Hilfe einer großen Zahl steuerbarer Spiegel Sonnenenergie auf einem Reaktor, in dem wiederum ein Transportmittel erhitzt wird (z. B. ein Metall), das Energie in einen Wärmetauscher abgibt (Stromerzeugung). Solarzellen aus Halbleitermaterialien wandeln Licht in elektrischen Strom um, vermeiden viel von verlustbehafteten Energieumwandlungsprozessen. Allerdings bedarf die Technologie massiver Förderung. Schichtaufbau solcher Zellen durch geeignete Materialien erlaubt Wirkungsgrade von 50% und mehr, Vereinfachung der Herstellung läßt Preissenkungen in Rhythmus und Ausmaß wie in der übrigen Halbleitertechnologie erwarten. Unter den Kosten dominieren dann sehr rasch die für Montagestrukturen und Peripherie hervorgerufenen, die sich aber durch Vergrößerung der Anlagen senken lassen. Würde die Bundesrepublik zum Beispiel im kommenden Jahrzehnt 10 Mrd. DM in die Grundlagenforschung der Solarzellentechnologie investieren statt in kaum begründbare Großvorhaben der Raumfahrttechnik (Columbus, Hermes: Raumstation – wozu?), würde sie einen ganz wichtigen Beitrag in Richtung Klimasanierung des Planeten leisten.

Die Solarzellentechnik würde die Fortentwicklung der *Wasserstofftechnik* nach sich ziehen. Die Speicherung von Wasserstoff eröffnet die Möglichkeit, auch große Energiemengen über lange Zeit zu speichern (derzeit können wir das nur mit Wasser, Kohle, Öl oder Gas sowie mit chemischen Batterien). Wasserstofferzeugung über Elektrolyse oder andere chemische Verfahren ist förderungswürdig; die Energieerzeugung aus Wasserstoff in der Brennstoffzelle, beispielsweise, muß weiterentwickelt werden – und auf diesem Sektor besteht wohlbegründete Hoffnung, relativ rasch zu Lösungen zu kommen, die großtechnisch anwendbar sind, also flächendeckende Energieversorgung ermöglichen und in der Tat fossile Energieträger ersetzen können.

Andere Nutzungen von Sonnenenergie sind Windenergie (die sicher nur an geeigneten Standorten einsetzbar ist, in der Bundesrepublik aber doch Anteile an der Primärenergie von über 10% erreichen könnte), die Wellenenergie der Ozeane, die Temperaturgradienten im Wasser der Ozeane. Andere Energiequellen können in der Erdwärme (geothermische Energie) oder im Salzgradienten der Ozeane gefunden werden. Gezeitenkraftwerke lassen sich in der Bundesrepublik nicht realisieren, da der Tidenhub an unseren Küsten zu klein ist. Frankreich hat ein solches Kraftwerk in St. Malo (12 m Tidenhub). In Nordamerika (Fundbay) beträgt der Hub 21 m, in Argentinien gibt es Gegenden mit 18 m Hub – dort läßt sich das nutzen. Manches vom oben Gesagten wird sich nicht realisieren lassen, einige Energiequellen lassen sich sicher nur an geeigneten Orten nutzen. Wo es aber zu günstigen Bedingungen möglich ist, sollte man nicht zögern, solche Energiequellen zu erschließen und zu nutzen.

Energiespeicher

Andere Formen der Energiespeicherung sollten ebenfalls fortentwickelt werden: Warmwasserspeicher, Aquiferspeicher, Speicherung von Energie in bestimmten Phasenübergängen, Schwungradspeicher, Druckluftspeicher, Pumpspeicherwerke . . .

Es gibt also eine ganze Menge technischer Möglichkeiten, unsere Energieversorgung zu verändern, aus dem Dilemma herauszukommen, daß wir, ein Klimaproblem vor Augen, unfähig zu sein scheinen, unseren Energiebedarf durch Änderung der Energieerzeugung zu befriedigen, um eine Katastrophe abzuwenden.

Energiesparen hat einen weiteren Effekt: Sinkt der Gesamtenergiebedarf, dann steigt der Prozentsatz, den »alternative« Energieformen an der Energieversorgung erreichen können.

Kernenergie

Ich möchte an dieser Stelle die Kernenergie ins Bild rücken. Die Risiken dieser Energieform hat uns die Katastrophe von Tschernobyl bewußt gemacht. Seitdem hat sich in der Bevölkerung Furcht verbreitet, und Deklamationen, den »Ausstieg« fordernd, sind häufig zu hören. Trotzdem behaupte ich, daß wir auf Kernenergie – möglicherweise auf Dauer, mindestens aber auf Jahrzehnte hinaus – nicht verzichten können. Ich will das kurz begründen.

Zunächst ein Wort zu Tschernobyl. Die Sowjets haben die Fakten sehr bereitwillig zugänglich gemacht, so daß westliche Experten in der Lage waren, den Ablauf der Ereignisse minuziös nachzuvollziehen. Techniker, die mit dem System Reaktor nicht genügend vertraut waren, hatten strikte Verbote umgangen und, um gewisse Versuche mit dem Reaktor durchführen zu können, wesentliche Teile des Sicherheitsapparates außer Betrieb gesetzt. Dadurch gelangte der Reaktor in einen Zustand, von dem aus die Katastrophe bei einer Steigerung der abverlangten Leistung unausweichlich war. Die Sicherheitsvorkehrungen würden, wären sie nicht abgeschaltet worden, lange vorher den Reaktorbetrieb unterbunden haben. Das Personal zog aus den vorliegenden Daten die falschen Schlüsse, offenbar, weil ihm entsprechende Kenntnisse fehlten und es auch keine Veranlassung sah, den möglicherweise sachverständigeren Vorgesetzten einzuschalten. Es brachte so den Reaktor durch die Aneinanderreihung einer großen Zahl unglaublicher Fehlentscheidungen vollends in den Zustand, von dem aus die Explosion – keine Kernexplosion, sondern eine thermische Explosion (Erhitzung des Materials weit über die zulässigen Grenzen hinaus mit Kernschmelzen – GAU also) – nicht mehr zu vermeiden war.

Tschernobyl ist zwar auch ein Lehrstück darüber, was passieren kann, vielmehr aber eine von inkompetenten Leuten leichtfertig herbeigeführte Katastrophe, die eigentlich nur in einem sozialistischen System vorstellbar ist, das die Eigenverantwortlichkeit beseitigt hat zugunsten kollektiver Strukturen, deren Effizienz wir am wirtschaftlich-technischen Zustand der sozialistischen Systeme ablesen können.

Ich würde einen ähnlichen Ereignisablauf, eine auch nur ähnliche Katastrophe im Westen für extrem unwahrscheinlich halten. Die 1987 von der Gesellschaft für Reaktorsicherheit (GRS) veröffentlichte Untersuchung zur Sicherheit deutscher Kernreaktoren kommt bei sorgfältiger Bewertung aller Möglichkeiten für Fehler, die zum Kernschmelzen führen könnten, auf Eintrittswahrscheinlichkeiten von 10^{-5} pro Jahr (man würde sich solche Untersuchungen auch bezüglich der Sicherheit chemischer Produktionen wünschen!). Solche Unfälle müssen noch nicht notwendig zur Freisetzung von radioaktivem Material führen. Inwieweit östliche Strukturen je in der Lage sein werden, solche Ereignisabläufe auszuschließen, läßt sich nach Tschernobyl schwer beurteilen, weil wir zu wenig Einblick in die gegenwärtigen Verantwortlichkeitsstrukturen haben. Tschernobyl war kein technischer Defekt, sondern ein Managementdefekt – »menschliches Versagen«, wie wir meist lakonisch feststellen.

Natürlich ist der menschliche Faktor immer Teil eines Systems. Für mich stehen deshalb die Katastrophen von Seveso, Bhopal, die Challenger-Explosion und Tschernobyl in einer Reihe. Bei allen technischen Systemen bleibt ein Rest Risiko, der schwer kalkulierbar ist, zwar meist nach eingetretenen Katastrophen verkleinert werden konnte – aber eben nie Null sein wird. Darum bin ich auch dafür, wo das geht, aus technischen Großsystemen »auszusteigen«. Kleine Systeme sind meist leichter überschaubar und besser beherrschbar; Katastrophen, wenn sie denn eintreten, sind dort kleiner.

Technische Systeme

Technik ist nie vollkommen sicher – wir leben damit, weil die Risiken vieler technischer Systeme sehr sehr klein sind, oft kleiner als eins zu einer Million: beim Auto, beim Flugzeug, bei einem Haus, einer Brücke. Wir sind offenbar bereit, Risiken dieser Größenordnung in Kauf zu nehmen, damit zu leben. Der Verkehr insgesamt ist ein Beispiel. Normalerweise wird man technische Systeme prüfen, ehe man sie in Benutzung nimmt, wird sie testen. Je sorgfältiger solche Prüfungen sind, um so sicherer darf man sein, daß das geprüfte System bei Benutzung erwartungsgemäß funktioniert. Je komplexer ein solches System ist, desto aufwendiger werden die Prüfungen. Den Motor eines Autos wird man routinemäßig nicht etwa dadurch prüfen, daß man ihn in Einzelteile zerlegt, diese im Detail prüft, röntgenographisch womöglich – nein, man prüft summarisch: die Betriebstemperatur, die Kompression, die Abgaszusammensetzung. Obgleich quantifizierbar, handelt es sich dabei um summarische Aussagen, die sich mit wachsender Komplexität (was man füglich schon als eine weitere physikalische Dimension betrachten darf, vgl. dazu [65]) der Systeme eher den Beurteilungsmaßstäben der Biologie oder Medizin annähern, also auch begrifflich vom Systemelement abrücken zum qualitativ summarischen Begriff – vergleichbar dem »Schmerz« oder dem »Wohlbehagen«, aus dem der Arzt seine Schlüsse über Krankheitsbilder eines biologischen Objekts zieht. Auch in der Physik ist dieser Schritt (auf verschiedenen Ebenen) längst vollzogen: Die gaskinetische Begründung des Temperaturbegriffs (vgl. Kap. 3) steht in einer definierten Beziehung zum thermodynamischen Temperaturbegriff, makroskopische Begriffe wie Elastizität, Festigkeit, elektrische Leitfähigkeit sind summarische Begriffe, ableitbar aus atomistischen Elementarprozessen.

Die Systemgröße (z. B. die Zahl von miteinander verknüpften Untersystemen) ist eine der Maßzahlen, mit denen man Komplexität mißt. Wächst sie, geraten die Beurteilungsmaßstäbe für das Verhalten großer Systeme unweigerlich zu Wahrscheinlichkeitsaussagen – der Begriff »Risiko« ist eine Wahrscheinlichkeitsaussage, eine Aussage über das Eintreten eines bestimmten Fehlverhaltens in bezug auf eine andere Systemgröße, zum Beispiel die Betriebszeit oder die Zahl der Arbeitszyklen, die gefahrene Kilometerzahl beim Auto.

Wegen dieser Schwierigkeit, meine ich, sollte man die Benutzung komplexer Systeme, wo vermeidbar, vermeiden, sollte man die Großsysteme so klein wie möglich machen. Bei Kraftwerken beispielsweise wird die Größe eines Kraftwerkblocks vor allem nach der Wirtschaftlichkeit bemessen. 750 MW ist bei Kohlekraftwerken eine gängige Größe, bei Kernkraftwerken oft noch mehr. Ich meine, daß Wirtschaftlichkeit alleine in Zukunft keine

ausreichende Bemessungsgrundlage darstellt. Die Risikoabwä-
gung kommt dazu und, nicht zuletzt, auch der Gesamtwirkungsgrad des Energienutzungssystems von der Primärenergie bis zum
Endverbraucher (Transport inklusive).

Ich halte die Kernenergieerzeugung für eine ebenso »sichere«
Technik wie andere Energieerzeugungsverfahren. Die Entsorgung ist nicht problematisch: Im Grunde brauchen wir keine
Wiederaufbereitung des spaltbaren Materials. Wir können uns
leisten, die Aktivität abgebrannter Brennelemente an der Erdoberfläche abklingen zu lassen. Es gibt hinreichend Erfahrung
bei der Lagerung über Zeiträume von mehreren Jahrzehnten.
Das erlaubt, das Problem der Endlagerung sorgfältig und ohne
Zeitdruck zu untersuchen (Einschluß in Gläser, Verhinderung
von Diffusionsprozessen durch Benutzung von Materialien mit
geeigneter Kristallgitterstruktur und so weiter).

Die Freisetzung von Radioaktivität durch den Betrieb von
Kernkraftwerken ist viel kleiner als zum Beispiel die durch die
Verbrennung von Kohle. Die radioaktive Belastung durch natürlich Strahlung (aus dem Boden, durch Radon, durch die kosmische Strahlung) und medizinische Diagnosetechniken (Röntgen-
aufnahmen, Tomographie u. ä.) übersteigt die im Zusammenhang mit dem Betrieb von Kernkraftwerken freigesetzte um ein
Vielfaches. Auch werden die gesundheitlichen Risiken durch radioaktive Strahlung in der Öffentlichkeit völlig falsch dargestellt
– nämlich maßlos übertrieben. Nach Tschernobyl, so konnte man
in den Zeitungen lesen, befürchteten »Fachleute«, daß allein in
Deutschland 100000 Menschen an Krebs sterben würden. Zwei
Jahre danach ist noch keine einzige statistisch belegbare Erhöhung irgendeiner damit in Zusammenhang zu bringenden Krank-
heitserscheinung bekannt geworden.

Flächendeckende Energieversorgung

Andererseits ist Kernenergie derzeit das einzige Energieerzeu-
gungssystem, das flächendeckend einsetzbar ist und das keine

278

problematische Umweltbelastung mit sich bringt. Machen wir uns nichts vor: Es ist möglich, bei steigenden Preisen für Primärenergieträger (Kohle, Öl, Gas) »alternative« Energien beschleunigt zum Einsatz zu bringen. Windparks mit installierten Leistungen von einigen 100 MW können innerhalb eines Jahrzehnts Wirklichkeit werden – wesentlich mehr werden in der dicht besiedelten Bundesrepublik nicht durchsetzbar sein (Geräusche, Erscheinungsbild, Landschaftsverbrauch). Die Nutzung der Wärmepumpe läßt sich weiter vorantreiben; die großtechnische Nutzung der Sonnenenergie muß man mit Riesenaufwendungen im nächsten Jahrzehnt – ähnlich wie dies bei der Kernenergie geschah – zur Einsatzreife entwickeln. Flächendeckende Versorgung mit einem Anteil von 30% am Energieverbrauch läßt sich aber nach aller Erfahrung erst innerhalb von etwa 30 Jahren erreichen.

Es sieht so aus, als ob Wasserstoff auf absehbare Zeit im Kraftfahrzeug nicht eingesetzt werden kann: Heute herstellbare Speicher sind zu schwer, so daß die transportierbare Nutzlast zu klein wird. Ich gehe davon aus, daß die Emissionen des Kraftfahrzeugverkehrs in bezug auf CO, SO_2, NO_x und Kohlenwasserstoffe deutlich herabgesetzt werden können – nicht jedoch die CO_2-Emission. Auch wird die Bevölkerung derzeit kaum bereit sein, auf die Mobilität zu verzichten, die wir dem Kraftfahrzeug verdanken. Also bleibt diese CO_2-Quelle vorderhand unverändert. Wenn wir die CO_2-Emission herabsetzen wollen, dann darf man natürlich keine Energieträger neu einführen, die Kohlenstoff verbrennen. Der Weg, künftig forciert Biomasse zu erzeugen und die darin gespeicherte Solarenergie durch Verbrennung wiederzugewinnen (ob das Strohverbrennung oder Bioalkoholerzeugung mit nachfolgender Verbrennung ist, ist unerheblich), sollte gar nicht erst beschritten werden. Das ist eine Sackgasse.

Es gibt aber aussichtsreiche Möglichkeiten, wenigstens einen großen Teil der CO_2-Emission zu vermindern: bei der Strom- und bei der Wärmeerzeugung.

Kraft-Wärme-Kopplung ist eine dieser Möglichkeiten. Bis wir aber im Bereich der Energieeinsparung, der Entwicklung der

Solartechnik, des vermehrten Einsatzes von Windenergie (wo sich das machen läßt), der geothermischen Energie (wo die geologischen Voraussetzungen gegeben sind), der Wasserkraft (da läßt sich in Deutschland nicht mehr viel mehr tun: mit Laufwasserkraftwerken an Flüssen können hie und da noch einige Megawatt gewonnen werden) so weit gekommen sein werden, daß von einer Substitution von Kohle, Öl und Gas gesprochen werden kann, werden – wie gesagt – 30 Jahre ins Land gegangen sein. Bis dahin wird Kernenergie unverzichtbar sein. Wenn es Energieeinsparungen, die am schnellsten wirksam werden können, erlauben, sollten konventionelle Kraftwerke (Stein- und Braunkohle, Öl, Gas) stillgelegt werden. Neubauten sollten gar nicht erst ins Auge gefaßt werden.

Vor allem in der dritten Welt sollte darauf hingearbeitet werden, daß die zumeist reichlich verfügbare Sonnenenergie genutzt wird. Es ist doch grotesk, wenn im sonnenreichen Arabien Öl- und Kernkraftwerke eingerichtet werden, statt daß Solarenergie genutzt wird! Aber nicht weniger wichtig ist, die Schwellenländer der dritten Welt daran zu hindern, die tropischen Regenwälder weiter zu vernichten. Die so bewirkte Freisetzung von CO_2 ist neben der Kohleverbrennung dessen stärkste Quelle. Es ist klar, daß das nur durch solidarisches Handeln erreicht werden kann: Wir sitzen im selben Boot, es gibt nicht dein CO_2 und mein CO_2. Wir müssen versuchen, die Zuwachsraten massiv zu verringern. Deshalb müssen die Industriestaaten den armen Ländern helfen, daß diese auf die Vernichtung ihrer Wälder verzichten können: Schulden stunden, ordentliche Preise für Rohstoffe zahlen, das Bevölkerungswachstum stoppen helfen.

Risikoabwägungen zwischen den verschiedenen Energieerzeugungssystemen läßt nach meiner Einschätzung keine Wahl: Kernenergie ist im Vergleich zur Kohleverbrennung das kleinere Risiko. Ob wir in 30 Jahren in der Lage sind, auf Kernenergie völlig zu verzichten, weiß ich nicht. Ich bin aber davon überzeugt, daß wir dann bereits die ersten Folgen der Temperaturerhöhung spüren werden: leichter Anstieg des Meeresspiegels, Bedrohung der Küstenregionen, Ausbreitung der ariden Zonen und so weiter. Ich kann mir vorstellen, daß dann das Problem allgemein anerkannt wird.

Wir werden also einige – sicher nicht alle – Emissionen vermeiden können (z. B. die der CFCs); wir werden sicher anfangen können, CO_2 durch Aufforstung in großem Stil aus der Atmosphäre zu holen, sein Anwachsen zu bremsen. Es kann uns gelingen, alle relevanten Emissionen zu verringern. Dann können wir hoffen, die mittlere Temperaturerhöhung zu verlangsamen, sie vielleicht anzuhalten, die Klimaverschiebung zu begrenzen.

Aber wir müßten damit anfangen – jetzt!

Quo vadis, homine?

Trotz aller moralischen Beteuerungen hat die Unfähigkeit der Völker, sich zu einigen, ohne auf den eigenen Vorteil bedacht zu sein, bis heute dazu geführt, daß Kompromisse immer erst dann geschlossen wurden, wenn es (fast) zu spät war – oft genug für eine ganze Reihe betroffener Menschen. Es gibt keinen Hinweis darauf, daß sich das in Zukunft ändern wird. Die 1948 in der UN-Charta festgelegten Rechte auf Nahrung und Gesundheit, das Recht auf reine Luft (1972, UN-Konferenz in Stockholm) – diese Deklarationen haben bisher fast keine Auswirkungen gehabt. Werden wir erleben, daß solche Erklärungen einmal mehr sein werden als moralische Alibis, daß sie den verbindlichen Charakter erlangen, den die Verfasser dieser Erklärungen einst enthusiastisch beschworen haben?

»Die von Spurengasen bewirkten Klimaänderungen kündigen sich nicht spektakulär an, sondern treten im Verlauf von Jahrzehnten ganz allmählich in Erscheinung ... Die Klimaänderungen sind – abgesehen von einem Krieg mit Kernwaffen – eine der größten Gefahren für die Menschheit, eng verknüpft mit der übermäßigen Ressourcen-Nutzung und Umweltbelastung ... und der Bevölkerungsexplosion der weniger entwickelten Nationen.«

So heißt es in einem Aufruf, mit dem sich die Deutsche Physikalischen Gesellschaft und die Deutsche Meteorologische Gesellschaft Mitte 1987 an die Öffentlichkeit gewandt haben [62].

Dem ist nichts hinzuzufügen.

Anhang 1 Die Gasgesetze

Die Beschäftigung mit der Atmosphäre macht es erforderlich, daß man sich mit einigen elementaren physikalischen Gesetzmäßigkeiten vertraut macht. Ich möchte daher für jene, die das Einschlägige vergessen haben, eine kurze Erläuterung der wichtigsten Beziehungen mit ein paar mathematischen Formeln einfügen. Die geschilderten Zusammenhänge sind seit dem 17. Jahrhundert bekannt.

Ein Gas läßt sich durch drei Parameter charakterisieren: durch seine Dichte, durch den Druck, unter dem es sich befindet, und durch seine Temperatur. Druck und Dichte sind unmittelbar anschauliche Begriffe; Temperatur ist etwas schwieriger zu verstehen.

Temperatur und Wärmemenge

Zwar wissen wir aus Erfahrung, daß Körper wärmer oder kälter sein können, aber ein quantitatives Maß bieten unsere Sinne nicht. Der Physiker hilft sich, indem er temperaturabhängige Effekte ausnützt, um Temperatur reproduzierbar messen zu können: die Ausdehnung eines Flüssigkeitsvolumens in eine Kapillare hinein, die Krümmung von zwei aufeinander geklebten Metallen mit verschiedenen Ausdehnungskoeffizienten (Bimetall), die Änderung des elektrischen Widerstandes bestimmter Materialien (Widerstandsthermometer) und anderes.

Die Temperatur eines Gases läßt sich auf solche Weise bestimmen, solange das Gas dicht genug ist. Wir müssen uns vorstellen, daß Temperatur zunächst ein makroskopischer Begriff ist, der für ein Gas so lange definiert ist, wie es als eine Art Flüssigkeit betrachtet werden kann. Wenn aber die Zahl der Moleküle pro Raumeinheit sehr viel kleiner wird, dann lassen sich die makroskopischen Begriffe nicht mehr anwenden. Wenn wir weiter Physik treiben wollen, müssen wir also die makroskopischen Begriffe ableiten aus anderen Begriffen, die mit den Atomen und Molekülen unmittelbar zu tun haben, die also immer gültig sein werden, unabhängig vom jeweiligen Zustand, in dem sich Materie befindet.

Die Wärmemenge Q ist ein Begriff, den wir mit der Masse M eines Körpers in Zusammenhang bringen, ebenso mit dessen Temperatur T und seiner Fähigkeit, Wärme aufzunehmen. Wir können also ganz einfach schreiben

$$Q = cMT \tag{A1}$$

Die Konstante c, die also Eigenschaften des Materials beschreibt, können wir durch Vergleich verschiedener Materialien relativ zueinander bestimmen. Man setzt diese Konstante für Wasser von +15 °C (willkürlich) gleich 1 und nennt sie die »spezifische Wärme« des Materials.

Bei Gasen ist das ein wenig anders. Der 1627 in Irland geborene Chemiker Robert Boyle, einer der bekanntesten Naturwissenschaftler seiner Zeit, entdeckte 1662 den Zusammenhang zwischen Druck p, Dichte (die zum spezifischen Volumen V umgekehrt proportional ist) und Temperatur T eines Gases. Diese Beziehung wurde unabhängig 1679 auch von dem um 1620 in Frankreich geborenen Physiker E. Mariotte gefunden und heißt darum zu Ehren dieser beiden Forscher *Boyle-Mariottesches Gesetz*:

$$pV = RT \tag{A2}$$

Als Volumen wird üblicherweise das Molvolumen gewählt. Damit meint man das Volumen eines Gases unter Normalbedingungen (bei 760 Torr und 0 °C), das von dem betreffenden Gas mit der Masse M eingenommen wird, wobei M das Molekulargewicht bezeichnet, ausgedrückt in Gramm. Dieses Volumen beträgt

22,4 l und ist für alle Gase gleich. Entsprechend befindet sich im Molvolumen auch für alle Gase die gleiche Zahl von Molekülen. Die Zahl nennt man die Loschmidtsche Zahl, nach dem 1821 bei Karlsbad geborenen österreichischen Physiker Joseph Loschmidt, der sie 1865 erstmals berechnete. Als ihr genauer Wert gilt heute $L = 6,022045 \cdot 10^{23}$ Moleküle/Mol. Wählt man andere Volumina, so muß man auf die Zahl n der betrachteten Mole umrechnen, also $V = nV_0$ schreiben. Bezieht man sich auf die Masse, muß man auf der rechten Seite von (A2) schreiben: $\varrho nRT/M$, worin ϱ die Dichte und M das Molekulargewicht sind. Die universelle Gaskonstante R hat den Zahlenwert $R = 8,313 \cdot 10^7$ erg/Grad Mol oder 8,313 Joule/Grad Mol.

Erwärmt man ein Gas, so dehnt es sich aus. Dieser Sachverhalt wurde erstmals von dem französischen Physiker Joseph Gay-Lussac (1802) quantitativ beschrieben:

$$V(p,T) = V(p,T_0)(1 + \alpha(T - T_0)) \qquad (A3)$$

Dies ist das *Gay-Lussacsche Gesetz*. Es besagt, daß sich die Gase nach einer einfachen Gesetzmäßigkeit ausdehnen; die Proportionalitätskonstante α ist eine Konstante mit dem Wert 1/273.

Einige thermodynamische Zusammenhänge

Jetzt sollte man sich noch an den ersten Hauptsatz der Wärmelehre erinnern: Ein abgeschlossenes System – besagt dieser – hat einen konstanten Energieinhalt. In Formeln: $dQ = dU + dW$. Q ist die Wärmemenge, U die innere Energie eines Gases, W die mechanische Arbeit. Mit dQ ist die Veränderung von Q gemeint, wenn sich U um dU und W um dW geändert haben. Denken wir uns ein Gas, das in einen Zylinder eingeschlossen ist (konstantes Volumen, $dW = 0$): Ändert sich dessen Temperatur um die kleine Größe dT, dann ändert sich sein Energieinhalt u um du,

$$dQ = du_1 = c_v \cdot dT \qquad (A4)$$

Durch den Index »v« soll angedeutet werden, daß die Proportionalitätskonstante bei konstantem Volumen ermittelt werden soll. Hat der Zylinder aber einen beweglichen Stempel, so daß das Gas bei Temperaturerhöhung sein Volumen ändern kann, so vollzieht sich seine Zustandsänderung bei konstantem Druck. Außerdem leistet der »zunehmenwollende« Druck mit dem nach draußen geschobenen Stempel gegen den äußeren Druck Arbeit (dW = pdV). Das drückt sich formelmäßig wie folgt aus:

$$du_2 = c_p \, dT - p \, dv \qquad (A5)$$

Mit Benutzung von (A2), das sich für kleine Veränderungen (dp = 0) auch als p dv = R dT schreiben läßt (p = konstant), wird aus (A5)

$$du_2 = c_p \, dT - R \, dT = (c_p - R) \, dT \qquad (A6)$$

Gehen wir von gleichen Temperaturänderungen in den beiden betrachteten Fällen aus, muß $du_1 = du_2$ sein, also

$$c_v = c_p - R \quad \text{oder} \quad c_p - c_v = R \qquad (A7)$$

Die beiden Proportionalitätskonstanten c_p und c_v, die wir die spezifischen Wärmen nennen, unterscheiden sich für alle Gase um einen festen Wert, nämlich um die Gaskonstante. Für Luft unter Normalbedingungen haben sie den Wert c_p = 29,1 J/Grad Mol und c_v = 20,8 J/Grad Mol.

Adiabatische und isotherme Zustandsänderungen

Wir betrachten jetzt zwei besonders wichtige Arten, auf die die Energie eines Gases verändert werden kann:

1. Wir ändern die Energie in einem Volumenbereich so rasch, daß Energieaustausch mit der Umgebung nicht möglich ist. Diese Zustandsänderung nennen wir adiabatisch.
2. Wenn wir Temperaturanpassung an die sehr weit ausgedehnt gedachte Umgebung zulassen, halten wir die Temperatur des

betrachteten Volumenbereiches konstant; diesen Prozeß nennen wir isotherm.

Allgemein gilt

$$du = dQ - dW \qquad (A8)$$

(W ist mechanische Arbeit, die das System leistet). Adiabatische Prozeßführung bedeutet dann $dQ = 0$, also mit (A4)

$$dU + dW = c_v \, dT + p \, dv = 0 \qquad (A8a)$$

Differenziert man (A2), dann erhält man mit dieser Beziehung und (A5):

$$dT = \frac{p \, dv + v \, dp}{R}$$

Mit (A7) erhält man:

$$c_p \, p \, dv + c_v \, v \, dp = 0;$$

und schließlich:

$$c_v \cdot \frac{(p \, dv + v \, dp)}{(c_p - c_v)} + p \, dv = 0$$

oder:

$$\frac{dp}{p} = -\gamma \, \frac{dv}{v} \qquad (A9)$$

mit $\gamma = c_p/c_v$. Diese Gleichung läßt sich integrieren und liefert

$$p \, v^\gamma = \text{konstant} \qquad (A10)$$

Das ist die *Poissonsche Gleichung* des *adiabatischen Zustands*, die den Zustand eines Gases bei adiabatischer Energieänderung im p-v-Zustandsdiagramm beschreibt. Entsprechend findet man für *isotherme Zustandsänderungen*

$$p \, v = \text{konstant} \qquad (A11)$$

Die Isothermen sind in der p-v-Ebene gleichseitige Hyperbeln; die Adiabaten der Poissongleichung sind dagegen steiler geneigt

(Abb. A1). Die Konstante γ hat für zweiatomige Gase den Wert 7/5 = 1,40; für einatomige Gase beträgt der Wert 5/3 = 1,666; für dreiatomige Gase 4/3 = 1,333. Die Gründe dafür liegen etwas tiefer und sollen hier nicht erörtert werden.

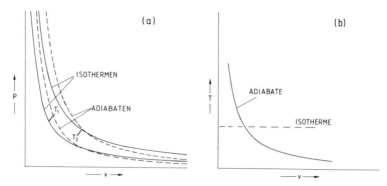

Abbildung A1 *Verlauf von Isothermen (T_1 und T_2) und Adiabaten im p-v-Zustandsdiagramm und im v-T-Diagramm. Im letzteren ist die Adiabate eine Hyperbel, die Isotherme eine Gerade.*

Adiabatische Prozesse

Wenn Luft rasch aufsteigt, sinkt ihre Temperatur. Wir nennen einen solchen Prozeß adiabatisch, er verläuft also ohne Wärmeaustausch mit der Umgebung. In der Meteorologie sagt man, die Luft kühle sich beim Aufsteigen adiabatisch ab, entsprechend erwärme sich absinkende adiabatisch. Für trockene Luft beträgt diese *trocken-adiabatische* Temperaturänderung 10 Grad/km (Abb. A2). Da aber Luft nie »trocken« ist, müssen wir die Wirkung der Luftfeuchte mitberücksichtigen. Der Sättigungsdampfdruck von Wasser hängt von der Temperatur ab. Der Dampfdruck eines Gases stellt sich, wie in Anh. 2 dargestellt, unabhängig von der Gegenwart anderer Gase ein.

Luft einer bestimmten Temperatur kann nur eine gewisse Menge Wasserdampf aufnehmen. Überschreitet diese den Wert, an dem der Dampfdruck den Sättigungsdampfdruck erreicht, dann setzt

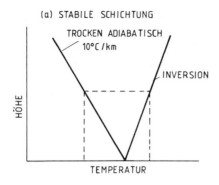

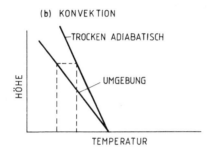

Abbildung A2 *Verlauf der Temperatur mit der Höhe bei adiabatischen Bedingungen (vgl. Text)*

Kondensation ein. Die Abhängigkeit dieses Sättigungsdampfdrucks S von der Temperatur T folgt etwa einer Exponentialfunktion (Magnussche Dampfdruckkurve, vgl. Abb. 27):

$$\log S = 7{,}5\, T\,/(T + 257{,}3) + 0{,}6609 \qquad (T \text{ in } {}^\circ C)$$

Im Kubikmeter Luft kann bei $-20\,^\circ C$ etwa 1 g Wasser enthalten sein, bei $+10\,^\circ C$ sind es 9,4, und bei $+20\,^\circ C$ bereits 17,3 g.

Dies gilt für ebene Wasserflächen und reines Wasser. Enthält das Wasser ein Salz, sinkt also der Sättigungsdampfdruck über der Lösung, dann tritt Dampfdruckerniedrigung ein. Kondensation in der Atmosphäre erfolgt oft an hygroskopischen Kernen, die bei Wasseranlagerung hochkonzentrierte Salzlösungen erge-

289

ben. Weitere Kondensation erfolgt dann bei niedrigeren Sättigungsdrucken.

Über gekrümmten Oberflächen ist der Dampfdruck höher als über ebenen. Kommen daher Tröpfchen verschiedener Größe (verschiedene Krümmung der Oberfläche) nebeneinander vor – wie in einer Wolke –, so sorgt der höhere Dampfdruck über dem kleineren Tropfen für Transport von Wasser vom kleineren zum größeren Tropfen. Große Tropfen wachsen daher auf Kosten der kleineren.

Über Eis ist der Dampfdruck von Wasser im Gegensatz zu den meisten anderen Stoffen relativ hoch. Wegen der Anomalie des Wassers (größte Dichte bei $+4\,°C$) ist die Dampfdruckerniedrigung also klein. Darum wächst, wo Wasser und Eis gemeinsam vorkommen, das Eis auf Kosten des Wassers (Wassermoleküle verdunsten aus der Wasseroberfläche, um den Dampfdruck aufrechtzuerhalten, und sublimieren über der Eisfläche sofort wieder. Das ist von Bedeutung für offene Wasserflächen, aber auch bei der Niederschlagsentstehung, da in Mischwolken, wo Eis und Wassertropfen nebeneinander vorkommen, Eisteilchen permanent auf Kosten der Wassertröpfchen wachsen.

Dies alles drückt man sehr anschaulich durch den Begriff der relativen Feuchte aus. Die maximal mögliche Feuchte der Luft F bei einer bestimmten Temperatur (wenn also der Sättigungsdampfdruck erreicht ist) setzt man gleich 100 %. Das Verhältnis des von der tatsächlichen Menge Wasser hervorgerufenen Dampfdrucks s zum maximal möglichen S nennt man die relative Feuchte:

$$F = (s/S) \cdot 100\%$$

s/S ist auf der anderen Seite ein Maß dafür, wieviel Wasser die Luft noch aufzunehmen in der Lage ist. Als Taupunkttemperatur T_t bezeichnet man die Temperatur, die ein Luftvolumen annehmen muß, damit s = S wird. Die relative Feuchte ist also ein bequemes Maß zur Beurteilung der physikalisch relevanten »Trockenheit« der Luft. Die relative Luftfeuchtigkeit läßt sich auch heute noch mit ausreichender Genauigkeit mit einem Haarhygrometer feststellen, das zum erstenmal 1785 von H. B. Saussure benutzt worden ist. Genauere Messungen werden mit dem Aspirationshygrometer durchgeführt.

Die trockenadiabatischen Änderungen sind also die größten Temperaturänderungen von ungesättigter Luft beim Aufsteigen oder Niedersinken.

Beim Aufstieg ungesättigter Luft ändert sich der Taupunkt entsprechend der Temperaturabnahme. Wenn jedoch gesättigte Luft ohne Austausch von Wärme mit der Umgebung aufsteigt, wird mit der Erniedrigung des Taupunktes Kondensation einsetzen; dabei wird Wärme frei. Das reicht zwar nicht, um die Temperatur konstant zu halten, doch reduziert es die trockenadiabatische Änderung zur feuchtadiabatischen Änderung auf 6 °C/km. Für absinkende Luft gilt das aber so nicht!

Stabile Schichtung und Inversion

Damit können wir das Problem atmosphärischer Stabilität untersuchen: Wenn trockene Luft beim Aufsteigen abkühlt, wird sie dennoch weiter aufsteigen können, solange die Umgebungstemperatur niedriger bleibt. Das ist im unteren Teil der Abb. A2 dargestellt. Unter diesen Bedingungen setzt nach oben wirkende Konvektion ein. Ist jedoch die Umgebungsluft wärmer (Abb. A2, oberer Teil), so kann unser Luftvolumen nicht aufsteigen, sondern wird unten bleiben. Dann sprechen wir von stabil geschichteter Luft – in speziellen Fällen von einer Inversion.

Die Adiabatengleichung (A8a) kann man in $dv = -(c_v/p)dT$ umschreiben. Aus (A9) ergibt sich, wegen $dp = -g \varrho \, dh$ und $v = 1/\varrho$ (ϱ: Gasdichte),

$$\frac{dh}{h} = -\frac{c_p \, dT \, \gamma}{c_v \, g \, h}$$

oder (wegen $c_p = 29{,}1$ J/Grad Mol $= 1{,}003 \cdot 10^7$ erg/Grad $\cdot$ g, $g = 981$ cm/s^2):

$$dT/dh = -g/c_p = -0{,}0098 \text{ Grad/m} \qquad (A12)$$

Das heißt, man kann die Erwärmung oder Abkühlung bei adiabatischen Änderungen eines Luftvolumens direkt ausrechnen: Die Temperatur eines Luftpakets sinkt, wenn es aufsteigt, um etwa 1 °C pro 100 m.

Dies kann man sogleich auf ein interessantes meteorologisches Problem anwenden: auf den Föhn. Südföhn ist ein von Süden die Alpen überquerender, nach Norden getriebener Wind, der auf der Nordseite der Alpen als böiger Fallwind wohlbekannt ist (es gibt auch den Nordföhn mit Stau auf der Alpennord- und Föhn auf der Südseite). Würde also bei Südföhn etwa die Temperatur in Norditalien 10 °C betragen, dann würde die trockene Luft beim Aufsteigen zunächst mit der Rate 10 °C/km abkühlen und anschließend wieder mit derselben Rate wärmer werden, in gleicher Höhe auf der Nordseite der Alpen also wieder mit +10° ankommen. Nun wollen wir aber berücksichtigen, daß die Luft ja nicht trocken ist, sondern in Italien beispielsweise 50 % relativer Luftfeuchte hatte. Bei einer Temperatur von 10 °C beträgt der Wasserdampfdruck der Luft (Abb. 27) 6,1 hPa, das heißt er ist genauso hoch wie bei 0 °C und F = 100 %. Bei 0 °C würde also der Sättigungsdampfdruck erreicht werden. Sinkt die Temperatur beim weiteren Aufstieg der Luft weiter, fängt Wasser an zu kondensieren, Wärme wird frei – deshalb sinkt die Temperatur jetzt nur noch feuchtadiabatisch, also mit 6 °C/km.

Würde trockene Luft auf 3000 m Höhe steigen, hätte sie sich – in unserem Beispiel – auf − 20 °C abgekühlt. Mit 50 % relativer Feuchte jedoch wird die Luft zunächst ebenfalls trockenadiabatisch abkühlen – so lange, bis die relative Feuchte 100 % erreicht (in 1000 m Höhe also), bei 0 °C. Danach kühlt sie sich aber nur noch feuchtadiabatisch ab, erreicht also in 3000 Meter Höhe erst − 12 °C und hat dann praktisch alle Feuchte verloren. Beim Absinken auf die Ausgangshöhe (wir nehmen Seehöhe an) wird sie sich deshalb danach trockenadiabatisch (!) auf 30–12 = + 18 °C erwärmen. So versteht man das plötzliche Auftreten von Warmluft bei Föhn. Da die Luft ihre Feuchte verloren hat, sind diese Fallwinde generell sehr trocken, und davon hängt auch die bioklimatische Wirkung dieser Fallwinde – des Föhns ganz speziell –

ab. Vermutlich steht im Mittelpunkt der Föhnwirkung eine Reaktionsänderung des vegetativen Nervensystems, die möglicherweise mit Veränderungen in den luftelektrischen Verhältnissen (Leitfähigkeit, Ionenkonzentration) zusammenhängt.

Anhang 2   Die barometrische Höhenformel

Luft ist, wie wir wissen, ein wohldurchmischtes Gas, bestehend aus 79 % Stickstoff und 21 % Sauerstoff (hauptsächlich) und einer Reihe anderer, weniger häufiger Gase. Dieses »Gas« Luft befindet sich im Schwerefeld der Erde. Messen wir den Luftdruck, so bestimmen wir damit das Gewicht der über uns lastenden Luft. Bewegen wir uns nach oben, so finden wir, daß der Luftdruck sinkt – eben weil die Menge über uns befindlicher Luft abnimmt. Luftdruck wirkt wie der hydrostatische Druck in einer Flüssigkeit nach allen Seiten. Eine Bewegung um eine Strecke dh nach oben bewirkt also eine Abnahme des Luftdrucks um einen Betrag dp, für den wir einfach als statische Grundgleichung schreiben können

$$dp = - g \varrho dh$$

(worin g die Schwerebeschleunigung im Erdfeld, $g = 981$ cm/s^2, und ϱ die Gasdichte in g/cm^3 bedeuten). Dividiert man durch die Gasgleichung (A2) (bezogen auf die Masseneinheit), so erhält man

$$\frac{dp}{p} = \frac{g \varrho dh}{\varrho RT/M} = - \frac{gMdh}{RT} = - \frac{dh}{H} \qquad \text{(A13)}$$

Hier wurde $H = RT/gM$ gesetzt. Man nennt H die Skalenhöhe. Dieser Begriff hat auch eine anschauliche Bedeutung, wie sogleich aus Gleichung (A14) ersichtlich sein wird: Sie entspricht der Höhendifferenz, bei welcher der Druck um den Faktor $1/e = 0,37$ abgenommen hat. Durch Integration von (A13) findet man nämlich sofort die berühmte *barometrische Höhenformel*

294

$$p(h) = p(h_0) \exp \left(- \int_{h_0}^{h} \frac{1}{H(h')} \, dh' \right) \qquad \text{(A14)}$$

Durch die Schreibweise H(h') bringt man zum Ausdruck, daß die Skalenhöhe keine Konstante ist, sondern mit der geometrischen Höhe variabel ist. Sie besagt aber im wesentlichen, daß der Luftdruck mit der Höhe exponentiell abnimmt (vgl. Abb. 17), daher auch eine bequeme Methode zur Bestimmung der Höhe über Grund darstellt. Mit Hilfe des Gasgesetzes (A2) kann man vom Luftdruck auf die Dichte umrechnen und erhält

$$\varrho = \varrho_0 \frac{MT_0}{M_0 T} \exp \left(- \int_{h_0}^{h} \frac{1}{H(h')} \, dh' \right) \qquad \text{(A15)}$$

Während der Luftdruck sich einfach aus der darüber lagernden Gasmenge errechnet (wie der hydrostatische Druck einer Flüssigkeit), liegt der Verlauf der Dichte mit der Höhe keineswegs von vornherein fest, sondern ist eine komplizierte Funktion der Zusammensetzung der Atmosphäre und der damit verknüpften Temperaturverteilung in der Atmosphäre.

Die obigen Betrachtungen wurden so ausgeführt, als bestünde die Atmosphäre nur aus einer Gasart. Da sie eine Mischung ist, gilt die Betrachtung für jede Art, der Druck setzt sich mithin zusammen aus dem für jede Spezies ermittelten *Partialdruck* P_i:

$$P = \sum_i P_i \qquad \text{(A16)}$$

Für jede Gasart gibt es eine Skalenhöhe H. Leichte Gase haben große, schwere Gase kleine Skalenhöhe. Deshalb nehmen die Dichten der schweren Konstituenten nach oben schneller ab als die der leichteren.

Der barometrischen Höhenformel entnimmt man, daß der Atmosphärendruck erst im Unendlichen einen konstanten Wert annehmen würde. Dann hätte aber die Atmosphäre unendliche Ausdehnung, daher auch unendliche Masse. Mehr noch: Der Bodendruck müßte vom Druck im interplanetaren Medium abhängen. Das trifft sicher nicht zu. Deshalb wird die Höhenformel in großen Höhen ihre Gültigkeit verlieren, weil die zugrunde liegenden Annahmen dort nicht mehr gelten.

Die Lösung des Problems ist komplizierter, als es zunächst scheint – sie erfordert kontinuierliche Ausströmung von Atmosphärengas, in großen Höhen sogar mit Überschallgeschwindigkeit. So lautet die Lösung, zu der die beiden amerikanischen Physiker P. Banks und T. E. Holzer 1968 gekommen sind.

Eine äquivalente, aber von anderem Ansatz ausgehende Beschreibung ist die auf den englischen Astronomen Sir James Jeans zurückgehende Betrachtungsweise, die mit dem Stichwort *Jeans-Escape* charakterisiert wird. Aufgrund ihrer Geschwindigkeitsverteilung können die leichten Atome (H, He), die von der Exobasis aus den über ihnen liegenden Raum offen sehen, ohne Stöße auf ballistischen Parabelbahnen hoch aufsteigen, ehe sie zurückfallen – und jene, deren Geschwindigkeit über der Entweichgeschwindigkeit (v_e = [2gR] = 11,2 km/s, das entspricht 40 320 km/h) liegt, können dem Schwerefeld entkommen. Als Exobasis läßt sich gasdynamisch eine Höhe um 500 km definieren, auf die die genannten Bedingungen ungefähr zutreffen.

Anhang 3 Die Strahlungstemperatur der Erde

Wäre die Erde wie Mond oder Merkur ein Körper ohne Atmosphäre, so wäre die Ermittlung der Oberflächentemperatur dieses Körpers recht einfach. Ich möchte das kurz darlegen. Wir gehen aus vom *Stefan-Boltzmannschen Gesetz*. Dieses Gesetz wurde 1879 von dem österreichischen Physiker Josef Stefan empirisch gefunden. 1884 begründete sein Schüler Ludwig Boltzmann diese die reine Temperaturstrahlung eines schwarzen Körpers beschreibende Formel thermodynamisch. Die Beziehung lautet:

$$J = \sigma\, T^4 \quad [\text{W/m}^2] \tag{A17}$$

Die Konstante σ heißt, zu Ehren ihrer Entdecker *Stefan-Boltzmann-Konstante*. Der Zahlenwert ist $\sigma = 5{,}67 \cdot 10^{-8}$ [W/m²K⁴], T ist die absolute Temperatur (Grad Kelvin; T = 0 entspricht $-273\,°$C), J ist die ausgestrahlte Leistung pro Flächeneinheit des Strahlers. Sie läßt sich theoretisch ableiten und aus anderen Naturkonstanten darstellen. Die Formel besagt, daß die gesamte von einem schwarzen Körper ausgehende Strahlungsleistung (in absoluter Skala gemessen) der vierten Potenz der absoluten Temperatur proportional ist. Die Sonne hat ihr Emissionsmaximum bei einer Wellenlänge von 507 nm. Das aus der Planckschen Strahlungsformel ableitbare, aber schon vorher bekannte *Wiensche Verschiebungsgesetz*, das die Wellenlänge und die Temperatur T eines Strahlers zueinander in Beziehung setzt, lautet $\lambda_{max}T = 0{,}289$ [cm · Grad] und liefert für die Oberflächentemperatur T = 5700 K. Mit dieser Temperatur errechnet sich aus (A17) für die von der Sonne in alle Richtungen emittierte Strahlungsleistung

$$P = \sigma \, T^4 \, 4\pi R^2{}_S = 3{,}88 \cdot 10^{26}\,\text{W} \qquad\qquad \text{(A18)}$$

oder, pro Raumwinkeleinheit gerechnet:

$$p_0 = P/4\pi = 3{,}088 \cdot 10^{25}\,\text{W/sterad}$$

wobei für den Sonnenradius R $= 7 \cdot 10^8$ m eingesetzt wurde.

Die Solarkonstante

In diesem Strahlungsfeld steht die Erde mit dem Abstand $a = 1{,}5 \cdot 10^{11}$ m. Für die auftreffende Strahlung ist ihre Querschnittsfläche zu nehmen (F $= \pi\,R^2$, R $= 6371$ km). Die *Solarkonstante*, also die pro Quadratmeter der Erdscheibe auftreffende Strahlungsleistung, ist daher gegeben durch

$$S = \frac{P_0}{a^2} = \frac{3{,}088 \cdot 10^{25}}{2{,}25 \cdot 10^{22}} = 1{,}372\ \text{kW/m}^2 \qquad\qquad \text{(A19)}$$

Die gesamte pro Sekunde auf die Erdscheibe auftreffende Sonnenenergie ist dann:

$$S_e = S_0 \cdot \pi R^2 = 3{,}44 \cdot 10^5\ \text{kW}$$

(wovon aber nur 50 % die Erdoberfläche erreichen). Hierbei sind natürlich nichtthermische Emissionen der Sonne nicht berücksichtigt (wie die gelegentlich in Eruptionen freigesetzte Energie oder die mit dem Sonnenwind ausströmende Energie). Bezogen auf die Oberfläche eines Planeten (4 πR^2) bedeutet dies natürlich, daß die Strahlungsdichte S_e pro Quadratmeter der Oberfläche der beleuchteten Hemisphäre (2 $\pi\,R^2$) im Mittel nur $S_0/2$ ist (was für einen langsam rotierenden Planeten wie die Venus zutrifft), im Mittel über die rasch rotierende Erde aber nur ein Viertel. Genauer variiert die von der Oberfläche empfangene Energie mit dem Winkelabstand ψ vom subsolaren Punkt wie $1/(\cos\,\psi)$.

Die Intensität J_0 einer Strahlung wird durch eine Luftmasse geschwächt, so daß in der Tiefe d die Intensität nur noch

$$J(d) = J_0 \, e^{-\alpha d} = J_0 \, q_m$$

beträgt – für eine bestimmte Wellenlänge betrachtet. Man nennt α die Extinktion des Gases, q_m den Transmissionskoeffizienten. Mit diesen Parametern beschreibt man die Energieabsorption der Atmosphäre.

Ohne Atmosphäre würde diese Strahlung zum Teil an der Erdoberfläche absorbiert, der Rest reflektiert (Albedo). In der Frühzeit der Erdgeschichte, als sich die Atmosphäre eben bildete, hatte die Erdoberfläche etwa die Albedo von Merkur oder Mars (A = 0,17). Die Albedo der Erdoberfläche liegt heute bei 30% (A = 0,3). Die Albedo A bezeichnet den zurückgestreuten Strahlungsbruchteil. Absorbiert wird der Rest: 1–A.

Die Strahlungstemperatur

Das System Erde beschreibt man durch seine effektive Temperatur T_e. Diese berechnet man mit Hilfe von (A17), indem man dort den absorbierten solaren Strahlungsfluß, bezogen auf die gesamte Erdoberfläche – also S/4 –, gleich der emittierten thermischen Strahlung des Planeten setzt. Für die *effektive Oberflächentemperatur* (Strahlungstemperatur) erhält man daher mit (A17)

$$T_0 = \left(\frac{1-A}{4\sigma} \cdot S \right)^{1/4} \tag{A20}$$

Mit A ~ 0,17 erhält man eine Oberflächentemperatur von T = 266 K. Das wäre vor 3,5 Mrd. Jahren die Oberflächentemperatur gewesen, wenn die Erde nicht zusätzlich noch aus anderen Quellen geheizt worden wäre. Dazu findet man im Kap. 1 weitere Details.

Für Albedowerte einiger Oberflächen möchte ich wenigstens eine Vorstellung vermitteln: Schnee hat eine Albedo von 75–95%, trockener Sand von 35–45%, dunkler Boden 5–15%. Waldalbedo rangiert bei 10–20%, die der Wiesen bei 15–20% und die der Ozeane bei 30–40%. Daraus ersieht man schon, daß über Land sehr viel mehr Sonnenlicht absorbiert wird als über dem Meer. Wegen der viel größeren Meeresflächen ist die Tageserwärmung auf der Südhalbkugel geringer, die Witterungsabläufe sind dort also auch weniger heftig als auf der Nordhalbkugel.

Nun ist die effektive Temperatur eines Planeten mit Atmosphäre in komplizierter Weise mit den Absorptionseigenschaften der Atmosphäre verknüpft. In einer ersten Näherung kann man versuchen, den Atmosphäreneffekt durch einen Faktor ε, die *Emissivität*, zu beschreiben. Dann wäre statt (A20) zu schreiben:

$$\varepsilon \sigma T^4_S = (1-A)S_0/4 \qquad (A21)$$

In ε ist der Einfluß der Wolken zu berücksichtigen, der von CO_2, von Wasserdampf und so weiter. Sorgfältige Behandlung des Problems läuft auf die Beschreibung des Strahlungstransports in der Atmosphäre – hinauf und herunter – hinaus. Häufig beschränkt man sich auf Modelle, die aus den beiden Komponenten Oberfläche und Atmosphäre bestehen. Gleichung (A21) gilt dann für den Rand der Atmosphäre. An der Erdoberfläche gilt im Gleichgewicht: Absorbierte Sonnenenergie S' gleich langwelliger Ausstrahlung E_T plus Wärmefluß an latenter (L) und fühlbarer (F) Wärme, also formelmäßig:

$$S' = E_T + L + F \qquad (A22)$$

Die Ausstrahlung E_T besteht aus der Ausstrahlung der Oberfläche und der Gegenstrahlung der Atmosphäre:

$$E_T = \sigma T^4_S - \varepsilon \sigma T^4_A \qquad (A23)$$

(ε ist hier die Emissivität des Himmels). Die absorbierte Sonnenenergie ist bestimmt durch:

$$S_0' = (1-A)S_G \qquad (A24)$$

S_G ist die globale auf die Oberfläche fallende Strahlung, A die Albedo.

Mit der für die heutige Erdoberfläche realistischen Albedo von 30% errechnet sich eine Oberflächentemperatur von

$T_E = 255$ K oder $-18\,°C$. Das entspricht der Temperatur der Atmosphäre in 5–6 km Höhe. Der Umstand, daß wir es auf der Erde im Mittel erheblich wärmer haben, nämlich $+15\,°C$ (288 K), kann also nur damit zusammenhängen, daß der Planet eine Atmosphäre hat. Ohne Atmosphäre wäre die Oberflächentemperatur gleich der Strahlungstemperatur T_s. Den Unterschied $\triangle T = T_s - T_E$ nennen wir den *Treibhauseffekt* (oder auch Glashauseffekt). Ein großer Teil der von der Erdoberfläche abgestrahlten Energie wird also von der Atmosphäre zurückgehalten und erwärmt als Gegenstrahlung die Erdoberfläche. Näheres dazu ist im Kap. 7 ausgeführt.

Der Gedankengang läßt sich umkehren: Soll der Planet im Gleichgewicht bleiben, muß er die absorbierte Solarenergie und den inneren Wärmefluß wieder abstrahlen. Das entspricht einer Strahlungsleistung von knapp 240 W/m². Daraus errechnet man aber mit (A17) die Oberflächentemperatur von $T = 255$ K. Der oben angenommene Wert der Albedo von 0,3 für die Erdoberfläche ist also realistisch.

Zu diesem Treibhauseffekt von $33\,°C$ tragen die verschiedenen Spurengase entsprechend ihren Absorptionseigenschaften folgendermaßen bei: Wasserdampf: $20,6°$, CO_2: $7,2°$, N_2O: $1,4°$, CH_4: $0,8°$, O_3: $2,4°$. Der Rest stammt von den übrigen Gasen (also NH_3, NO_2, O_2, N_2, halogenierte Kohlenwasserstoffe). Eine Verdopplung des CO_2-Gehalts der Luft ergibt eine Verminderung der Infrarotausstrahlung in den Weltraum um 4,4 W/m². Daraus läßt sich die Temperaturerhöhung der Troposphäre errechnen. Wegen (A17) gilt nämlich:

$$\frac{\triangle J}{J} = 4 \cdot \frac{\triangle T}{T}; \quad \triangle T = (T/4) \cdot (\triangle J/J) = \frac{255}{4} \cdot \frac{4,4}{240} = 1,2 \text{ K}$$

Die Temperaturerhöhung wird verstärkt durch Rückkopplung: Mit der Temperatur steigt bei konstanter relativer Feuchte der Wasserdampfgehalt, die mittlere Albedo verringert sich, weil in hohen Breiten weniger Schnee vorhanden sein wird. Mit dadurch bedingten Korrekturen errechnet sich für diesen Fall eine Temperaturerhöhung von

$$\Delta T = 2,4 \, K$$

für eine Verdopplung des CO_2-Gehalts der Luft. Wegen der Wärmekapazität der Ozeane wird der volle Temperaturanstieg erst viel später eintreten, etwa mit einer Zeitverschiebung von 80 Jahren; bis dahin wird die mittlere Temperatur langsam, aber stetig ansteigen.

Anhang 4 Über den Aufbau der festen Erde

Mit der Untersuchung der Ausbreitung von Erdbebenwellen hat der Göttinger Physiker Emil Wiechert (der 1898 auf den ersten Lehrstuhl für Geophysik, den es in Deutschland gab, berufen worden war) die Grundlage für die Erforschung des Erdkörpers gelegt. Die aus astronomischen Daten bekannte mittlere Dichte von 5,52 g/cm^3 und die bekannte Dichte der Erdkruste von 2,8 g/cm^3 verlangen bereits, daß es im Erdinnern Material mit höherer Dichte geben muß. Im Erdkörper wird sich hydrostatische Druckverteilung einstellen – also dieselbe, die sich in einer Flüssigkeit unter dem Einfluß der Schwerkraft einstellen würde.

Weitere Quellen, aus denen sich Informationen über das Erdinnere ableiten lassen, sind Untersuchungen des Schwerefeldes der Erde (insbesondere Anomalien des Schwerefeldes), das Trägheitsmoment der Erde, die Existenz eines Magnetfeldes und dessen besondere Struktur, Schwankungen der Erdrotation, Eigenschwingungen des Erdkörpers, Untersuchungen der Gezeiten, schließlich die Geothermik. Aus all diesen Informationen gewinnt der Geophysiker ein physikalisches Modell des Erdaufbaus, das den Verlauf der Dichte, der Temperatur und des Druckes sowie den der chemischen Zusammensetzung des Materials im Erdinnern wiedergibt. Der ständige Vergleich solcher Modelle mit neueren Daten und Informationen hat im Lauf der Zeit zu einer schrittweisen Verbesserung dieser Modelle geführt, so daß wir heute doch über ein recht gesichertes Wissen von der inneren Struktur unserer Erde haben.

Unsere Erde ist ein abgeflachter Rotationskörper, gut annäherbar durch ein Rotationsellipsoid, abgeflacht wegen der Rotation – die mit ihr auftretenden Fliehkräfte führen zur Wulstbil-

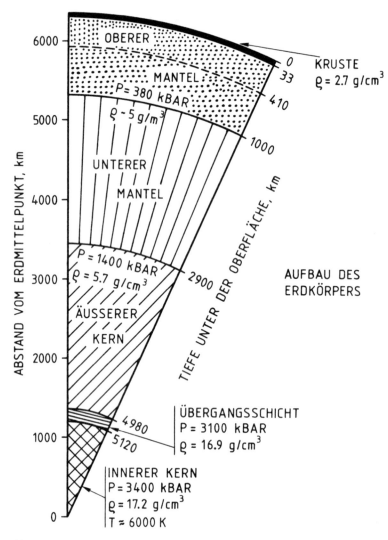

Abbildung A3 *Der Aufbau des Erdkörpers*

dung um die Äquatorzonen herum. Die Oberfläche der Erde ist heute durch die Existenz von Leben weitgehend geprägt – man nennt diesen Bereich daher treffend *Biosphäre*. 70% der Oberfläche der Erde sind von Ozeanen bedeckt, der Rest sind die höher liegenden Kontinente. Die Erdkruste, die *Lithosphäre*, ist die eigentliche Deckschicht des Planeten. Sie ist an einigen Stellen nur wenige Kilometer dick. Gegenüber der unter der Lithosphäre liegenden Schicht, dem äußeren Erdmantel, verändern sich mehrere Eigenschaften an der Grenze zwischen Mantel und Kruste sprungartig, weshalb man diesen Bereich nach seinem Entdecker die *Mohorovicicsche Diskontinuität* nennt. Andrija Mohorovicic (1857–1936) war ein jugoslawischer Geophysiker, der in Zagreb wirkte.

Die Strukturen der inneren Erde umgeben einander schalenförmig (Abb. A3): Die Lithosphäre umschließt den Mantel, dieser den *Kern*. Für dessen inneren, festen Teil nimmt man heute einen Radius von 1250 km an. Er wird umgeben von einer 140 km dicken Übergangsschicht, an die sich bis zu einem Radius von 3486 km (0,55 Erdradien) der äußere, flüssige Kern anschließt. Diesen wiederum umgeben der untere Mantel (etwa 1900 km dick) und der obere Mantel, an den sich schließlich die Kruste (alle fest) anschließt. Die Kruste erreicht unter den Kontinenten mit Granit- und Gabbroschichten eine Dicke von 40 km, unter den Ozeanen beträgt ihre Dicke oft nur 7 km. Allerdings variiert die Krustendicke erheblich: lokale Abweichungen wie Tiefseegräben, Grabenbrüche und Faltengebirge modifizieren sie stark.

Der Erdkern besteht überwiegend aus Metallen der Eisengruppe (Eisen, Nickel, Kobalt usw.). Daten in Tab. A1.

Weil die Erde ein Magnetfeld hat, muß sie einen flüssigen Erdkern besitzen (T $\sim$ 6000 °K). Bereits in 50 km Tiefe liegt die Temperatur über dem Curiepunkt (so nennt man die Temperatur, oberhalb deren alle ferromagnetischen Materialien ihre magnetischen Eigenschaften verlieren). Das Erdmagnetfeld kann daher nicht von permanenten Magneten, sondern muß von elektrischen Strömen erzeugt werden. Einmal in einem leitfähigen Material angestoßene Ströme bauen ein Magnetfeld auf, das den Stromfluß zu vermindern sucht. Die Ströme kämen daher nach einiger Zeit wieder zur Ruhe, wenn nicht Energiezufuhr den Prozeß aufrechterhalten würde. Der geschmolzene Erdkern hat eine

Tabelle A1 *Der Aufbau der Erde*

Schicht	Dicke unter Ozean	unter Kontinent (km)		Masse (g)	Dichte (g/cm^3)
Erdkern		3480		$1,88 \cdot 10^{27}$	10,6
Mantel		2870		$4,08 \cdot 10^{27}$	4,6
Kruste	7		40	$7 \cdot 10^{24}$	2,8
Ozeane		4		$1,39 \cdot 10^{24}$	1,0
Atmosphäre				$5,1 \cdot 10^{21}$	
Erde (mittlerer Radius)		6371		$5,98 \cdot 10^{27}$	5,5

relativ hohe elektrische Leitfähigkeit von $2 \cdot 10^5$ Siemens/m. Ein in diesem Leiter einmal angestoßener Strom würde mit einer Halbwertszeit von etwa 30000 Jahren abklingen. Es liegt nahe, die das Magnetfeld aufrechterhaltende Energiequelle in der Rotation des Planeten zu suchen. Das Trägheitsmoment der Erde beträgt $8,118 \cdot 10^{44}$ g/cm^3; die in der Rotation der Erde gespeicherte Energie beträgt $6,1 \cdot 10^{22}$ kWh.

Der Strom erzeugt im Material Wärme; diese Energie muß also ständig ersetzt werden. Man schätzt die im Kern vorhandene magnetische Energie auf $4 \cdot 10^{21}$ Joule. Um das Magnetfeld aufrechtzuerhalten, muß daher ständig Leistung von rund $4 \cdot 10^9$ W nachgeliefert werden. Der thermische Energiefluß durch die Erdoberfläche beträgt nur 63 mW/m^2; er wird überwiegend (80%) durch radioaktive Zerfallsprozesse in der Erdkruste gedeckt. Die thermischen Verluste aus dem Erdinnern betragen also etwa 10^{12} W. Zur Aufrechterhaltung des Magnetfeldes werden also lediglich 0,4% der thermischen Verluste benötigt.

Die Rotationsenergie der Erde nimmt wegen dissipativer Prozesse, wie man weiß, stetig um einen kleinen Betrag ab. Ein Teil dieser Verluste wird also offenbar zur Aufrechterhaltung des Magnetfeldes benötigt. Der Rest wird durch Gezeitenreibung in Wärme verwandelt.

Anhang 5   Schichtbildung in der Atmosphäre

Nach der barometrischen Höhenformel ändern sich Luftdruck und -dichte entsprechend (A14) und (A15) exponentiell mit der Höhe h. Ich will zur Vereinfachung die Temperaturabhängigkeit der Dichte beiseite lassen und auch für die Dichte einfache exponentielle Abhängigkeit annehmen:

$$N = N_0 \exp[-h/H]$$

wobei N die Zahl der Moleküle pro Volumeneinheit und H die Skalenhöhe ist. Am Rand der Atmosphäre ist die Intensität der einfallenden Lichtstrahlung einer bestimmten Wellenlänge λ I_0. Die Absorption von Licht dieser Wellenlänge in der Atmosphäre führt zur Abnahme der Intensität mit abnehmender Höhe. Da andererseits die Dichte zunimmt, wird der Energieeintrag, also die in einer bestimmten Höhenschicht deponierte Energie, in einer bestimmten Höhe einen Maximalwert annehmen. Hängt der Ablauf einer chemischen Reaktion davon ab, so kann die Dichte eines Reaktionsprodukts in dieser Höhe einen Maximalwert erreichen: Wir sprechen von einer Schicht (z. B. Ozonschicht). Handelt es sich um Ionisation, kann die freie Elektronendichte einen Maximalwert annehmen; Ionosphärenschichten entstehen so. S. Chapman hat dieses Problem 1931 gelöst; das so entstehende Höhenprofil nennt man daher Chapman-Schicht (Abb. A4).

Ich will die Ableitung unter vereinfachten Bedingungen wiedergeben: Die Strahlung soll senkrecht einfallen, die Atmosphäre wird als isotherm angenommen und soll nur aus einer Molekülart bestehen, die bei der Wellenlänge λ Energie absorbiert. Die Skalenhöhe wird mit H bezeichnet.

Nach (A15) nimmt die Dichte (also die Zahl N der Moleküle pro cm³) mit der Höhe exponentiell ab

$$N(h) = N_{0e}^{-\frac{h}{H}} \qquad (A15a)$$

Die Intensität des Lichts sei am Rand der Atmosphäre I_0, in einer Höhe h gleich I (h). In einer Schicht der Dicke dh wird also

$$dI = I \cdot q \, N \, dh \qquad (A25)$$

absorbiert. Die Proportionalitätskonstante q nennen wir Absorptionswirkungsquerschnitt, das Produkt Nq den Absorptionskoeffizienten α. Durch Integration ergibt sich

$$\int_{I=I_0}^{I=I(h)} \frac{dI}{I} = \int_{Z=\infty}^{Z=h} q \, N \, dZ = \alpha \int_{\infty}^{h} e^{-\frac{Z}{H}} \, dZ$$

und daraus:

$$\ln \frac{I(h)}{I_0} = \alpha \, H \, e^{-\frac{h}{H}}$$

oder:

$$l(h) = I_0 \exp \left\{ -\alpha \, H \, e^{-\frac{h}{H}} \right\} \qquad (A26)$$

Die Energieabsorptionsrate R in einer Schicht ist

$$R = \frac{dI}{dh} = I(h) \, q \, N(h)$$

Die durch diese Beziehung beschriebene Kurve durchläuft ein Maximum. Die Höhe des Maximums h_m findet man aus

$$\frac{dR}{dh} = 0$$

durch Differenzieren zu

$$h_{max} = H \ln (\alpha H) \qquad (A27)$$

Man nennt h_m auch die Höhe des Schichtmaximums. Abb. A4 zeigt den Verlauf der einfallenden Strahlung und die sich ausbildende Schicht. Bei dieser Rechnung wurde auch die Krümmung der Erde vernachlässigt. Daraus erkennt man, daß das Ergebnis nur qualitativ richtig sein kann. Die Erfahrung zeigt indessen, daß der Ansatz dennoch bemerkenswert gute Ergebnisse liefert.

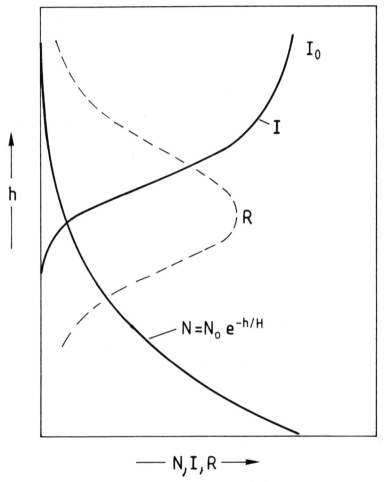

Abbildung A4 *Zur Bildung einer Chapman-Schicht*

Anhang 6   Anmerkungen zu den Maßeinheiten

Der Physiker hat seine Maßeinheiten zunächst auf ganz einfache Weise gebildet, damit Messen möglich wurde. Indem er die Masse als etwas sehr Elementares betrachtete, definierte er als Maß für diese das Gramm. Weil Kraft gleich Masse mal Beschleunigung ist, findet man als Einheit für die Kraft: $[gcm/s^2]$. Dieser gab man sogleich einen neuen Namen: »dyn«.

Zur Energie kommt man, wenn man die Kraft, die auf eine Masse wirkt, über eine bestimmte Strecke einwirken läßt, sie also Arbeit verrichten läßt. Ist die Kraft 1 dyn, der Weg 1 cm, dann ergibt sich die Maßeinheit »erg« für die Energie, wenn die auf die Masse ein Gramm wirkende Kraft 1 dyn diese um 1 cm bewegt hat. Es gilt also: 1 erg = 1 $[gcm^2/s]$. Dieses Maßsystem bezeichnet man, weil es auf die Einheiten Länge (in cm), Masse (in Gramm) und Zeit (in Sekunden) bezogen ist, als *CGS-System*.

Im Schwerefeld der Erde, deren Beschleunigungswert in Meereshöhe 981 cm/s^2 beträgt, kommt man zu der früher häufig benutzten Krafteinheit Kilopond (kp) als der Kraft, die auf die Masse 1 kg wirkt, also 981 000 dyn entspricht.

Die Kraft, die auf eine Fläche ausgeübt wird, nennen wir Druck. Aus der unmittelbaren täglichen Erfahrung kennen wir den Luftdruck, den wir in Seehöhe als 1 Bar definieren. Früher hat man zur Messung von Druck ein Quecksilbermanometer benutzt. In Seehöhe vermag der Luftdruck einer Quecksilbersäule von 760 mm Höhe das Gleichgewicht zu halten. Schließlich möchte ich noch erwähnen, daß man den von einer Quecksilbersäule von 1 mm Höhe auf 1 cm^2 ausgeübten Druck mit 1 Torr bezeichnet (entsprechend beträgt dann der Druck in Meereshöhe 760 Torr).

Mit der Dichte des Quecksilbers von 13,6 g/cm³ findet man dann die Masse der Luftsäule (Luftdichte 1,293 kg/cm³) über einem Quadratzentimeter, nämlich 1033,6 g/cm². Diese Massensäule, multipliziert mit der Erdbeschleunigung (in mittleren Breiten 980,4 cm/s²) ergibt dann als Maß für den Druck die (physikalische) Atmosphäre »Atm« (davon verschieden ist die technische Atmosphäre, »at«, die definiert ist durch 1 at = 1 kp/cm²; zwischen beiden besteht die Beziehung: 1 at = 0,968 Atm, 1 Atm = 1,033 at):

$$1 \text{ Atm} = 1013,96 \text{ kg/cm}^2$$

Atm und Bar stehen miteinander in Beziehung durch

$$0,968 \text{ Atm} = 1 \text{ Bar}$$

(1000 mbar = 1 Bar).

1960 wurde auf der Conférence Générale des Poids et Mesures (CGPM) ein internationales Einheitensystem beschlossen, in dem die Länge in Meter (m), die Masse in Kilogramm (kg) und die Zeit in Sekunden (s) gemessen wird. Für daraus abgeleitete Größen hat man, wie bisher schon üblich, eigene – aber eben wieder andere Namen eingeführt. So wurde als Maß für die Kraft das Newton (N) eingeführt, das mit der Einheit dyn über 1 N = 10^5 dyn zusammenhängt (Einheit mkg/s²). Für den Druck fand man die Einheit Pascal (Pa) angemessen, die jetzt mit den anderen Einheiten so zusammenhängt: 1 Pa = 1 N/m² = 10^{-5} Bar. Die Energie mißt man in Joule, das heißt in Nm, so daß 1 J = 10^7 erg gilt. Die Leistung wird wie zuvor in Watt gemessen, 1 W = 1 J/s. Damit hat man natürlich auf der einen Seite eine gewisse Vereinheitlichung geschaffen und wird damit im technischen Bereich auch zufrieden sein. Im umgangssprachlichen Bereich wird es wohl noch lange dauern, bis die Erinnerung an die alten Einheiten verschwunden ist (man denke an das »Pfund Butter«). In der Physik wird man sich um die neuen Einheiten wenig kümmern, weil das CGS-System für den Physiker wegen seiner unmittelbaren Durchsichtigkeit am bequemsten ist und wohl auch bleiben wird.

Die Verwirrung unter den Maßsystemen wird uns also noch eine Weile begleiten. Andererseits sollte man das nicht zu wichtig nehmen – Maßsysteme sollen bequem sein; und solange man in der Lage ist, sie ineinander umzurechnen, ist alles halb so schlimm.

Im Text werden die üblichen Abkürzungen benutzt, die ich zur Bequemlichkeit noch einmal zusammenstellen will:

Zehnerpotenzen:
10^3: Tausend, »kilo«, k
10^6: Million, »Mega«, M
10^9: Milliarde, »Giga«, G
10^{12}: Billion, tausend Milliarden, »Tera«, T
10^{15}: Billiarde, eine Million Milliarden

Mischungsverhältnisse:
%: Prozent, ein Teil auf hundert
‰: Promille, ein Teil auf tausend
ppm: ein Teil auf eine Million
ppb: ein Teil auf eine Milliarde (im Englischen heißt Milliarde »billion«)

Anhang 7   Geologische Formationen

Tabelle A2

Aera	Periode	Formation	Dauer (Mio. Jahre)	Beginn (vor Mio. J.)	Leitfossilien
Neo-zoikum (Käno-zoikum)	Quartär	Alluvium		0,01	Mensch
		Diluvium	2,5	2,5	
	Tertiär	Pliozän	4,5	7	
		Miozän	19	26	
		Oligozän	12	38	
		Eozän	16	54	
		Paläozän	11	65	
Meso-zoikum	Kreide	Oberkreide			
		Unterkreide	71	136	Blütenpflanzen
	Jura	Malm			
		Dogger	54	190	Vögel
		Lias			
	Trias	Keuper		225	Säugetiere
		Muschelkalk	36		Dinosaurier
		Buntsandstein			
Paläo-zoikum	Perm	Zechstein	55	280	Mollusken, Cephalopoden, Insekten, Fische, Amphibien
		Rotiegendes			
	Karbon	Oberkarbon	65	345	Reptilien, Amphibien, Bärlappgewächse, Nacktsamer
		Unterkarbon			
	Devon	Ober-/Mittel-/Unter-Devon	45	400	Amphibien, Landwirbeltiere
	Silur	Gotlandium (Silurium)	35	430	Landpflanzen u. -tiere, Chitinpanzer, Wirbellose
		Ordovicium	70	500	Invertebraten, Graptolithen

	Kambrium	Ober-/Mittel-/ Unter-Kambrium	70	570	Wirbeltiere (Fische) Schalentiere, Algen*
Prä-kambrium	Algonkium	(Jung-Präkambrium)		1500	wenige Blau-algen, Stromatholithen (1 Fall)
	Archaikum	(Alt-Präkambrium)		2500	
Bildung der Erdkruste				4600	

* Protozoen, Periferen, Nesseltiere (bereits über 3000 Arten bekannt). 50% der Arten sind Trilobiten.

314

Literaturverzeichnis

1 Unter Benutzung verschiedener Autoren, u. a. W. L. Gates in: Proceedings of the World Climate Conference, WMO No. 537, S. 112, World Meteorological Organisation, Genf.

2 Darwin, C.: The Origin of Species, 1859. Erschienen als Collier-Book, 1978, S. 331.

3 Schidlowski, M.: Die Geschichte der Erdatmosphäre, in: Spektrum der Wissenschaft 4, 1981, S. 17–27.

4 Neftel, A. et al.: Evidence from polar Ice Cores for the Increase in Atmospheric CO_2 in the past two Centuries, in: Nature 315, 1985, S. 45–47. Raynaud, D. und J. M. Barnola: An antarctic Ice Core reveals atmospheric CO_2 Variations over the past two Centuries, in: Nature 315, 1985, S. 309–311. Neftel, A. et al.: Ice Core Sample measurements give atmospheric CO_2 Content during the past 40 000 yr., in: Nature 295, 1982, S. 220–222. Craig, H. und C. C. Chou: Methane: The Record in Polar Ice Cores, in: Geophys. Res. Lett. 9, 1982, S. 1221–1224. Delmas, R. J., J. M. Ascencio und M. Legrand: Polar Ice Evidence that atmospheric CO_2 20 000 yr BP was 50 % of present, in: Nature 284, 1980, S. 155–157.

5 EOS, Transactions, American Geophysical Society, 64, No. 3, 15. 2. 83.

6 Chapman, S.: A Theory of upper Atmosphere Ozone, in: Mem. R. Meteor. Soc. 3, 103, 1930.

7 Hecht, A.: The Challenge of Climate to Man, EOS, Transactions, American Geophysical Society, 62, No. 51, 22. 12. 81.

8 Aus: National Science Foundation »Mosaic«, 9, 10, 2. 8. 1979, nach einer Arbeit von J. Imbrie und J. Z. Imbrie.

9 Wuebbles, D. J., M. C. MacCracken und F. M. Luther: A Proposed Reference Set of Scenarios for Radiatively Active Atmospheric Constituents, US-Department of Energy DOE/NBB TRO15, 1984.

10 Paine, D. A.: EOS, Transactions, American Geophysical Society, 64, No. 26, 1983.

11 Evans, J. V.: The Sun's Influence on the Earth's Atmosphere and Interplanetary Space, Science 216, No. 4545, 30. 4. 82, S. 467–474.

12 Goldberg, R. A.: Solar Variability, Weather and Climate, National Academy Press, Washington, DC 1982.

13 USDOE: Summary of the Carbon Dioxide Effects, Research and Assessment Programm, US-Department of Energy, Washington, D.C. 1979.

14 Paetzold, H. K., G. Pfotzer und E. Schopper: Erich Regener als Wegbereiter der extraterrestrischen Physik, in: Zur Geschichte der Geophysik, Springer-Verlag, Berlin-Heidelberg 1974.

315

15 Walker, C. G.: Evolution of the Atmosphere, McMillan Publ. Co., New York-London 1977, S. 318.

16 Eigen, M. und P. Schuster: The Hypercycle, Springer-Verlag, Berlin-Heidelberg 1979.

17 Aristoteles: Meteorologica, engl. Übersetzung H. D. P. Lee, Harvard University Press, Cambridge, Mass. 1952.

18 Lynch, D. K.: Atmospheric Phenomena, in: Scientific American Book, Freeman, San Francisco 1980.

19 Schröder, W.: Entwicklungsphasen der Erforschung der Leuchtenden Nachtwolken, Akademie-Verlag, Berlin 1975.

20 Eddy, J.: The Maunder Minimum, Science 192, 1976, S. 1189–1202.

21 Keppler, E.: Mitteilungen aus dem Max-Planck-Institut f. Stratosphärenphysik, Heft 20 (S), Springer-Verlag, 1965.

22 Herman, J. R. und R. A. Goldberg: Sun, Weather and Climate, NASA-SP-426-1978.

23 Hill, TRIP illuminates Lightning, in: EOS, Transactions, American Geophysical Society, 20.05.1986.

24 Hill, E. L.: Ball Lightning as a physical phenomenon, in: J. Geophys. Res. 65, 1960, S. 1947–1952.

25 Graßl, H.: Der Einfluß des Aerosols auf das Klima, in: Promet 16, Heft 1, 1986, S. 19–26.

26 Junge, C. E., C. W. Chagnon und J. E. Manson: Stratospheric Aerosols, in: J. Meteorol. 18, 1961, S. 81–108.

27 Galli, M., G. C. Castagnoli, M. R. Altolini, S. Ceccini, T. Nanni, G. E. Kocharov, J. B. Mikheeva, T. T. Bitvinskas, A. N. Konstantinov und R. Ja. Metskhvavishvili: 400 Year ^{14}C Record, Proceedings 20. Intern. Cosmic Ray Conference, Moskau 1987, S. 280.

28 Schönwiese, C. D.: Kohlendioxyd (CO_2) in: Promet 15, Heft 4, 1985, S. 1–5; ders.: Der statistische Nachweis der Spurengaseffekte, in: Promet 16, Heft 3, 1986, S. 9–13.

29 Johnstone, H. S.: Reduction of stratospheric Ozone by Nitrogen Oxide Catalysts from supersonic Transport Exhaust, in: Science 173, 517, 1971.

30 Crutzen, P. J.: Ozone Production Rates in an Oxygen-Hydrogen-Nitrogen Atmosphere, in: J. Geophys. Res. 76, 1971, S. 7311–7323.

31 Fabian, P.: Der gegenwärtige Stand des Ozon-Problems, in: Die Naturwissenschaften 67, 1980, S. 109–120.

32 Weeks, L. H., R. S. Cuikay und J. R. Corbin: Ozone Measurements in the Mesosphere during the solar Proton Event of 2 November 1969, in: J. Atmos. Sci. 29, 1972, S. 1138–1142. Diese erste Messung wurde später durch Messungen von Heath, D. F., A. J. Krueger und P. J. Crutzen: Solar Proton Event: Influence on Stratospheric Ozone, in: Science 197, 886, 1977 bestätigt, damit auch die Theorie, die von P. J. Crutzen, I. S. A. Isaksen und G. C. Reid: Solar Proton Event: Stratospheric Source of Nitric Oxyde, in: Science 189, 1978, S. 457–458, aufgestellt worden war.

33 H. J. Bolle: Führt der Anstieg atmosphärischer Spurengaskonzentrationen zum »Klimakollaps«?, in: Phys. Bl. 43, 1987, S. 240–247.

34 Budyko, M. I.: The Earth's Climate: Past and Future, Academic Press, New York-London 1982.

316

35 World Meteorological Association (WMO): The Stratosphere 1981, Theory and Measurements. WMO Global Research and Monitoring Project, Report No. 11, Genf 1982.

36 Warneck, P.: Cosmic Radiation as a Source of Odd Nitrogen in the Stratosphere, in: J. Geophys. Res. 77, 1972, S. 6589–6591.

37 Crutzen, P. J. und J. Hahn: Atmosphärische Auswirkungen eines Atomkrieges, in: Physik in unserer Zeit 16, 1985, S. 3–15.

38 Hock, B. und E. F. Elstner: Pflanzentoxikologie, Bibliographisches Institut, Mannheim 1984.

39 Tyndall, J.: On the Absorption and Radiation of Heat by Gases and Vapours and on the Physical Connection of Radiation, Absorption and Conduction, in: Phil. Mag. 22 (144), 167 und 273, 1861.

40 Fourier, 1827, zit. nach W. Bach: Gefahr für unser Klima, Müller-Verlag, Karlsruhe 1983.

41 Arrhenius, S.: On the Influence of Carbonic Acid in the Air upon the Temperature of the Ground, in: Phil. Mag. 5, 41 (251), 237, 1896.

42 Chamberlin, T. C.: A Group of Hypothesis bearing on Climatic Changes, in: J. Geol. 5, 653, 1897.

43 Callender, G. S.: The Artificial Production of Carbon Dioxyde and its Influence on Temperature, in: Q. J. R. Metereol. Soc. 64 (27), 1938, S. 223–240.

44 Flohn, H.: Die Tätigkeit des Menschen als Klimafaktor, in: Zeitschrift f. Erdkunde, 1941, S. 13.

45 Revelle, R. und H. E. Suess: Carbon-Dioxyde Exchange between Atmosphere and Ocean and the Question of an Increase of Atmospheric CO_2 during past Decades, in: Tellus 9, 1957, S. 18–27.

46 Hobbs, P. V., J. P. Tuell, D. A. Hegg, L. F. Radke und M. W. Eltgroth: Particles and Gases in the Emission from the 1980–1981 Volcanic Eruption of Mt. St. Helens, in: J. Geophys. Res. 87, 1982, S. 11062.

47 Molina, M. J. und F. S. Rowland: Stratospheric Sink for Chlorofluoromethanes: Chlorine Atom Catalysed destruction of Ozone, in: Nature 249, 1974, S. 810–812.

48 Bach, W.: Gefahr für unser Klima, F. Müller, Karlsruhe 1982.

49 Vercheval, J. et al.: CO_2 and CO vertical Distribution in the middle Atmosphere and lower Mesosphere deduced from infrared Spectra, in: Annales Geophysicae 1, 1986, S. 161–163.

50 Watson, R. T., M. A. Geller, R. S. Stolarski und R. F. Hampson: Present State of Knowledge of the Upper Atmosphere. An Assessment Report. NASA-Publ. 1162, May 1986.

51 Chubachi, S.: On the Cooling of stratospheric Temperature at Syowa, Antarctica, in: Geophys. Res. Lett. 13, 1986, S. 1221–1223.

52 Grathwohl, M.: World Energy Supply, DeGruyter-Verlag, Berlin 1982.

53 Flohn, H.: in N. A. Mosner und V. Karlan, Hg.: Climate Change on a Yearly and Millenial Basis, D. Reidel Publ. Comp., 1984, S. 521–531.

54 Causes and Effects of stratospheric Ozone Reduction, Prepared by the Environmental Studies Board, National Research Council, National Academy Press, Washington 1982.

55 Man's Impact on the Global Environment, MIT-Press, Cambridge, Mass. 1970.

317

56 Environmental Quality 1981, 12th annual Report of the Council on Environmental Quality, Executive Office of the President of the United States, 1982.

57 Farman, J. C., B. G. Gardiner und J. D. Shanklin: Large Losses of total Ozone in Antarctica reveal seasonal CIO_x/NO_x Interaction, in: Nature 315, 207, 1985.

58 Hofmann, D. J., J. M. Rosen, J. W. Harder, S. R. Rolf: Observation of the Decay of the El Cichon Statospheric Aerosol Cloud in Antarctica, Geophys. Res. Letters 14, 614, 1987; 13, 1252, 1986.

59 Labitzke, K.: The lower stratosphere over the polar regions in winter and spring: Relation between meteorological parameters and total ozone; in: Ann. Geophysicae 5A, 1987, S. 95–102.

60 Krueger, B. C., G. Q. Wang und P. Fabian: The Antarctic Ozone Depletion caused by Heterogenous Photolysis of Halogenated Hydrocarbons, in: Geophys. Res. Letters 14, 1987, S. 523–526.

61 Ramage, C. S.: El Niño, Spektrum der Wissenschaft 8, 1986, S. 92–100.

62 Khalil, M. A. K. und R. A. Rasmussen: Secular Trends of Atmospheric Methane, in: Chemosphere 11, 1982, S. 877–883.

63 Trümper, J. und H. W. Georgii: Warnung vor einer drohenden weltweiten Klimaänderung durch den Menschen, in Phys. Bl. 43, 1987, S. 347–349.

64 Flohn, H.: Das Problem der Klimaveränderungen in Vergangenheit und Zukunft, Wissensch. Buchgemeinschaft, Darmstadt 1985.

65 Eilenberger, G.: Komplexität als Dimension naturwissenschaftlicher Forschung, Jahresbericht 1985/86 der Kernforschungsanlage Jülich.

66 Scheer, H., Hg.: Die gespeicherte Sonne, Serie Piper 828, Piper Verlag, München 1987.

67 Meier, M. F.: Contribution of small Glaciers to Global Sea Level, in: Science 226, 1984, S. 1419–1421.

68 Fabian, P., R. Borchers, B. C. Krüger, S. Lal: The vertical Distribution of CH Cl F_2 (CFC-22) in the Stratosphere, in: Geophys. Res. Letters, 12, 1985, S. 1–3. Fabian, P.: Halogenated Hydrocarbons in the Atmosphere, in: Handbook of Environmental Chemistry, Vol. 4/Part A, Springer-Verlag, Berlin-Heidelberg 1986.

318

Weiterführende Literatur

Kapitel 1:

Keppler, E.: Sonne, Monde und Planeten, Piper Verlag, München 1982.
Kippenhahn, R.: 100 Milliarden Sonnen, Piper Verlag, München 1980.
Lotze, F.: Geologie, Sammlung Göschen, Bd. 26211, de Gruyter Verlag, Berlin 1973.
Sagan, C.: Unser Kosmos, Droemer-Knaur, München 1982.
Schidlowski, M.: Geschichte der Atmosphäre, in: Die Dynamik der Erde, Spektrum der Wissenschaft, 1987.
Ringwood, A. E.: Origin of the Earth and the Moon, Springer Verlag, Berlin-Heidelberg 1979.
Lovelock, L.: Gaia, A new Look at Life on Earth, Oxford University Press 1979.
Walker, C. G.: Evolution of the Atmosphere, McMillan Publ. Co., New York-London 1977.
Henderson-Sellers, A.: The Origin of Planetary Atmospheres, Monographs on Astronomical Subjects: 9, A. Hilger Ltd., Bristol 1983.

Kapitel 2 + 3:

van Einem, J. und H. Häckel: Wetter- und Klimakunde; Ulmer Verlag, Stuttgart 1984.
Goody, R. M. und J. C. G. Walker: Atmosphären, in: Geowissen kompakt, Encke-Verlag, Stuttgart 1986.
Kertz, W.: Einführung in die Geophysik, Bd. II; BI-Hochschultaschenbücher, Bibliographisches Institut, Mannheim 1971.
Reuter, H.: Die Wissenschaft vom Wetter, Springer-Verlag, Berlin-Heidelberg 1973.
Gedzelman, S. D.: The Science and Wonders of the Atmosphere, John Wiley, New York 1980.
Bear, T.: The Aerospace Environment, Wykeham Science Series, London 1976.

Kapitel 4:

Fortak, H.: Meteorologie, Vieweg-Verlag, Braunschweig 1978.
Liljequist, G. H.: Allgemeine Meteorologie, Vieweg-Verlag, Braunschweig 1981, S. 348, Abb. 1.2.

Möller, F.: Einführung in die Meteorologie, Bde. 1 u. 2, BI-Hochschultaschenbü-cher, Bibliographisches Institut, Mannheim 1973.

Scherhag, R. und W. Lauer: Klimatologie, Westermann, Braunschweig 1983.

Anthes, R. A., H. A. Panofsky, J. J. Cahir und A. Rango: The Atmosphere, Meriwell, Columbus, Ohio 1982.

Lutjens, F. K. und E. J. Tarbuck: The Atmosphere, Prentice Hall Inc., Engle-wood Cliffs, N. J. 1980.

Schaefer, V. J. und J. A. Day: A Field Guide to the Atmosphere, Houghton Mifflin Comp., Boston 1981.

Kapitel 5:

Perntner, J. M. und F. M. Exner: Meteorologische Optik, Braunmüller Universi-täts-Verlagsbuchhandlung, Wien 1922.

–: Atmospheric Phenomena, Scientific American Book, W. H. Freemann u. Comp., San Francisco 1980.

Brekke, A. und A. Egeland: The Northern Light, Springer-Verlag, Berlin-Hei-delberg 1983.

Kapitel 6:

Chalmers, J. A.: Atmospheric Electricity, Pergamon Press, Oxford 1967.

Magono, C.: Thunderstorms, Elsevier Publ., Amsterdam 1980.

Kapitel 7:

Schmetz J. und E. Raschke: Bewölkung und Strahlungshaushalt der Erde, Spek-trum der Wissenschaft 1, 1986, S. 96–109.

Kapitel 8:

Fabian, P.: Atmosphäre und Umwelt, Springer-Verlag, Berlin 1984.

McEwan, M. J. und L. F. Phillips: Chemistry of the Atmosphere, Edward Arnold, London 1975.

Meszaros, E.: Atmospheric Chemistry, Elsevier Publ., Amsterdam 1981.

Kapitel 9:

Bach, W.: Gefahr für unser Klima, F. Müller Verlag, Karlsruhe 1982.

–: Experientia: Das CO_2-Problem, Birkhäuser-Verlag, Basel 1980.

Flohn, H.: Das Problem der Klimaveränderungen in Vergangenheit und Zukunft, Wissensch. Buchgemeinschaft, Darmstadt 1985.

Schönwiese, C. D.: Klimaschwankungen, Springer-Verlag, Berlin 1979.

Clark, W. C., Hg.: The Carbon Dioxide Review, Clarendon Press, Oxford 1982.

Clark, W. C. und R. E. Munn: Sustainable Development of the Biosphere, Cambridge University Press, 1986.

Jäger, J.: Climate and Energy Systems, John Wiley, New York 1984.

Revelle, R.: Carbon Dioxide and World Climate, in: Scientific American 247 (August), 1982, S. 33–41.

Woodwell, G. M.: The Carbon Dioxyd Question, in: Scientific American 238, 1978, S. 34–43.

Kapitel 10:

Scheer, H., Hg.: Die gespeicherte Sonne, Serie Piper 828, Piper Verlag, München 1987.

Lovelock, J. E.: Gaia: A new Look at Life on Earth. Oxford University Press, Oxford, UK 1979. Deutsch: Unsere Erde wird überleben, Piper Verlag, München 1982.

Glossar

Absolute Feuchte: Die Dichte von Wasserdampf in Luft.

Adiabatisch: Ohne Austausch von Wärme.

Advektion: Transport atmosphärischer Strukturen durch horizontale Winde.

Aerob: In Luft ablaufender Prozeß.

Aeronomie: Wissenschaft von dem Teil der Atmosphäre, dessen Zustand durch Dissoziation und Ionisation bestimmt wird. Beschäftigt sich mit Temperaturverteilung, Dichte und chemischer Zusammensetzung der Atmosphäre, aber auch der Ionosphäre und der Magnetosphäre. In diesem Fach werden auch Untersuchungen der kosmischen Strahlung, von Airglow und Aurora behandelt. Das Wort ist aus dem Griechischen abgeleitet: »aer«: Luft, und »nomos«: Gesetz.

Aerosol: Festes oder flüssiges Teilchen in der Atmosphäre.

Airglow: Leuchten der Luft in rund 100 km Höhe, hervorgerufen durch geladene Teilchen, die auf die Moleküle der Luft treffen, oder durch Chemolumineszenz (s. u.).

Aitken-Kerne: Klasse von kleinen Teilchen mit Durchmessern unter 0,2 μm, die in der Atmosphäre verhältnismäßig lange verweilen können.

Akkretion: In der *Kosmologie* das Zusammenbacken von Materie, so daß sich nach und nach große feste Körper bilden können. Bei diesem Prozeß wird Wärme frei (Akkretionswärme). In der *Meteorologie* das Wachsen von Niederschlagsteilchen durch Stoß eines gefrorenen Teilchens mit einem unterkühlten Flüssigkeitsteilchen, das bei Kontakt sofort gefriert.

Albedo: Der Bruchteil des von der Oberfläche eines Körpers reflektierten Lichts.

Anaerob: Unter Luftabschluß ablaufender Prozeß.

Aphel: Der entfernteste Punkt, den ein um einen Zentralkörper umlaufender Stern (Planet, Mond, Satellit) auf seiner Bahnellipse erreicht.

Äquinoktien: Tag-und-Nacht-Gleiche, 23. 3. und 23. 9.

Assimilation: Der Prozeß, bei dem die grüne Pflanze mit Hilfe von Chlorophyll aus dem CO_2 der Luft organisches Material aufbaut.

Aurora: Polarlicht. Lichtemission im Bereich der Polarlichtzone (zwischen 60 und 65 Grad geomagnetischer Breite), hervorgerufen durch den Einfall geladener Teilchen in die Atmosphäre.

Autotroph: Vermögen der grünen Pflanzen, alle zum Leben notwendigen Stoffe aus Wasser, Kohlendioxyd und anorganischen Salzen selbst aufzubauen.

Azimuth: Der Winkel, den eine vom Ursprung eines Koordinatensystems zu einem Punkt in der Horizontalen gezogene Linie mit der Nordrichtung einnimmt, im Uhrzeigersinn gemessen. Norden hat das Azimuth 0 Grad, Osten 90 Grad.

322

Beaufort-Windskala: Die nach Admiral Beaufort benannte Skala zur Abschätzung der Windstärke aus der Beobachtung der Seewellen.

Brechung: Der Vorgang, bei dem Licht beim Übergang von einem Medium in ein anderes, die unterschiedliche Brechungsindizes haben, seine Richtung ändert.

Chemolumineszenz: Abgabe von Energie, die bei chemischen Reaktionen frei wird, als Strahlung.

Chemosynthese: Biologische Stoffbildung, im Gegensatz zur Photosynthese unabhängig von Licht.

Chlorophyll: Grüner Blattfarbstoff, der durch Absorption von Licht die Energie gewinnt, mit deren Hilfe aus dem CO_2 der Luft organisches Material aufgebaut werden kann (vgl. Assimilation).

Coriolis-Kraft: Eine Kraft, die bewegte Körper auf der rotierenden Erde erfahren. Diese werden auf der Nordhalbkugel nach rechts, auf der Südhalbkugel nach links abgelenkt (jeweils in Bewegungsrichtung betrachtet).

Elektrisches Feld: Ein Bereich, in dem ein geladenes Teilchen eine Kraft erfährt.

Elektron: Elementarteilchen, das eine negative elektrische Ladung trägt.

Emissivität: Verhältnis der von einem bestimmten Körper emittierten Strahlung zu der von einem schwarzen Strahler emittierten.

Entweichgeschwindigkeit: Die Geschwindigkeit, die ein Körper benötigt, um aus dem Schwerefeld eines anderen zu entkommen.

Erosion: Bewegungen von Erdboden oder Gestein unter der Wirkung von Wasser, Wind oder irgendeinem anderen natürlichen Prozeß.

Eukaryoten: Lebewesen, die aus Zellen mit Zellkern bestehen.

EUV: Bereich des kurzwelligen ultravioletten Lichts, zwischen Röntgenlicht (einige zehn nm) und dem eigentlichen Ultraviolett(UV)-Bereich von 200 nm.

EV: Elektronvolt, die Energie, die ein Teilchen mit einer elektrischen Elementarladung beim Durchfliegen einer Potentialdifferenz von 1 V gewinnt (oder verliert). Gebräuchlich sind keV, MeV und GeV für Kilo- (10^3), Mega- (10^6) und Giga- (10^9) Elektronvolt.

Feldspat: Klasse von Mineralien, die auf der Erde und in Meteoriten häufig vorkommt.

Fusion: Verschmelzung zweier leichter Atomkerne zu einem neuen, stabilen, schwereren Kern, wobei Energie, Nukleonen, Elektronen (oder Positronen) und/oder Gammaquanten frei werden. Die freiwerdende Energie ist millionenmal größer als die Wärmetönung chemischer Reaktionen. Damit Verschmelzung eintritt, müssen die Atomkerne die starken Abstoßungskräfte im subatomaren Bereich überwinden, sie müssen also mit sehr großer Geschwindigkeit aufeinandertreffen. Der Prozeß ist im Sonneninneren bei einer Temperatur von 15 Mio. Grad bei 200 Mrd. Bar Druck realisiert. Handelt es sich bei den Ausgangskernen um Wasserstoffkerne wie bei der Sonne, spricht man auch vom Wasserstoffbrennen eines Sterns.

Gleichgewicht: Zustand eines Systems, in dem es keine Änderung oder Beschleunigung erfährt.

Hämatit: Eisenoxyd Fe_2O_3, als feinkörniges Material unter dem Namen »Roteisenstein«, grobkörnig als »Eisenglanz« bekannt. Hämatit ist für die rote Färbung von Sedimenten verantwortlich. Hämatit bildet sich, wenn zum Beispiel eisenhaltige Mineralien unter oxydierenden Bedingungen vorliegen.

Hydrologie: Die mit der Untersuchung des Wassers auf der Erde befaßte wissenschaftliche Disziplin.

Hydrosphäre: Die Gewässer der Erde.

Hygroskopisch: Eigenschaft eines Stoffs, die Kondensation von Wasser zu beschleunigen.

Interstellares Gas: Teils aus Sternen abströmende, teils im interstellaren Plasma entstehende elektrisch neutrale Atome oder Moleküle.

Isotop: Atom, dessen Kern zwar die gleiche Anzahl von Protonen, damit die gleichen chemischen Eigenschaften besitzt wie ein anderes, sich davon jedoch durch die Zahl der Neutronen im Kern unterscheidet. Zwei Isotope eines chemischen Elements unterscheiden sich daher in der Masse.

Kaltfront: Unstetigkeitsfläche an der Vorderfront einer vorrückenden Kaltluftmasse, die davorliegende wärmere Luft verdrängt.

Kelvin-Skala: Absolute Temperaturskala, deren Wert Null der absolute Nullpunkt ist. 0 Grad Celsius entspricht 273 Grad Kelvin, geschrieben als 273 K.

Kontinentaldrift: Die Verschiebung ganzer Kontinente gegeneinander auf der Erdkruste (Plattentektonik).

Kontinentalschelf: Die die Kontinente umgebende Flachwasserzone, die sich bis zum Steilabfall zur Tiefsee erstreckt.

Latente Wärme: Die Wärmemenge, die pro Masseneinheit absorbiert oder freigesetzt wird, wenn ein Stoff seine Phase ändert (im Fall von Wasser bei der Kondensation oder Verdampfung).

Mikrowellenstrahlung: Elektromagnetische Strahlung im Wellenlängenbereich von 0,01 bis 100 cm.

Mischungsverhältnis: Das Verhältnis der Masse eines Gases zur Masse trockener Luft, wenn als Massenmischungsverhältnis definiert. Entsprechend, wenn es sich auf die Volumina bezieht.

Mol: Ein Mol eines Gases erhält man, wenn die Gasmasse dem Betrag nach gleich dem Molekulargewicht, ausgedrückt in Gramm, ist. Das Volumen aller (idealen) Gase ist gleich und beträgt 22,4 Liter.

Nukleation: Prozeß, bei dem ein Stoff aus der Gasphase fest wird, wenn er bestimmte chemische Reaktionen durchläuft.

Orographisch: Von Bergen oder Gebirgszügen hervorgerufen.

Perovskit: $CaTiO_3$, Mineral mit kubischem Gitter, das auf der Erde sehr selten vorkommt, in metamorphen Gesteinen und in Ca-Al-reichen Einschlüssen von kohligen Chondriten (Meteoritenart).

pH-Wert: Mit dem pH-Wert drückt man den Säuregrad einer wäßrigen Lösung

324

aus: *Potentia Hydrogenii*, Stärke des Wasserstoffs, ist eine Maßzahl für die in der Lösung enthaltene Konzentration an Wasserstoffionen. Da die Definition den Logarithmus dieser Konzentration beinhaltet, bedeutet der Unterschied zwischen zwei benachbarten pH-Zahlen einen Unterschied in der Konzentration um einen Faktor 10. pH 7 bedeutet neutrale Lösung, Werte größer als 7 charakterisieren alkalische, solche kleiner als 7 saure Lösungen.

Planetesimale: Kleine Körper, die sich bei der Kondensation des präsolaren Nebels zunächst gebildet haben. Die Vorstellung ist, daß sich die Planeten nach und nach aus Planetesimalen gebildet haben.

Proton: Elementarteilchen mit positiver Ladung, 1860mal schwerer als das Elektron.

Radikale: Atomgruppen, die nicht selbständige Atome oder Moleküle sind, aber bei vielen chemischen Reaktionen unverändert bleiben. Sie sind stets ungesättigt, und in freier Form unbeständig, daher von kurzer Lebensdauer, entsprechend sehr reaktionsfreudig.

Rossby-Wellen: Großräumige, aus wenigen Perioden bestehende Wellenbewegungen der Luft um die Pole der rotierenden Planeten (wie z. B. der Erde) herum. So benannt nach C. G. Rossby (1898–1957).

Schwarzer Strahler: Ein Körper, der alle ihn treffenden Strahlungen absorbiert und nicht reflektiert. Ein solcher Körper emittiert die maximal mögliche Strahlungsleistung für eine gegebene Temperatur.

Schwerewellen: Wellenart, bei der der Auftrieb in Luft als Rückstellkraft wirkt.

Schwerkraft: Die Kraft, die z. B. von der Erde auf jeden anderen Körper ausgeübt wird.

Sediment: Material, das sich aus Wasser absetzt, nachdem es dort in Suspension transportiert worden ist.

Sedimentationsgesteine: Gesteine, die sich aus sedimentiertem Material gebildet haben.

Sferics (Atmospherics): Die Radiostrahlung, die von Blitzen verursacht wird.

Solarkonstante: Die Strahlungsleistung, die am Rand der Erdatmosphäre von der Sonne im mittleren Abstand der Erde von der Sonne pro Flächeneinheit empfangen wird.

Sonnenflecken: Dunkel erscheinender kühlerer Bereich auf der Sonnenoberfläche.

Streuung: Prozeß, bei dem elektromagnetische Strahlung an kleinen Teilchen aus der ursprünglichen Ausbreitungsrichtung der Strahlung abgelenkt wird. Der Grad der Ablenkung hängt von mehreren Faktoren ab, unter anderen vom Verhältnis der Abmessung des Teilchens zur Wellenlänge der Strahlung.

Synergie: Die Kombination von zwei oder mehreren biologischen Effekten, die einen anderen weit stärkeren Effekt hervorbringen.

Taifun: Hurrikan im westlichen Pazifik.

Torr: Früher gebräuchliches Maß für den Druck: Der Druck, der 760 mm Quecksilbersäule das Gleichgewicht halten konnte, beträgt 760 Torr. 1 Torr ist der Druck, der 1 mm Hg-Säule die Waage hält.

Tsunami: Ozeanwelle, die durch ein Seebeben hervorgerufen worden ist.

Verwitterung: Die mechanische, chemische oder biologische Wirkung der Atmosphäre, der Hydrosphäre auf Material, dessen Form, Farbe und Konstitution sich dabei verändert.

Wasserstoffbrennen: siehe Fusion.

Zersetzung: Zerfall hochstrukturierter Organismen in oder auf der Erde zu einfacheren Stoffen (Fäulnis, Vertorfung, Verwesung).

Verzeichnis der Tabellen

1 Häufigkeit der Elemente   25
2 Häufigkeiten der Elemente in der festen Erde   26
3 Hauptbestandteile der Erdkruste   30
4 Die Erde in Zahlen   33
5 Warmzeiten, Kaltzeiten   49
6 Standardatmosphäre   70
7 Fallwinde   108
8 Beaufort-Skala   110
9 Halo-Formen   129
10 Polarlicht und Airglow-Linien   134
11 Aerosol   167
12 Zusammensetzung trockener Luft   182
13 Zusammensetzung der Atmosphäre und ihrer Spurengase   232
A1 Aufbau der Erde   306
A2 Geologische Formationen   313

Bildnachweis

Nachstehend genannte Bilder sind entweder den aufgeführten Publikationen mit freundlicher Genehmigung der Verlage und Organisationen entnommen worden oder wurden mir zur Verfügung gestellt:

Abb. 2, 49:   Science 192, 1189, 1976.
Abb. 3, 48:   NASA Assessment Report: Present State of Knowledge of the Upper Atmosphere; Publikation 1162, 1986.
Abb. 5, 8:   WMO-Proceedings, No. 537, S. 112.
Abb. 6:   National Science Foundation »Mosaic« 9,10,2 1979.
Abb. 16:   Science. Evans: Bd. 216, S. 467, 1982. Copyright 1982 AAAS.
Abb. 54, 59:   US-Department of Energy, Washington DC, 1979 und 1982.
Abb. 61:   Nature, Bd. 317, S. 207, 1985. Copyright Mcmillan Magazines Limited.

Tafel 1a: NASA-Bild, zur Verfügung gestellt von Dr. R. T. Watson.
Tafel 1 b: Entnommen dem Buch »Les Peys Indians«, Ray Manley Photographic Inc., Tucson, Arizona (USA), S. 63.
Tafel 2a: NASA-Bild
Tafel 2b: NASA-Bild
Tafel 3a: NASA Technical Memorandum 86129: Earth observing system
Tafel 3b: NASA-Bild
Tafel 4:   NASA-Bild

Umschlagbild: Mit freundlicher Genehmigung von NASA bzw. ESA (Meteosat-Bild).

Register

Absorption 27, 67, 95
Absorptionsbanden 12, 257
Adiabatisch 80, 176, 286–293
Adsorption 27
Advektionsnebel 114
Aerob 35, 188, 205
Aeronomie 84
Aerosol 19, 43, 45, 65, 157–178, 180, 192, 196, 201, 212–221, 238, 245, 263
Airglow 117, 131–134
Aitken-Kerne 143, 169, 213
Akkretion 26
Albedo 31, 95, 165, 170, 175, 176, 264, 299
Aleuten 67
Alexanders dunkles Band 106, 121
Altostratus 102, 112, 115
Ammoniak 182–192
Ammonifikation 192
Ammonium 187
Ammoniumsulfat 170, 192
Anaerob 35, 185, 186
Anhydrid 32, 190
Antarktis 43, 106, 175, 205, 227, 240, 241, 246, 263
Anthropogen 12, 23, 168, 211, 243, 251
Antizyklone 12, 101, 104, 244
Äquinoktien 261
Argon 25, 182, 183
Arktis 116, 209, 244, 245, 263
Assimilation 34, 208, 250, 270
Astenosphäre 44
Asteroiden 27
Astrophysik 17, 18
Atmospherics 149
Atomkern 18, 21, 139, 179, 276

Autotroph 34, 35
Azetobacter 186
Azoren 45
Azorenhoch 99

Bakterien 35, 38, 186, 205
Barometrische Höhenformel 71, 294
Becquerel 184
Bimsstein 42
Biomasse 167, 187, 188, 192, 210, 263, 271, 279
Biosphäre 19, 186, 229, 239
Blaualgen 35, 38
Blaugrüne Algen 186
Blei 15, 16, 26, 166, 259
Blitz 118, 132, 136, 140, 146–150, 189
Bora 108, 109
Brom 223

C-14 21, 207
Carbonylsulfid 168, 212
CFC 223, 234, 238, 258, 281
Chemolumineszenz 132
Chemosphäre 61
Chlor 200, 226, 227
Chlorophyll 34, 35, 215
Chloroxyd 12, 240
Clear Air Turbulence 80
Cluster 94, 131, 138, 141, 143, 168, 202
Corioliskraft 54, 55, 57, 100

D-Schicht 202
Dämmerungsleuchten 132
Dampfdruck 92
Denitrifizierung 185, 187
Diagenese 95

Differenzierung 28
Diffusion 77, 90, 171, 278
Diluvium 40, 46
Dissoziation 66, 179
Donner 80, 118, 132, 136, 148
Drehimpuls 17, 79
Drehmoment 79
Dreierstoß 194, 196, 197
Druck 32, 55, 69–78, 93, 96, 100,
    101, 105, 148, 172, 223, 274, 284,
    295, 310

E-Schicht 138
Eis 33, 46, 93–95, 111, 113, 125, 126,
    131, 145, 146, 169, 175, 205, 219,
    221, 263, 290
Eisamboß 113, 115
Eisen 28, 31, 305
Eisenoxyd 27, 30
Eiskristall 94, 111, 114, 116, 125, 126
Eisnebel 93, 114
Eiswolken 94
Eiszeit 14, 19, 22, 40, 43, 46, 49, 51,
    219, 264
Eklogit 45
El-Cichòn 42, 169, 245, 247
El Niño 247–251
Elektrisches Feld 144
Elektromagnetische Wellen 61–63
Elektron 24, 61, 134–147, 161, 179,
    190, 307
Elektronendichte 61, 136, 138
Energiebudget 156, 162
Erdbeben 44, 175
Erdkern 28, 156, 305, 306
Erdkruste 14, 28, 29, 31, 41, 43, 44,
    132, 303, 306
Erdwärme 273
Erosion 14, 167, 221
Eukarioten 36, 38
Evolution 35, 38, 46, 266
Exobasis 67, 296
Exosphäre 61, 182, 200
Exzentrizität 33, 39

F-Schicht 138
Fallwinde 108
Fata Morgana 123

Feldspat 29
Fluor 25, 201, 223, 224, 227, 244
Föhn 108, 109, 292–295
Formaldehyd 193, 199
Freie Weglänge 66, 74, 75
Front 100, 102, 103, 105, 106, 144
Fühlbare Energie 91
Fusion 14, 267

Galaxis 16, 17, 40
Gärung 205, 206
Gasdichte 40, 61, 65, 66, 179, 294
Gasdruck 17, 236
Gebänderte Eisenerze 30
Gefrierkern 168
Gegensonne 128
Genesis 13
Geologie 13, 14, 30, 47
Geophysik 59, 178, 303
Geothermische Energie 274, 280
Gewitter 52, 99, 103, 112, 113, 125,
    140–147, 150, 171
Gezeiten 79, 80, 156, 273, 274, 303,
    306
Gips 32, 33
Gleichgewicht 45, 153, 180, 181, 198,
    238, 250
Glorie 122, 123
Glukose 185, 193
Graupel 93, 97, 112
Gravitation 14, 54, 74, 80, 159
Gravitationswellen 80
Grenzfrequenz 62, 63
Grönland 34, 50, 205, 227, 261
Grüner Strahl 128, 130

Hadleyzellen 55
Hagel 93, 97, 112, 113, 269
Halbleiter 94, 273
Halo 111, 117, 118, 125–129, 132
Halogene 164, 197, 198, 223, 224,
    234, 243
Halogenierte Kohlenwasserstoffe 164,
    201, 223, 227, 233, 235, 243, 301
Hangwind 100, 108, 109
Hautkrebs 222
Hawaii 43, 45, 108, 169, 209, 250
Heamatitische Eisensteine 34

Heliosphäre 40
Helium 25, 131, 134, 161, 182, 183, 186
Heterosphäre 59
Hitzetief 105
Hochdruckgebiet 55, 57, 71, 100, 105, 176
Hochdruckkeil 59
Höhentief 79, 105
Holozän 49, 261
Homosphäre 59
Horizontalbogen 128, 129
Hurrican 107
Hydrolyse 200
Hydronium 94
Hydrosphäre 12
Hydrostatischer Druck 71, 294
Hydroxyl 94, 131, 134, 188, 191, 197, 227

Impuls 86, 180
Impulsbilanz 180
Infrarot 31, 65, 66, 89, 95, 154, 162, 164, 184, 188, 222, 230, 236
Inklination 39, 261
Instabilität 239
Iod 223
Ion 94, 131, 136–138, 141–144, 166, 168, 179, 293
Ionisation 66, 132, 134, 136–139, 144, 145, 188
Ionisierung 140, 144
Ionosphäre 61–63, 79, 84, 90, 136–143, 149, 307
Island 45, 58, 67, 261
Isobare 55, 101
Isobutan 215
Isotop 15, 16, 20, 34, 168, 183, 206

Junge Schicht 168, 169
Jupiter 27, 79

Kalium 132, 183
Kältepol 106
Kaltfront 102, 103, 144
Kaltluft 102, 103
Kaltzeit 19, 42, 48, 49, 51
Kambrium 14, 34, 43

Kaolin 29, 94
Karbonat 29, 33, 34, 216, 219
Katalysator 195, 203, 225
Katalytische Prozesse 194, 195, 224, 226
Kernbildung 28
Kernenergie 268, 269, 274, 280
Kleine Eiszeit 22
Kleinionen 142, 143, 166
Klimamodell 96–99, 178
Klimaschwankung 22
Klimasystem 96, 165, 251
Klimaveränderung 47, 48, 68, 172, 261
Koagulation 116, 143, 168
Kohlehydrat 208
Kohlendioxyd 13, 23, 25, 29, 30, 33, 37–90, 154, 155, 184, 207, 208, 216–237, 250, 252
Kohlenmonoxyd 182, 202, 237
Kohlenstoff 21, 25, 27, 34, 43, 186, 202–218, 265, 268, 269, 279
Kohlenwasserstoff 12, 167, 202, 210, 214, 222
Kometenkern 36, 117
Kondensation 16, 32, 36, 65, 76, 91, 93, 112, 113, 114, 143, 144, 145, 168, 169, 171, 289
Kondensationskern 93, 113, 114, 143, 168, 201, 289
Konvektion 41, 52, 55, 64, 66, 73, 76, 77, 78, 90, 100, 145, 146, 147, 158, 176, 263, 291
Korund 26
Krakatau 41, 42, 43, 130
Kryosphäre 12
Krypton 25, 182, 184
Kugelblitz 148
Kumulonimbus 115
Kumulus 111, 112, 115, 144

Lachgas 182, 186, 187
Landregen 112, 140
Landwind 100, 108, 258
Landwirtschaft 167, 258
Latente Energie 90, 170, 176
Leben 19, 34–36, 45, 153, 178, 216, 265, 266, 304

Leuchtende Nachtwolken 130, 131
Leuchtkraft 41
Lichtsäule 128, 129
Luftdruck 71, 73, 74, 91
Luftleuchten 131

Magnetfeld 13, 24, 40, 44, 45, 79, 85,
  149, 150, 171, 303, 306
Magnetosphärischer Teilsturm 150
Mantel 28, 31, 37, 44, 45, 202, 305
Mars 23, 27, 29, 31, 185, 299
Maunder-Minimum 173
Merkur 23, 29, 297, 299
Mesopause 61, 200
Mesosphäre 61, 65, 66, 85, 106, 130,
  161, 182, 188, 190, 191, 192, 201,
  202, 230
Metamorphose 14, 95
Meteoriten 17, 81, 131, 132, 167, 170
Methan 35, 182, 191, 199, 203–215,
  226–229, 237, 243, 258, 259, 270,
  271
Methylchlorid 200, 224
Mie-Streuung 158
Mikrowellen 62, 87, 89, 184, 201, 236
Milankowitsch-Parameter 39, 49, 175,
  261
Mill-Creek-Culture 48
Mischungsschicht 209
Mischungsverhältnis 66, 76, 86, 182,
  187, 196, 202
Mistral 109
Mittelmeer 49, 173, 251
Molekulargewicht 33, 66, 73, 74, 77,
  182
Mond 23, 29, 54, 79, 118, 132, 297
Monsun 12, 68, 109, 110
Mount St. Helen 169, 222, 247

Natrium 26, 132, 168
Nebel 111, 114, 116, 122, 152, 158,
  165, 214, 239
Nebengegensonne 128
Nebensonne 126, 129
Neon 182, 184
Nickel 28, 305
Nimbostratus 112, 115
Nitrat 166, 186, 187–189, 198, 221

Nitrifizierung 187, 188
Nitrit 188
Nitritbakterien 186
Nitrobacter 187, 189
Nitrosomonas denitrificans 185, 189
Nordhalbkugel 48, 55, 100, 106, 149,
  176, 203, 210, 300
Nukleation 168, 169

Okklusion 104
Orographische Winde 109, 233
Ouverwacht-Gruppe 28, 38
Ozon 11, 12, 30, 31, 37, 43, 65,
  82–87, 90, 154–165, 182–214,
  222, 224, 226, 233, 234, 241–258,
  269, 307
Ozonloch 240, 241, 246

PAN 214, 215
Partialdruck 90
Passat 12, 57, 79, 110, 249
Peenemünde 83
Peroxyd 26, 214, 215
Pflanzen 21, 38, 141, 185, 188, 196,
  205, 208, 209, 210, 215, 218, 262
Phosphat 186
Photodissoziation 31, 66, 132, 193,
  207, 237
Photoionisation 137, 138, 188
Photolyse 30, 201, 214
Photooxydantien 214
Photosynthese 30, 34, 35, 153, 193,
  194, 210, 219
Planetesimale 23, 28
Plasma 140, 149
Plattentektonik 44
Polare Front 105, 106
Polarlicht 117, 118, 132–134, 142,
  171, 190
Potential 142–149
Präzession 39, 261
Primordial 25, 28, 183
Probioten 38
Prokarioten 35

Quadrupolmoment 79
Quartär 46

Radar 85, 90
Radikale 179, 211, 227
Radioaktivität 15, 144, 156, 183, 278
Radiokohlenstoffmethode 20, 162
Radon 182
Raketen 81, 85, 86, 130, 131, 213
Ramsay-Sphären 34, 38
Rayleigh-Streuung 157
Regen 80, 97, 102, 112, 113, 114,
    140, 142, 172, 173, 189, 201, 212,
    221, 251
Regenbogen 117–122, 132
Regenwälder 207, 217, 265, 280
Reisanbau 205, 206
Relegation 93
Remote Sensing 87
Roßbreiten 57
Rossby-Wellen 240
Ruß 165, 213

Salpetersäure 187–190, 214, 218, 243
Sättigungsdampfdruck 91, 95, 288
Saturn 79
Sauerstoff 25, 26, 29–31, 34–37, 65,
    66, 73, 94, 131, 134, 180–190, 192,
    193, 194–214, 254
Schallausbreitung 80, 81, 89
Schelf 44
Schmelzwärme 93
Schnee 41, 42, 94, 95, 97, 175, 221,
    299, 301
Schwefel 211
Schwefelbakterien 186
Schwefeldioxyd 46, 212, 215, 221
Schwefelwasserstoff 29, 35, 88, 182
Schwerewellen 80
Schwerkraft 74, 113
Sedimente 14, 34, 37, 45, 143, 208,
    216, 219
Seewind 100, 108
Selen 88
Silikat 28, 94, 169, 208
Silizium 184
Skalenhöhe 77, 307
Smog 188, 214
Solarenergie 106, 154, 273, 280
Solarer Nebel 23, 24–28, 183
Solarkonstante 298

Sonne 16–18, 68, 79, 118, 132, 149,
    160, 172, 175
Sonnenaktivität 71, 144, 159, 161,
    261
Sonnenaufgang 111
Sonnenflecken 38, 68, 133, 151, 172,
    173, 246
Sonnensystem 16–19, 24–29, 39, 40,
    173, 184, 202
Sonnenuntergang 109, 111, 118, 158
Sonnenwind 17, 24, 28, 40, 148, 159,
    171, 175, 298
Spörer Minimum 173
Staub 19, 23, 27, 29, 41–45, 101, 109,
    113, 118, 130, 131, 141, 164, 167,
    170, 178, 179, 213, 221
Stickoxyde 161, 187–193, 206, 212,
    214, 221, 226, 227, 240, 257
Stickstoff 25, 131–136, 155, 181, 182,
    185, 186, 194–214
Stickstoffdünger 187
Strahlstrom 58, 105, 106
Strahlungsbilanz 97, 156, 159, 164,
    170, 175, 256
Strahlungsgleichgewicht 153
Stratopause 61, 65, 66, 230
Stratosphäre 11, 37, 41, 64, 65, 67, 71,
    82, 106, 130, 149, 155, 161–171,
    182–196, 222, 224, 226, 234, 240
Stratus 112, 115
Stromatholithen 36
Subduktion 44, 255
Sublimationswärme 94
Südafrika 28, 34, 38
Südhalbkugel 55, 67, 100, 149, 175,
    203, 205, 210, 240, 300
Sulfat 167, 168, 169, 221
Sümpfe 205
Superrotation 79

T-Tauri-Phase 17, 24, 25, 28
Taifun vgl. Hurrican
Talwind 100, 109
Tambora 41, 263
Temperaturerhöhung 219, 230
Temperaturschichtung 81, 124
Termiten 205, 206
Tertiär 46

Tetrachlorkohlenstoff 224, 230, 234
Thermik 108
Thermosphäre 61, 66, 71, 78, 79, 84, 149, 190, 192
Tiefdruck-Trog 58
Tiefdruckgebiet 55, 64, 67, 71, 100, 101, 105, 107, 149, 176
Tornado 107
Totalreflexion 120
Trägheitsmoment 17, 303, 306
Treibhauseffekt 12, 13, 23, 36, 162, 165, 170, 201, 204, 210, 216, 219, 221, 235, 238, 257, 262, 301
Treibhausgase 199, 227
Tropopause 61, 64, 65, 67, 69, 106, 113, 146, 162, 224, 235
Troposphäre 58, 64, 67–80, 97, 112, 140, 144, 164–171, 187–190, 194, 196–220, 224, 227, 235, 240, 249, 262, 301
Tschernobyl 267, 275, 276, 278
Tsunami 42
Turbopause 59, 61, 66, 73, 74, 181, 182
Turbulenz 114, 182

Ultraviolett 29, 189, 198, 205, 212, 229
Uran 26, 184
UV 31, 37, 204, 205, 222, 229
UV-B 204, 222

Vegetation 42, 48, 220
Venus 13, 31, 54, 55, 79
Verbrennung 43, 187–192, 202, 207, 211, 212, 214–216, 257, 269, 271, 278
Verdampfungswärme 65, 93, 171
Verdunstung 90, 97, 176, 177, 220, 263
Verweilzeit 164–166, 181, 184, 185, 188, 200, 205, 208, 211, 212, 224, 233, 270
Verwitterung 29, 186, 194, 208

Vibrationsbanden 90
Völkerwanderung 48, 49
Vulkane 31, 41, 45, 46, 169, 170, 175, 202, 207, 208, 211, 221, 222, 244

Waldsterben 196, 199, 215, 255, 256
Warmfront 100, 102, 103
Warmluft 100, 102, 103
Warmzeit 19, 21, 22, 48, 49, 50, 261
Wasserdampf 12, 13, 29, 32, 59, 65, 76, 88, 90, 91, 93, 95, 113, 125, 154, 155, 168–184, 198, 201–214, 236, 237, 243, 262, 288, 300, 301
Wasserdampfdruck 93, 94, 95
Wasserhose 101
Wasserkraft 280
Wasserstoff 25, 30, 31, 35, 88, 94, 131, 134, 182, 186, 199, 200, 234, 273, 279
Wasserstoffbrennen 17
Wassertröpfchen 92–94, 114, 119, 157, 168, 179
Wetter 59, 64, 80, 96, 98, 99, 102, 103, 107, 143–247
Wetterkarte 98
Wettervorhersage 96, 98, 99, 140
Whistler 150
Wiederaufforstung 210, 218
Wiederkäuer 205, 206, 228, 271
Windenergie 280
Windgeschwindigkeit 65, 85, 106–108, 110
Würmeiszeit 51

Xenon 25, 182, 184

Zellulose 193
Zersetzung 192, 211
Zirkulation 43, 52, 55, 56, 57, 67, 79, 111, 154, 175, 240, 244, 249
Zirkumhorizontalbogen 129
Zirkumzenithalbogen 127, 128, 129
Zirruswolken 111, 115, 168
Zyklone 12, 100, 101, 103, 105, 106, 244

Bücher zum Thema

Die gespeicherte Sonne

Wasserstoff als Lösung des Energie- und Umweltproblems
Herausgegeben von Hermann Scheer. Mit Beiträgen von Wilfried Bach,
Reinhard Dahlberg, Joachim Gretz, Henry Kalb, Konstantin Ledjeff,
Harry Muuß, Joachim Nitsch, Rolf Povel, Hermann Scheer,
Helmut Tributsch, Werner Vogel und Hartmut Wendt.
301 Seiten mit 52 Abbildungen. Serie Piper 828

Solarer Wasserstoff – das ist die alternative Großquelle für die Energieversorgung der Zukunft, in der Kohle, Öl und Kernenergie als Energiequellen ersetzt werden müssen. In diesem Buch erläutern führende
Experten aus Forschung, Wirtschaft und Politik diese neue Energiequelle und die zu ihrer Realisierung erforderlichen Maßnahmen.

Peter Kafka / Heinz Maier-Leibnitz
Kernenergie – Ja oder Nein?

Eine Auseinandersetzung zwischen zwei Physikern
Vorwort von Hubert Markl. 287 Seiten. Serie Piper 739

Brauchen wir die Kernenergie oder müssen wir auf sie verzichten?
Peter Kafka und Heinz Maier-Leibnitz – beide sind Physiker – vertreten
zu dieser Frage kontroverse Positionen. Ihr Buch zeigt, daß eine sach-
liche Diskussion dieses umstrittenen Themas möglich ist. Für die
Neuausgabe haben sie nach Tschernobyl ihre Auseinandersetzung fort-
geführt. »Das Buch ragt aus der Vielzahl von Publikationen zum Thema
Kernenergie.«   Süddeutscher Rundfunk

Anders Wijkman / Lloyd Timberlake
Die Rache der Schöpfung

Naturkatastrophen: Verhängnis oder Menschenwerk?
Aus dem Englischen von Christiane Spelsberg und Roger Willemsen.
234 Seiten mit 39 Abbildungen und 1 Karte. Serie Piper 551

Dürre, Hungersnöte, Überflutungen, Hurrikane, Erdbeben, Vulkanausbrüche . . . Naturkatastrophen sind Umweltkatastrophen. Es sind
keine plötzlich auftretenden Ereignisse, sondern durch Menschen
mitverursachte Prozesse: vorhersehbar und in ihren Auswirkungen zu
beeinflussen.

Piper